ENNEMIS INTIMES

Couverture
- Illustration et maquette:
  DANIEL JALBERT

Maquette intérieure
- Conception graphique:
  JEAN-GUY FOURNIER

DISTRIBUTEURS EXCLUSIFS:

- Pour le Canada:
  AGENCE DE DISTRIBUTION POPULAIRE INC.*
  955, rue Amherst, Montréal H2L 3K4 (tél.: 514-523-1182)
  *Filiale de Sogides Ltée

- Pour la France et l'Afrique:
  INTER-FORUM
  13, rue de la Glacière, 75013 Paris (tél.: 570-1180)

- Pour la Belgique, la Suisse, le Portugal, les pays de l'Est:
  S.A. VANDER
  Avenue des Volontaires 321, 1150 Bruxelles (tél.: 02-762-0662)

Dr George R. Bach · Peter Wyden

ENNEMIS INTIMES

Traduit de l'américain
par
Louise Drolet

 actualisation

 le jour,
éditeur

Cet ouvrage de la collection **actualisation** *vous présente un moyen concret de réaliser votre potentiel.*

Sa lecture vous permettra de vous familiariser avec cette approche.

Vous pouvez développer davantage cette dimension de votre personne en participant à des séances de consultation individuelle, des sessions et stages de formation de groupe.

Actualisation *fournit les services appropriés pour* **réaliser son potentiel.**

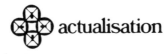 **actualisation**

INSTITUT DE DÉVELOPPEMENT HUMAIN

QUÉBEC: 3125, Joncas, G1E 1P8   (418) 667-4542
MONTRÉAL: 2335, Sherbrooke O., H3H 1G6   (514) 932-9754

Ce livre a été publié en américain sous le titre:
The Intimate Ennemy
chez Avon Books

Bibliothèque nationale du Québec
Dépôt légal — 4e trimestre 1983

ISBN 2-89044-138-5

À Peggy et Barbara

Chapitre 1

La nécessité des disputes

Les conflits verbaux entre intimes, plus particulièrement entre époux, sont non seulement admissibles mais constructifs et hautement souhaitables. Voilà un concept nouveau que beaucoup trouveront choquant et même dangereux. Nous pouvons prouver le contraire. Nous avons pu constater, à notre Institut de psychothérapie de groupe, que les partenaires qui se disputent, loyalement bien sûr, vivent proches et restent ensemble.

C'est précisément l'art de se quereller de façon constructive que nous enseignons aux couples venus nous consulter pour des problèmes conjugaux. Nos méthodes de formation ne sont pas simples, elles ne peuvent s'appliquer à tous avec un égal succès. Dans la recherche de solutions à des problèmes touchant aux tendances les plus personnelles, elles exigent patience, bonne volonté et assez de souplesse pour accepter de sortir des sentiers battus. Par-dessus tout, elles s'adressent à des esprits ouverts à la raison et à des coeurs réceptifs au changement. La grande majorité de nos participants maîtrisent rapidement l'art du combat conjugal et en tirent le plus grand profit. Nous pensons que tout couple sincèrement et profondément motivé peut en faire autant.

En utilisant au cours de leurs disputes notre système de règles flexibles, nos participants découvrent que les tensions, les frustrations naturelles qu'éprouvent deux êtres vivant ensemble peuvent être réduites de façon appréciable. Ayant banni de leur vie bon nombre de mensonges et d'inhibitions, ne s'embarrassant plus d'un «savoir-vivre» démodé, ces couples mûrissent, deviennent

9

plus productifs, plus créateurs, tant comme individus autonomes que comme couples. Leur vie sexuelle tend à s'améliorer. Ils ont de fortes chances de mieux réussir l'éducation de leurs enfants. Les sentiments hostiles qu'ils peuvent nourrir l'un envers l'autre leur inspirent une moins forte culpabilité. Communiquant plus facilement, ils sont plus à l'abri de découvertes déplaisantes concernant leur partenaire. Nos participants étant aptes à aménager au mieux l'«ici et maintenant», ils se soucient donc beaucoup moins d'un passé auquel ils ne peuvent rien changer. L'ennui et le divorce les guettent moins que d'autres. Leur amour est consolidé du fait des normes réalistes qu'ils se sont fixées. Mais, par-dessus tout, ils sont libres d'être eux-mêmes.

Nos participants sont parfois choqués, au début, par certaines de nos méthodes. Nous leur conseillons de se disputer devant leurs amis, leurs enfants. À de nombreux couples, nous recommandons de le faire avant, pendant ou après les rapports sexuels. Certains, entendant parler de nos travaux par ouï-dire, s'imaginent que nous encourageons les couples dans la voie des échanges d'injures chroniques, pathologiques, tels qu'on a pu en voir dans le film *Qui a peur de Virginia Woolf?* C'est avant de participer à notre formation que les couples se disputent de cette façon, jamais après.

Comment éviter les querelles du style *Qui a peur de Virginia Woolf?*

Les flambées sauvages du type «Virginia Woolf» sont en vérité monnaie courante. Voici l'une de ces scènes, telles que nous avons pu en entendre des centaines, à quelques variantes près, au cours de vingt-cinq ans de psychothérapie conjugale.

M. et Mme Bernard Leblanc ont rendez-vous pour dîner avec une relation d'affaires de Bernard, de passage avec sa femme. Il est convenu que Mme Leblanc viendra attendre son mari devant l'immeuble où il travaille. Les Leblanc, mariés depuis douze ans, ont trois enfants et sont quelque peu fatigués l'un de l'autre mais se querellent rarement. Ce soir, Bernard Leblanc tient particulièrement à faire une bonne impression sur ses visiteurs. Or, sa femme arrive avec vingt minutes de retard. À peine installés dans le taxi qui les mène à leur rendez-vous, le jeu commence:

Lui : Pourquoi es-tu en retard?

Elle : J'ai fait ce que j'ai pu.

Lui : Ouais... Tu es comme ta mère, elle non plus n'est jamais à l'heure.

Elle : Qu'est-ce que cela a à voir ici?

Lui : Tout. Tu es aussi souillon qu'elle.

Elle (haussant le ton) : Ah! vraiment? Et qui donc ramasse les sous-vêtements de qui par terre, chaque matin?

Lui (mordant, mais gardant son contrôle) : Il se trouve que je travaille, moi. Dis-moi un peu ce que tu fais de tes journées?

Elle (criant) : J'essaie de me débrouiller avec le peu d'argent que tu me donnes, voilà ce que je fais.

Lui (lui tournant le dos) : Et pourquoi irais-je me crever pour une garce ingrate comme toi?

D'un échange de propos comme celui-là, les Leblanc ne devraient rien retirer de plus qu'une soirée gâchée. Des combattants entraînés, au contraire, y puiseraient de précieuses informations. Ils remarqueraient le motif de la querelle : s'il était légitime au départ (le retard était en effet considérable), il demeurait aussi insignifiant, sans rapport avec les véritables préoccupations du couple. Mais le vase était plein; la moindre goutte devait suffire à le faire déborder. Car les deux partenaires avaient pris la fâcheuse habitude de ravaler leurs doléances. Les griefs ainsi accumulés finissent par conduire à une explosion et causent alors d'énormes dégâts.

Nos participants remarqueraient également que Bernard, faisant allusion à sa belle-mère, avait déterré, de la façon la plus déloyale, un passé totalement hors de propos. Mme Leblanc, quant à elle, avait poussé plus loin l'escalade en attaquant Bernard dans sa virilité, lorsqu'elle lui avait reproché de ne pas suffisamment gagner sa vie.

Une des principales recommandations que nous faisons à nos participants consiste, justement, à faire le maximum pour que leurs querelles non seulement demeurent loyales, mais d'actualité, de façon à équilibrer quotidiennement les «comptes» du couple. En se disputant de façon régulière et constructive, on n'a plus besoin d'accumuler des munitions.

L'étude de dizaines de milliers de scènes entre intimes nous a permis de mettre au point un système d'utilisation de l'agressivité individuelle dans des «disputes constructives». Plus qu'à un sport, comme la boxe, notre système s'apparente à un art de coopération, comme la danse. C'est un instrument, un mode de vie qui, paradoxalement, conduit à une plus grande harmonie. Cette notion est passablement révolutionnaire. Nous pensons qu'elle peut enrichir époux et amants, et, à notre avis, l'humanité ne réussira pas à résoudre le problème des conflits entre les nations tant qu'elle n'aura pas appris à maîtriser les conflits entre ceux qui s'aiment.

En huit ans, depuis le moment où notre Institut faisait figure de pionnier dans l'étude de l'agressivité entre intimes, nous avons formé avec succès près de deux cent cinquante couples. Notre système est utilisé en Europe comme en Amérique, mais plusieurs malentendus subsistent. Notre système laisse place aux différentes personnalités et n'a rien de rigide.

Il consiste en une série d'exercices pratiques, vécus. Nous proposons une forme, non un contenu. Chaque couple, au cours de la dispute, remplit son propre tableau. Méthode d'éducation concrète, qui permet aux participants de se former à l'aide de leurs propres découvertes. Nous changeons les attitudes, nous proposons de nouvelles directions d'exploration et apprenons à travers essais et erreurs. Nous canalisons la colère impulsive ou refoulée. Mais nous conservons aux affrontements agressifs toute leur spontanéité. Car aucune dispute ne peut être prévue. Il n'en est pas deux qui soient identiques.

Nous décrirons les exercices de disputes à faire chez soi; quand, où, comment commencer une dispute; quand et comment la terminer. Nous indiquerons comment des couples peuvent régler leur «distance» l'un par rapport à l'autre en dehors des disputes. Mais notre programme n'offre pas de recettes toutes prêtes; ce n'est pas un livre de cuisine. Chacun peut l'essayer, en l'absence d'un thérapeute, à condition de prendre garde à la vulnérabilité du partenaire. Mais le thérapeute, à notre Institut, n'est pas une figure paternelle lointaine. Il participe : comme éducateur, comme arbitre, comme modèle, comme ami.

Ne s'agit-il pas encore là, demanderont certains, d'une invention de psychologues, ennemis de la simplicité ? Notre expérience clinique le dément. Les disputes, nous disent de nombreux participants du meilleur niveau intellectuel et social, peuvent être si impitoyables, si blessantes, que nul ne peut douter de la nécessité d'une éducation dans ce domaine. Mais ces couples qui se jettent des assiettes à la figure ne sont pas les plus mal en point. Plus infortunés encore sont ceux qui se disputent rarement ou pas du tout.

Lorsque les couples accumulent leurs griefs

La querelle dans le taxi des Leblanc, par exemple, pour destructive qu'elle fut, eut un résultat positif. Sous l'effet d'une pression, ils sont devenus agressifs (les « faucons »). Elle leur fournit au moins une idée, très vague certes, de leur situation l'un par rapport à l'autre. C'est là le premier pas, essentiel, vers l'amélioration de toute relation. Environ 80% de nos participants, par nature, refusent, nient ou fuient le combat (les « colombes »). Ceux-là en savent généralement moins encore, l'un sur l'autre, que les Leblanc qui, eux, savaient au moins jusqu'où ils iraient pour se blesser.

Dans les relations entre intimes, l'ignorance est rarement béate. Elle conduit à ce monumental ennui, à cette solitude *à deux*[1] des couples aux vies parallèles. Chez eux, la paix n'est qu'apparente. Comme tous et chacun, la colère les habite à tout moment. Car la colère reste, au fond, la réaction fondamentale, émotive et physiologique à tout ce qui peut interférer avec les buts poursuivis; c'est l'expression d'une forte implication. Entre familiers, les sentiments hostiles ne peuvent être ignorés car ils sont inévitables.

Voici comment débute une soirée typique chez des « pacifistes » pseudo-intimes :

Lui (bâillant) : Ça a été aujourd'hui, chérie ?

Elle (aimable) : Oui. Et toi ?

Lui : Mais oui. Comme d'habitude.

---

1. En français dans le texte. (N.D.T.)

Elle : Que veux-tu boire ?

Lui : Ce que tu voudras, chérie.

Elle : Tu veux faire quelque chose ce soir ?

Lui : Je ne sais pas trop...

Rien de plus significatif ne sera prononcé par ce couple « agressophobe », ce soir-là ou un autre. Ce refus de s'affronter conduit au divorce affectif. Nous expliquerons bientôt pourquoi ils évitent un véritable face à face.

Pour un autre groupe de pacifistes que nous appellerons les « pseudo-accommodants », il existe bien un échange de renseignements importants, mais, le plus souvent, le résultat n'est pas heureux. Voyons aussi comment un mari s'apprête à aller au-devant des pires ennuis :

Elle (s'installant confortablement, en vue d'une discussion raisonnable) : Maman aimerait nous rendre visite.

Lui : Mais oui. Pourquoi pas ?

« Quel désastre ! » pense cet époux colombe dans son for intérieur. Mais il ne supporte pas les chamailleries, aussi garde-t-il cette réflexion pour lui. Voilà donc la belle-mère qui arrive. Les querelles que déclenchera sa présence seront bien pires que celle que le mari vient d'éviter. Autre tactique mise en jeu par ce mari et fort prisée entre intimes : il attend de sa femme qu'elle devine son sentiment véritable quant à la venue de sa belle-mère; selon lui, si elle l'aime, elle doit pressentir ce qu'il ressent. Hélas, les dons de clairvoyance ne sont pas courants, et souvent les couples ne s'y retrouvent plus. À travers ce livre, nous démontrerons le danger que cela comporte.

Rares sont les couples capables de se rendre compte que leur refus de savoir où ils en sont, de se mesurer l'un à l'autre, peut mener à une crise grave, voire au divorce, comme ce fut le cas pour M. et Mme Dubuc, l'un de ces couples de « colombes ». De nombreux époux, au cours des rapports amoureux, feignent une passion plus forte qu'ils n'en éprouvent réellement. C'est ce que faisait Mme Dubuc. Alors que des partenaires véritablement intimes s'avouent l'un à l'autre leurs difficultés, les pseudo-intimes continuent à feindre, artifice qui, à la longue, devient une apparence dangereuse lorsque le véritable intérêt n'existe plus.

Les Dubuc étaient mariés depuis huit ans. Une nuit, après avoir fait l'amour avec sa femme, M. Dubuc se félicita, en toute innocence, de son savoir-faire comme amant. Mme Dubuc lui en voulait, justement, d'avoir refusé au dîner de discuter un problème financier urgent puis d'avoir laissé traîner ses affaires par terre. Ce soir-là, oubliant ses habitudes pacifistes, elle ne put maîtriser sa colère. Mais elle avait accumulé sous pression tant de griefs, depuis si longtemps, que, sans s'en douter, ce fut une explosion atomique qu'elle déclencha lorsqu'elle déclara, sur le ton de la conversation :

— Tu sais, je ne sens jamais rien. Je fais semblant.

Il n'en faut pas tant pour briser un ménage. Lorsqu'ils vinrent à notre Institut pour apprendre à combattre, l'un des premiers conseils que reçurent les Dubuc fut d'apprendre à évaluer les armes employées en fonction de la gravité du sujet de la dispute. Autrement dit, à ne pas «lâcher une bombe atomique sur le Luxembourg»!

Une catastrophe sans explosion

Mais fuir toute querelle peut aussi conduire à la catastrophe sans la moindre explosion. Comme pour M. et Mme Jarry, un cas vraiment extrême. Mariés depuis plus de vingt ans, ils avaient deux enfants, déjà grands. Aux yeux de tous, leur mariage s'avérait une réussite. M. Jarry, directeur des ventes, gagnait bien sa vie. Sa femme s'habillait avec goût, et participait à de nombreuses activités sociales. Tous deux étaient très appréciés pour leur conversation. Pourtant, chez lui, M. Jarry ouvrait rarement la bouche. Il se contentait, pacifiquement, d'être d'accord en tout avec sa femme. Peu de temps après le départ de leur deuxième fils pour le collège, pendant que sa femme faisait des courses, M. Jarry boucla sa valise et quitta la maison sans même laisser un mot. Ce n'est que par l'avocat de son mari que Mme Jarry réussit à savoir que celui-ci ne comptait plus revenir. Comme à l'accoutumée, il avait préféré éviter toute discussion à ce sujet. D'abord incrédule, sa femme fut ensuite atterrée. Quant aux nombreux amis du couple, ils tombèrent littéralement des nues. C'est sur leurs instances que les Jarry se décidèrent à participer à notre formation.

M. Jarry commença le premier. Il se joignit à l'un de nos groupes de développement personnel comprenant huit personnes également aux prises avec des problèmes conjugaux, mais qui n'étaient pas encore prêtes, comme lui, à les résoudre en présence de leur conjoint. Le groupe fit comprendre à M. Jarry que sa « politique du silence » était en réalité un refus de coopérer, pire encore : une secrète hostilité, camouflée sous des dehors de complaisance hypocrite. Il reconnut n'avoir jamais encore abordé sa femme de front et ne lui avoir jamais fait part de ses sentiments. Pourtant, Dieu sait si elle l'agaçait lorsqu'elle décidait de tout, décrétant ce qui allait les « amuser » ou les « intéresser » ! Ce n'est que dans ce « dialogue intérieur » que nous entretenons tous qu'il discutait ses décisions. Il avait d'ailleurs remarqué que sa femme devenait encore plus autoritaire lorsqu'on lui résistait.

M. Jarry se montra d'abord très réticent à l'égard des disputes dirigées. Se laisser aller à de futiles discussions serait, déclara-t-il, indigne de lui, incompatible avec son système de valeurs. Car il vivait encore selon le vieil adage *La parole est d'argent, mais le silence est d'or*, dont sa mère lui avait enseigné la vertu. Sachant se dominer, il s'attribuait plus de mérite qu'à sa femme, avec ses tracasseries tapageuses.

Six séances hebdomadaires devaient assouplir cette attitude de rigide « savoir-vivre » et faire comprendre à M. Jarry que le silence, même d'or, ne menait à rien. Il s'entraîna, dans son groupe, à « répondre », à « résister » à une femme particulièrement dominatrice qui devint un substitut de son épouse. Quelle ne fut pas sa joie le jour où il eut enfin le dessus ! Elle était pourtant, se vanta-t-il, « pire encore que ma femme » !

M. Jarry se joignit ensuite à un deuxième type de groupe. Quatre à huit personnes, mariées ou non, y abordaient leurs problèmes non plus comme individus mais comme couples. M. Jarry était maintenant prêt à affronter Mme Jarry sur de nouvelles bases. Et il découvrit, au cours de ces séances, que l'épouse indomptable et raisonneuse pouvait être apprivoisée. En vérité — il le découvrit avec surprise — elle préférait le voir s'affirmer et prendre part aux décisions concernant la famille. Il lui paraissait ainsi plus séduisant, d'ailleurs, ce dont ils bénéficièrent tous deux sur le plan sexuel. Découvrant les joies d'une intimité véritable, M. Jarry renonça au divorce et s'apprêta à revivre son mariage sur une base plus réaliste.

Pour M. Jarry comme pour tant d'autres, l'«agressivité» était une notion honteuse, tout comme le «sexe» naguère. La plupart des gens préfèrent garder secrètes leurs colères, leurs querelles. Lors de la phase expérimentale de notre programme, nous demandions aux couples d'enregistrer leurs querelles à la maison afin que nous puissions en discuter. Ce système n'était pas des plus heureux. En effet, certains partenaires rusés mettaient le magnétophone en marche seulement lorsque c'était à leur avantage — du moins le croyaient-ils — et l'arrêtaient lorsqu'ils voulaient censurer leurs propos. D'autres couples se montraient réticents à enregistrer leurs querelles simplement parce qu'ils répugnaient à réécouter leurs propres accès de colère.

Le tabou de l'agressivité dans le couple

Il est de fait que la colère, dans notre société moderne, est tabou. Elle n'est pas «de bon ton», pas «féminine», pas «adulte». Nous vivons à l'âge de la «bonne entente», de la raison aimable. Au seul mot de «dispute», la plupart des gens se sentent mal à l'aise. Ils parleront plus volontiers de «différends», d'une «simple discussion», et feront de grands efforts pour préserver une paix apparente.

Les gens croient que l'amour est incompatible avec la dispute. Lorsque les deux partenaires sont vivement en colère l'un contre l'autre, ils se supplient mentalement de rester calmes quoiqu'il arrive : «Je t'aime trop pour me disputer avec toi, tu n'es pas mon ennemi.» La tension augmentant, ils prieront l'autre, intérieurement toujours, de ne pas leur en vouloir ou ils tenteront de désamorcer sa colère : «Sois gentil…» En dernier lieu, leur demande se doublera d'une menace voilée : «Ne crie pas, sinon…» Tout cela fait partie du jeu de la «paix à tout prix».

Que d'idées fausses sont à l'origine de ce désir d'être au-dessus de tout sentiment d'animosité. Par exemple, que la «maturité» consiste à réprimer, non à exprimer sa colère. Ou que les sentiments hostiles, non seulement sont incompatibles avec l'amour, mais encore présentent un caractère pathologique. («Si tu m'aimes, tu dois me prendre comme je suis.») On dit d'une personne en colère, dont l'état n'est pas jugé assez grave pour justifier un traitement psychiatrique, qu'elle a temporairement perdu la raison. Tout le monde «sait», après tout, qu'il ne faut pas prendre au sérieux ce qui est dit sous l'effet de la colère. Un conjoint «mûr» a vite fait de mettre ces divagations sur le compte des troubles émotifs de la personne. Les impasses conjugales du pacifisme ont leur origine dans l'idée toute romantique que dans un couple on doit s'accepter «comme on est». Tradition et savoir-vivre nous apprennent qu'il ne faut pas chercher à transformer l'être aimé, mais être prêt à vivre heureux avec ses qualités et ses défauts. Cette aptitude quasi magique à accepter les défaillances de l'autre entraînerait automatiquement un bonheur paradisiaque. Le cinéma n'est pas le seul à entretenir cette aimable fiction, certains conseillers conjugaux et divers spécialistes y contribuent également.

Ce rêve romantique d'un bonheur sans nuages est le résidu d'un idéal bourgeois de «bonne éducation», obtenu par la pression sociale. Mais croire qu'un foyer d'où toute querelle, toute tension sont bannies sera forcément harmonieux reste un mythe parfaitement ridicule qui traduit une profonde ignorance des réalités psychologiques. Entre partenaires adultes, les disputes sont inévitables. C'est par les querelles suivies de réconciliations que se crée l'intimité profonde.

Mais chacun a ses propres théories sur l'harmonie conjugale et les moyens d'y parvenir. Et chacun, c'est humain, aime voir ses idées triompher, sauf dans le cas extrême de l'agressophobe pacifiste ou de l'époux «paillasson». Une maturité véritable se manifeste en acceptant de céder sur certains points, mais non sans s'être querellés au préalable! La querelle à propos du lieu de vacances est un parfait exemple de cette sorte d'affrontement authentique.

«La montagne est plus reposante» lance le mari.

«La plage est plus amusante» de crier la femme.

Compte tenu des divergences d'opinion existant dans un couple, il est parfaitement normal pour ses membres d'être en colère l'un contre l'autre de temps en temps.

Et pourtant, de nombreux couples, indignés à cette seule idée, affirment ne jamais se disputer. C'est qu'en vérité, ils auraient trop peur de le faire. Bien peu d'entre eux savent que la tension émotive — les travaux modernes le démontrent — joue un rôle positif dans le tonus de notre système nerveux. Surtout, ils craignent d'ouvrir la boîte de Pandore. Peuvent-ils « se permettre » de se quereller, après toutes ces années investies l'un dans l'autre ? Ils redoutent les larmes possibles, une escalade de la colère pouvant conduire — qui sait ? — jusqu'à la séparation.

Nos participants, quant à eux, remarquent au contraire qu'ils se sentent plus proches l'un de l'autre après une bonne dispute. Seulement nos toutes nouvelles recrues se demandent si nous ne nous moquons pas d'elles lorsque nous leur affirmons qu' « une dispute par jour garde un couple en santé ».

Des expériences scientifiques récentes viennent appuyer cette thèse en apparence paradoxale. Le célèbre docteur Harry Harlow de l'université du Wisconsin, après avoir élevé plusieurs générations de singes, a pu montrer que des échanges hostiles étaient nécessaires avant d'obtenir des échanges amoureux. Les singes élevés par des mères calmes, « permissives », peu portées à se quereller, deviennent des adultes normaux en tous points sauf un : ils ne veulent ni ne peuvent s'accoupler.

Un autre chercheur de distinction, Konrad Lorenz, observe de même : « Parmi les oiseaux, ce sont les individus les plus agressifs de chaque groupe qui sont aussi les amis les plus solides et il en va de même pour les mammifères. À notre connaissance, les conduites tournées vers autrui ne se rencontrent que dans des organismes agressifs... Cela n'est certainement pas nouveau pour ceux qui s'intéressent à la nature humaine... Sigmund Freud avait compris depuis longtemps la relation étroite qui existe entre l'agressivité et l'amour humain, et les vieux proverbes sont là pour nous la rappeler. » Erik Erikson de l'université Harvard, psychologue d'avant-garde en ce qui a trait à la maturité affective, impute « l'inaptitude des humains à cultiver la controverse et à engager d'utiles combats » à leur incapacité de créer une intimité authentique.

Aussi étrange que cela puisse paraître, c'est par son caractère irréfléchi que la colère est positive. À moins de se dissimuler sous une façade neutre ou amicale (au prix d'un ulcère !), la colère, tout comme le rire spontané ou l'excitation sexuelle, ne peut mentir. Le moyen le plus sûr de découvrir ce à quoi tient vraiment quelqu'un, c'est de chercher à le mettre en colère. C'est d'ailleurs un test que les intimes utilisent inconsciemment d'eux-mêmes.

Le processus commence dès l'époque de la cour amoureuse, lorsqu'un des partenaires provoque l'autre juste pour le taquiner, cherchant au fond à savoir ce qui peut bien le « faire fâcher pour de bon ». Jeux des plus instructifs s'ils demeurent loyaux et dépourvus d'arrière-pensées blessantes. Les amoureux y apprennent que leur affection gagne en profondeur lorsque l'agressivité s'y mêle. Les deux sentiments font alors partie d'une relation naturelle et authentique au sein de laquelle les deux partenaires peuvent exprimer les bons comme les mauvais sentiments qu'ils éprouvent.

À notre avis, donc, il ne peut exister de relation intime équilibrée sans affrontements agressifs, sans qu'un des partenaires demande à l'autre de « vider son sac » afin de négocier des compromis réalistes. Ce qui ne va pas sans douleur. Mais, nos débutants le savent bien, cette souffrance est le prix d'un amour véritable et durable.

Il est tout simplement impossible d'exprimer tout son amour lorsqu'on n'a pas déchargé toute sa haine. Lorsqu'un partenaire répond à l'attente de l'autre, « le courant passe » et ce dernier éprouve des sentiments d'amour. Dans le cas contraire, le « courant est coupé » et c'est de la haine, le mot n'est pas trop fort, qui est ressentie. Ce sont là les hauts et les bas, bien connus, du mariage; un état de fait trop souvent accepté comme inévitable. Ce pessimisme est injustifié. Nous avons découvert, en effet : 1) Que ce n'est pas par le côté aimable, aimant, de sa nature qu'un conjoint tisse des liens intimes avec son partenaire; 2) Qu'il est non seulement possible d'apprendre à manier l'agressivité, mais qu'elle peut modifier une relation dans un sens positif. Contrairement aux croyances stéréotypées, l'existence de conflits, d'une certaine hostilité, n'est donc pas nécessairement le signe de la détérioration de l'amour. Le signal d'alarme serait plutôt l'indifférence devant la colère, devant la haine, qui indiquerait qu'un des partenaires considère l'autre comme une « cause perdue » ou se désintéresse de son sort.

Prétextes et boucs émissaires

L'agressivité personnelle est un sujet plutôt tabou qui touche de près la plupart des gens. Ceux-ci éprouvent une difficulté plus ou moins grande à avouer leurs sentiments hostiles, même à eux-mêmes. Les tendances innées à l'agressivité sont un des côtés de la nature humaine généralement ressentis avec culpabilité. D'où le déplacement fréquent de sentiments hostiles sur les boucs émissaires.

Supposons que nous soyons mercredi. Gisèle Laforêt a eu une journée éprouvante et elle n'a pas envie de faire l'amour avec Norbert, son mari. Au lieu de négocier avec lui, elle envenime la situation en soulevant un problème inapproprié et en critiquant son mari au moment de se mettre au lit.

Gisèle : Pas ce soir, chéri. De toute façon, je ne sens jamais rien, ton ventre me gêne.

Norbert : C'est seulement un prétexte. Cela dépend de la position.

Gisèle (s'échauffant) : Tu sais très bien que je suis incapable de faire des acrobaties. Il serait beaucoup plus simple que tu arrêtes de t'empiffrer.

Norbert (furieux) : Je me trouve bien comme cela et tu ne m'empêcheras pas d'apprécier la bonne cuisine.

Gisèle (glaciale) : Eh bien, il va falloir que tu fasses un choix !

Norbert (fâché mais résigné) : Merde, voilà que ça recommence...

Les enfants fournissent une cible idéale dans ces déplacements de l'objet réel de la querelle. Les discussions à leur sujet les concernent rarement; ils n'en sont que le champ de bataille. C'est ce que découvrirent Gilles et Sylvie Raymond lors de cette dispute qu'ils menèrent dans l'un de nos groupes :

Sylvie : Il serait temps que tu te décides à imposer une discipline aux enfants.

Gilles : Pourquoi moi ?

Sylvie : Parce que l'autorité, ici, ça doit être toi.

Gilles: En effet. C'est bien ce que je suis, d'ailleurs.

Sylvie: Justement pas! C'est moi qui représente l'autorité dans cette maison; il le faut bien.

Gilles: C'est faux! D'ailleurs, personne ne te le demande.

Sylvie (de plus en plus en colère): Tu ne te rends pas compte! Qui essaye de discipliner les enfants? C'est moi. Qui prend les responsabilités? C'est moi.

Gilles (marchant de long en large et fumant nerveusement): J'en suis bien aise. C'est toi le gendarme. Mais ne crois pas que cela impressionne vraiment les enfants.

Sylvie (rouge de colère): Il me rendra folle! C'est bien ce que je suis en train de dire. Tu me laisses faire le sale boulot. Je suis la mère « casse-pieds », et toi le « chic type ». Si tu crois que c'est agréable pour moi!

Gilles (se laissant tomber dans un fauteuil avec résignation): Qu'y a-t-il de désagréable à voir ses enfants bien s'entendre avec leur père? Vraiment, je ne te comprends pas. C'est justement cela qui m'attache à mon foyer. J'aime mes enfants, tu ne réussiras pas à me les mettre à dos.

Sylvie: D'accord. Mais je ne veux pas tout faire seule. Il faut que tu me soutiennes. Écoute un peu ce qu'ils ont encore fait aujourd'hui...

Gilles (excédé): Oh, ça va...

Sylvie: Ah! Monsieur ne veut pas entendre? Monsieur ne fait pas partie de la famille, peut-être? C'est trop de responsabilités?

Gilles: Des responsabilités, il me semble que j'en prends suffisamment en gagnant notre vie. Je n'aime pas te voir houspiller les enfants. Si tu veux savoir, je ne peux pas le supporter...

Les Raymond croyaient s'opposer sur des sujets tels que « l'autorité parentale » ou « le rôle de l'homme dans la maison ». Ce ne sont là que des stéréotypes culturels superficiels. Les investigations plus poussées du groupe thérapeutique révélèrent des problèmes intimes bien plus profonds, que le couple n'avait jamais osé regarder en face.

Il apparut que Sylvie était jalouse de l'amour que Gilles portait aux enfants. Depuis leur venue, il ne lui témoignait plus une très vive passion. La froideur de Gilles, quant à lui, venait de ce que Sylvie ne se conformait pas à l'image qu'il avait de la « bonne mère » et qu'il en avait été fort déçu. Il supportait particulièrement mal qu'elle vienne sans cesse se plaindre à lui des enfants. Cela lui rappelait de façon très désagréable l'époque où sa propre mère « rapportait » à son père, derrière son dos, la liste de ses méfaits à lui. Ce qui lui valait une bonne correction paternelle, destinée à lui inculquer la discipline.

Sylvie se figurait, au contraire, que son mari était jaloux de l'amour qu'elle portait à ses enfants, et qu'il l'en punissait par son indifférence.

Ce système d'idées fausses devait s'écrouler au cours des séances de groupe. En utilisant les techniques exposées dans les chapitres qui suivent, les Raymond apprirent à s'affronter sur leurs sentiments réels, leurs besoins, leurs attentes réciproques. Et la question de la discipline des enfants ne revint jamais sur le tapis. Elle fut prise en main, spontanément, par l'un ou l'autre des époux selon les besoins du moment.

Déplacements et refoulements

Il est également très fréquent de détourner les sentiments agressifs en les taxant d'irrationnels dans sa propre vie et en les déplaçant sur une figure symbolique, tel le Premier ministre ou encore sur d'importants groupes anonymes, des criminels ou des « ennemis ». C'est ce transfert de sentiments hostiles qui sert de prétexte aux dirigeants politiques pour s'engager dans la forme d'agression la plus catastrophique : la guerre.

Non que les hommes politiques soient les seuls à manipuler l'agressivité humaine. Les porte-parole religieux poussent les gens à s'en débarrasser par la prière. Les psychiatres tentent de la chasser par l'analyse ou la rationalisation. Certains adeptes du savoir-vivre voudraient bien la dissimuler derrière un sourire. Cela ne sert à rien, et pour cause. La colère fait partie de la personnalité au même titre que le désir sexuel. On peut la déplacer, la canaliser, la modifier ou la refouler. Mais on ne peut pas l'envoyer pour de bon. C'est pourquoi nous incitons les individus à l'assumer et à la décontaminer aussi sainement que possible.

L'agressivité dans la famille

Nous sommes persuadés que la crise qui menace la structure de la famille a sa source dans l'inaptitude à résoudre les conflits personnels. Les communications entre parents et enfants se font de plus en plus mal. De plus en plus, les jeunes se réfugient dans le monde de la drogue et des excitants qui provoquent d'éphémères émotions. Un couple sur trois finit par divorcer.

Quant à des millions d'autres, si, d'un point de vue strictement physique ou légal, ils demeurent ensemble, affectivement, ils sont à des lieues l'un de l'autre. Le divorce émotionnel est chose courante. Le château de cartes dans lequel ils vivent est maintenu par des fantasmes, par des pressions d'ordre social, religieux, économique ou légal. Ou encore, par la peur du changement.

Les philosophes parlent de l'aliénation de l'homme moderne pris entre sa solitude et sa crainte de voir autrui s'approcher trop près, ce qui entraîne des crises émotionnelles et physiques quotidiennes. En réalité, ce n'est pas l'aliénation que l'homme ne supporte pas. C'est l'intimité.

Sur le plan psychologique, nous sommes entrés dans l'ère glaciaire. En dehors de quelques flambées de chaleur humaine — d'origine sexuelle le plus souvent, avec l'encouragement de quelques verres —, les échanges personnels véritables sont en train de disparaître de notre civilisation occidentale. L'intimité, c'est le but auquel tout le monde aspire mais qu'en vérité on trouve de plus en plus difficile à supporter. Nombreux sont ceux qui ne peuvent s'approcher l'un de l'autre sans le secours d'un stimulant comme l'attrait sexuel, l'alcool, ou sans jouer un rôle. L'intimité durable entre mari et femme, parents et enfants, entre amis, est en danger d'extinction. À notre avis, cette menace silencieuse, d'ordre privé, met notre civilisation en danger tout autant que l'atome, l'automation ou tout autre phénomène dont on nous rebat les oreilles.

Pourquoi aujourd'hui ? Il n'y a pas si longtemps encore, la famille était une tribu où chacun savait, voyait, comprenait ce que faisait l'autre. L'intimité en souffrait, mais les occasions de partager les échecs et les malheurs se présentaient, et une aide amicale s'offrait toujours. De nos jours, comme chacun le sait, la famille s'est segmentée. Nous ne pouvons plus être témoins de ce que font les autres, nous nous contentons d'en parler. Mais quel conjoint peut vraiment partager les joies ou les aigreurs d'estomac d'un spécialiste de l'énergie atomique, par exemple?

Les individus sont devenus des visages dans une «foule solitaire»; ils vouent un culte à l'autonomie, au respect de la vie privée, remèdes souverains aux problèmes d'ordre intime. Le couple, de ce fait, devient plus que jamais un système en «circuit fermé». Le fardeau, pour époux et amants, n'en est que plus lourd; c'est à eux qu'incombent les fonctions vitales qui jadis étaient réparties sur des groupes plus élargis. Comment s'étonner si les circuits deviennent surchargés, si tant de partenaires «coupent le courant» ou se livrent à des jeux aux dépens de l'autre?

Remplacer les jeux par un combat constructif

Lorsque le livre du Dr Eric Berne, *Des jeux et des hommes*, devint un best-seller, les éditeurs ne manquèrent pas d'être étonnés. À tort d'ailleurs. Nombre d'époux et d'amants sont trop faibles, trop craintifs ou trop peu avisés pour tolérer les échanges agressifs entre eux. Ils reconnaissent leurs propres mascarades dans les descriptions précises, quoique teintées de cynisme et d'irrespect, du Dr Berne. Rappelez-vous la querelle provoquée, à propos de vétilles, par un mari ou une femme désireux d'éviter les rapports amoureux à la fin de la soirée. C'est un vrai passe-temps national. Il en est de même des autres jeux conjugaux que décrit le Dr Berne. Il rend un fier service à ces époux-joueurs en leur ouvrant les yeux. Nous croyons cependant qu'il s'est montré trop pessimiste lorsqu'il a évalué leurs aptitudes à laisser tomber leurs masques et à devenir des individus authentiques et capables d'une véritable intimité.

La plupart des couples, pourtant, notre expérience clinique nous le montre, seraient heureux de pouvoir abandonner ces comédies, se rendant parfaitement compte de ce qu'elles impliquent de fatigues, d'anxiétés inutiles. Les comédiens savent rarement où ils en sont. Mieux ils jouent, moins ils le savent. Leur objectif n'est-il pas, en effet, de dissimuler leurs véritables motivations, de ruser pour amener leur partenaire là où ils le désirent?

L'incertitude en est le résultat, et l'être humain supporte très mal l'incertitude.

Malheureusement, l'abandon de ces ruses suppose que l'on ait trouvé mieux à mettre à leur place. En fait, les jeux expriment une agressivité qui cache le désir, car les émotions, l'agressivité en particulier, doivent bien être exprimées d'une façon ou d'une autre. Ordonner à une personne d'arrêter ces jeux aura pour effet de manipuler, d'exploiter et d'affaiblir cette personne.

L'art du combat constructif, libérateur et créateur, dispense d'avoir à jouer la comédie. Depuis que nous avons instauré cette méthode à notre Institut, le taux de réconciliations parmi nos couples à problèmes a considérablement augmenté. Et les études de contrôle nous indiquent que nos anciens participants ont une vie bien plus satisfaisante — plus bruyante, peut-être! — qu'avant. Pour les enfants, particulièrement, victimes les plus pitoyables de notre « ère glaciaire », le bénéfice est inestimable, une famille authentiquement unie leur étant aussi nécessaire que la nourriture. Les jeunes enfants, surtout, souffrent émotionnellement lorsqu'ils ne peuvent ni partager ni apprendre ce qu'est l'intimité. À notre avis, on peut voir dans l'absence de modèles d'intimité réelle l'une des principales causes de la barrière entre les générations. Ceux qui ont été privés d'un « nid » risquent de ne jamais désirer en édifier un.

Toute relation intime implique que l'on soit prêt à abandonner en partie ses propres désirs lorsqu'ils se heurtent à ceux du partenaire. Tâche difficile, car céder à la volonté d'un autre, c'est un peu perdre son identité. Équitablement réparti entre les partenaires, le prix vaut cependant d'être payé, le plaisir de l'être aimé, lorsqu'on lui cède après un combat bien mené, étant la meilleure des récompenses. Car dans une authentique intimité, il est bien vrai que « mieux vaut donner que recevoir ». Voilà pourquoi l'intimité vaut qu'on se batte pour elle.

Chapitre 2

Les combats pour (ou contre) l'intimité

C'est dans une disposition d'esprit des plus sceptiques que la plupart des gens viennent nous consulter la première fois. La notion de «combat» ne leur paraît pas plus attirante ou indispensable que celle d'«intimité». Pour tout dire, certains trouvent nos méthodes proprement révoltantes.

L'une de nos visiteuses était une jeune femme charmante et fortunée dont la photographie apparaissait fréquemment à la rubrique mondaine des journaux. Elle avait trois enfants, avait divorcé deux fois et comptait se remarier. Cependant, elle commençait à douter sérieusement de sa capacité à maintenir une relation intime. Elle exprima son indignation lorsque nous lui expliquâmes que nous guidions nos clients vers une intimité améliorée en leur apprenant à mieux utiliser leurs conflits. « Je suis venue apprendre à aimer, non à me battre », déclara-t-elle. Sur quoi, elle tourna les talons.

Nos clients, pour la plupart, sont des gens moins en vue et plus compréhensifs. Ménagères, ouvriers, secrétaires, gens d'affaires ou de professions libérales; c'est un peu tout le monde qui vient nous consulter, sur la recommandation du médecin de famille, du psychiatre, de l'avocat ou d'un ami. Leur première réaction lorsque nous leur proposons de se joindre à un groupe de formation à la dispute est nettement sarcastique.

— Ils sont timbrés ! déclare généralement le mari à sa femme, tandis qu'ils quittent l'Institut.

Qu'on leur apprenne, à eux, à se disputer, voilà qui les fait bien rire ! Pourtant, intrigués, ils sont prêts à faire un essai. N'oublions pas que le seul fait, pour un couple, de venir demander de l'aide, indique au moins une certaine volonté de changement.

Lorsqu'enfin ils se décident, les époux ont en général secrètement décidé de passer sous silence certains faits importants mais embarrassants, contrairement à notre règle de franchise totale. Nous avons appris à ignorer ces pactes qui sont souvent la première manifestation d'intimité entre les conjoints depuis des années. De toute façon, sous la pression du groupe, les secrets seront tôt ou tard débusqués.

Pourquoi apprendre l'intimité ?

Nos clients s'étonnent qu'on ait à enseigner l'intimité. Nous leur faisons alors remarquer qu'il ne s'agit là ni d'un don inné ni d'un droit héréditaire, mais au contraire du type de relation le plus civilisé dont soit capable l'être humain. Cette réalisation dépend d'un choix délibéré. Il faut vouloir l'intimité, et deux personnes ne peuvent la réaliser qu'en « arrondissant leurs angles ».

Ce serait une erreur que d'interpréter le taux fantastiquement élevé des divorces comme une fuite devant l'intimité. Bien au contraire, ce phénomène traduit la soif intense d'une relation intime qui n'a pas encore été réussie ou que les partenaires croient avoir perdue. Les divorces, ainsi que les remariages qui leur succèdent généralement, indiquent l'ambivalence des gens à l'égard de l'intimité et des tensions qu'elle entraîne. Ils sont toutefois déterminés à faire de nouveaux essais.

Le terme « déterminés » n'est pas trop fort. La proportion des adultes « solitaires » va en diminuant. À l'heure actuelle, neuf personnes sur dix vivent ou ont vécu en couple. Les divorcés forment habituellement de nouveaux couples. Ceux qui écartent définitivement la vie à deux rêvent souvent d'une harmonie douce mais vide plutôt que d'une relation honnête où chaque conjoint exprimerait ses sentiments affectueux et agressifs afin de favoriser un amour et une compréhension qui iraient en grandissant au fil des années.

Intimité, familiarité et sexualité ne sont pas synonymes

En observant les débutants à notre Institut, nous avons pu comprendre pourquoi le concept d'intimité, tout comme celui d'agression, apparaît comme suspect ou même révoltant.

Beaucoup considèrent l'intimité comme monotone, trop prévisible. Et de nous citer le dicton : *La familiarité engendre le mépris.* Cette notion reflète bien notre époque, placée sous le signe du synthétique, où l'on trouve des produits de remplacement pour le sucre, pour le caoutchouc..., pour l'intimité. Les pseudo-intimes portent des masques et jouent la comédie. Leur mariage devient vite ennuyeux.

Quand il existe une familiarité réelle, au contraire, la vie de couple demeure fascinante : la capacité de l'esprit humain de répondre par une infinité de solutions à une situation donnée enrichit la vie à deux. Cette merveilleuse créativité, les enfants la possèdent — tant que les parents ne les ont pas mis en garde contre leur ouverture au monde, leur « transparence ». Comment s'étonner alors de ce que nous ayons à enseigner aux adultes à abaisser leur garde, avec les êtres aimés tout au moins ?

Combattre pour une distance optimale

Il est également courant de confondre « intimité » et « relations sexuelles », alors que ces deux notions peuvent être distinctes. Ou bien de croire que l'intimité implique que l'on sera complètement absorbé par l'autre. En effet, ce serait un danger réel, mais seulement pour ceux qui ne savent pas combattre. Un combattant efficace ne peut être envahi; ses comportements d'agression lui servent de défense.

L'agressivité a aussi une autre fonction utile. Aussi paradoxal que cela puisse paraître, nous avons découvert que l'hostilité est le sentiment précis qui rend l'intimité possible et supportable. Voici comment.

L'utilisation intelligente de l'art du combat permet en partie d'échapper à l'emprise de la relation intime et contrôle son intensité.

Une bonne dispute permet aux partenaires de déterminer leur « distance optimale » : celle où chacun est suffisamment proche de l'autre pour ne pas se sentir exclu tout en étant libre, cependant, de garder ses pensées pour soi, d'entreprendre des activités autonomes et ce, sans l'influence illégitime de l'autre.

On ignore généralement que le seul et véritable propos de certaines disputes est celui-ci : « Prière de ne pas trop s'approcher ! » Des accrochages apparemment incompréhensibles se produisent ainsi assez souvent après les rapports amoureux.

De nombreux couples signalent que certains matins, après des rapports amoureux particulièrement satisfaisants, un éclat se produira entre eux à propos de « rien ». Parce que le mari, en se levant, n'arrive pas à mettre la main sur une chemise propre. Parce que le café est trop faible ou les enfants trop bruyants. Parce que la femme se demande à haute voix si son mari ne pourrait pas, pour une fois, prononcer une parole aimable au cours du petit déjeuner. Il se met en rage. Elle explose et lui rappelle que non seulement elle a mis une ardeur spéciale dans leurs rapports amoureux de la veille, mais qu'elle a fait ceci ou cela pour lui dernièrement. Pourquoi est-il si ingrat, ce sale type ?

Les accrochages de ce type, éternellement recommencés, aident les partenaires à découvrir ou à redéfinir leur « portée optimale »; autrement dit, la distance psychologique à laquelle ils se sentent le plus à l'aise. Le but réel et inconscient de la dispute aura été de découvrir jusqu'où le conjoint peut s'approcher sans donner à l'autre l'impression de l'envahir; jusqu'à quel point il peut s'éloigner sans lui donner le sentiment d'être rejeté.

Lorsque nos participants ont appris à reconnaître ce genre de disputes, nous leur conseillons de ne pas trop s'en affecter. Et de ne pas être jaloux des couples dont on dit : « Ils sont tellement proches l'un de l'autre ! » Car ce qui compte, ce n'est pas la proximité maximale, mais la proximité optimale entre les partenaires. Celle-ci, naturellement, peut ne pas être la même pour les deux conjoints. Un ajustement est alors nécessaire et possible.

Voici un exercice amusant et utile, à faire chez soi. Les deux partenaires, placés à cinq mètres environ l'un de l'autre, devisent ensemble. Tout en continuant leur conversation, le partenaire A se dirige vers le partenaire B jusqu'à le toucher. Il fait alors marche arrière jusqu'au point où il se sentira à l'aise. On mesure alors la distance entre les deux personnes. L'expérience est recommencée, B étant cette fois celui qui s'approche et puis recule. On trouve de façon presque constante une différence dans les préférences des deux partenaires quant à leur distance. Le partenaire qui a besoin de la plus grande distance serait le plus souvent l'auteur des disputes de « distance optimale ». Le message qu'il envoie est le suivant : « Ne t'approche pas trop. »

Un tel signal, chaque membre d'un couple l'envoie de temps en temps. Car l'imbrication de deux personalités peut, à la longue, être éprouvante.

Recharger ses batteries

Nous conseillons aux couples de prendre cette réaction au sérieux et d'apprendre à connaître leurs limites. Personne ne dispose de réserves de tendresse illimitées.

Nous incitons nos participants à mettre au point leurs propres techniques pour se garder à bonne distance. Un couple qui a beaucoup d'accrochages liés à la distance optimale peut juger bon de prendre des vacances avec un autre couple afin de diluer les contacts intimes pendant un certain temps; ou chaque partenaire peut prendre ses vacances de son côté en emmenant un ou tous les enfants.

De toute façon, les problèmes de « distance optimale » disparaissent à la suite des « retraites » dans la solitude que chacun peut, périodiquement, s'aménager chez soi. Ces pauses ont pour but de « recharger la batterie ». Certains aménagent leur coin musique privé où ils peuvent écouter Beethoven ou les Beatles, tout en reprenant leur souffle. D'autres se plongent dans la lecture. Il faut savoir que lorsque le partenaire affiche, au sens propre ou figuré du terme, le panneau « Prière de ne pas déranger. Batteries à recharger », il n'y a pas lieu de se sentir coupable ou fâché. La pause ne peut qu'améliorer l'intimité du couple.

Selon un modèle romantique et démodé, il n'est pas très « gentil » de relever son pont-levis pour s'enfermer dans sa tour d'ivoire. Mais au sein d'une véritable intimité, cela est nécessaire tant qu'on ne l'utilise pas comme prétexte pour se replier sur soi.

Un de nos participants, qui occupait un poste supérieur dans une société de recherche scientifique, ne parlait guère avec sa femme, ce qui avait le don de la rendre folle. Elle se sentait d'autant plus rejetée que son mari parlait constamment avec des étrangers de tous les pays par le biais de son poste émetteur-récepteur. Nous proposâmes au couple de jouer au tennis ensemble, mais la femme eut une meilleure idée. Déployant un rare génie pour couper court aux manoeuvres de repli sur soi de son mari, elle s'inscrivit à un cours de radio amateur. Son mari n'aime toujours pas les affrontements directs, mais il converse maintenant joyeusement avec sa femme à partir de sa voiture. Aussi, à la maison, il se confie davantage et prête une oreille plus attentive à ses soucis intimes parce qu'il admire son ingéniosité et son entêtement. Elle lui attache beaucoup d'importance et il le sait.

Une scène qui changea notre orientation

Nous mentirions si nous cherchions à faire croire que dans une relation intime, tout reste à jamais immuable, alors que la vie n'est que changement. La vie d'une femme, par exemple, est fortement modifiée quand son dernier enfant quitte la maison. La vie intime du couple devrait alors faire l'objet de nouvelles décisions. De toute façon, la meilleure réponse à une situation de changement est un échange (donner et recevoir) de type agressif.

Jusqu'à il y a dix ans environ, la consultation conjugale, à notre Institut, était bien moins élaborée. Nous travaillions selon les théories traditionnelles et nos résultats étaient à l'avenant. Nous considérions alors l'agressivité comme un sous-produit de la frustration et de la haine de soi, autrement dit comme « mauvaise ». Nous mettions l'accent sur la chaleur humaine, sur l'acceptation du partenaire et la considération pour sa personne. Nous tentions de réconcilier les couples en gardant leur relation libre de tout conflit.

Puis, un jour, l'un de nous, le Dr Bach, connut une expérience qui le marqua profondément.

Il campait à la montagne avec sa femme Peggy et de vieux amis de collège, Jim et Nancy McDonald. Un soir après le dîner, alors qu'ils se reposaient devant leurs tentes, buvant et jouant aux cartes, Nancy lança soudain à son mari :

— Jim, tu triches !

Jim jeta ses cartes sur la table en s'écriant :

— Tu n'es qu'une garce stupide ! et se précipita sous leur tente, sans que Nancy, furieuse, fît un geste pour le suivre.

Le Dr Bach, sans le vouloir, devait entendre plus tard la scène suivante :

Nancy : Qu'est-ce qui t'a pris de te sauver au beau milieu de la partie ? Es-tu saoul ou quoi ? Tu n'es qu'un mal élevé. Va t'excuser auprès de Peggy et George.

Jim : Si cela ne leur a pas plu, tant pis pour eux !

Nancy : À moi non plus, cela ne m'a pas plu ! Et ne m'injurie plus ainsi devant eux.

Jim : Allez, cesse de jouer les mégères et viens faire l'amour.

Nancy : Tais-toi ! Tu as trop bu.

Jim : Mais qu'as-tu donc ? Allons, viens...

Nancy : Je n'ai pas envie de t'approcher, ce soir ; tu n'as rien d'attirant en ce moment.

Jim : Tu choisis juste les vacances pour me dire cela !

On put entendre ensuite un certain remue-ménage et les protestations véhémentes de Nancy. Les Bach la trouvèrent le lendemain endormie sur le siège arrière de la voiture de Jim et allèrent avertir ce dernier. Pendant le trajet de retour vers sa voiture, Jim se confia au Dr Bach :

Jim : Il faut que tu m'aides ! Je suis effondré. Nancy va me plaquer, c'est certain.

Dr Bach : Que s'est-il passé ?

Jim : Elle m'a reproché de m'être si mal conduit devant vous, ce qui est vrai. Elle a déclaré ne pas pouvoir être d'humeur tendre avec un tricheur, ivre et brutal. Et elle m'a demandé de la laisser dormir tranquillement.

Dr Bach : Ce que tu as fait ?

Jim : Oui. Mais j'étais très remué ; j'ai eu du mal à m'endormir et me suis réveillé peu après. J'ai voulu faire la paix. Je me suis approché d'elle, j'ai essayé de la caresser. Elle m'a repoussé avec colère. Alors je suis complètement sorti de mes gonds. Je l'ai littéralement jetée à bas de son lit à coups de pieds; je l'ai giflée en la traitant de tous les noms ! J'étais effrayé moi-même de la haine que j'éprouvais pour elle. Elle s'est précipitée dehors en pleurant, déclarant que « tout était fichu ». Je me suis alors immédiatement calmé. J'avais affreusement honte. Mais quand j'ai retrouvé sa trace, à la voiture, elle a refusé de répondre à mes appels. Quelque chose s'est vraiment brisé, hier soir.

Dr Bach : Sûrement. Nancy traverse véritablement une crise. Mais ce qui la préoccupe est certainement plus fondamental que ta façon de jouer aux cartes ou même tes « mauvaises manières ». Il faut la laisser parler, dire tout ce qu'elle a sur le coeur. Écoute-la. Et ne la poursuis plus.

Jim (intéressé) : D'accord. J'essaierai « d'encaisser ». Je l'aime, tu sais.

Mme Bach avait convaincu Nancy de sortir de la voiture, mais lorsqu'elle aperçut Jim, elle se saisit de son bâton de montagnard et se mit à le frapper à coups redoublés, en hurlant : « Je te déteste, je te déteste ! », jusqu'à ce que les Bach réussissent à la désarmer.

Nancy voulait retourner chez elle en autobus, mais c'était trop loin. Finalement, le Dr Bach l'invita à faire une promenade avec lui.

Nancy entreprit alors, à une allure furieuse, l'escalade du chemin qui conduisait au refuge comme si elle voulait fuir tout cela. Après environ une heure d'escalade rapide et silencieuse, le Dr Bach la supplia de ralentir. Elle lui répondit brusquement de lui foutre la paix et elle disparut. Quelques minutes plus tard, Jim fonça à sa suite, encouragé par le Dr Bach qui lui recommanda :

— Tiens bon. Et laisse-la parler !

Quand, dix heures plus tard, les Bach rencontrèrent finalement Jim et Nancy, tous deux étaient apparemment réconciliés et semblaient d'excellente humeur. Nancy s'arrangea pour pouvoir parler au Dr Bach :

Nancy : Je l'aime vraiment, tu sais.

Dr Bach : Tiens. Hier tu lui as crié : « Je te déteste ! »

Nancy (rougissant) : J'en ai honte. Mais c'était plus fort que moi. Jim est un être si merveilleux, tellement doué. Je ne peux supporter de le voir faire l'imbécile.

Dr Bach : Tu parles de la partie de cartes ou de vous deux, chez vous ?

Nancy : Oh ! ce qu'il fait ici, en vacances, n'a aucune importance; qu'il se comporte en gamin, s'il le veut. Mais à la maison, avec les enfants, ça non ! Il se moque de ce qu'ils peuvent éprouver, il les traite de tous les noms, n'a aucun égard pour eux. Eux qui l'aiment tant commencent à avoir peur de lui.

Dr Bach : Vous avez discuté de tout cela ce matin, je suppose. Aviez-vous jamais abordé le sujet auparavant ?

Nancy (avec agitation) : Justement pas. On ne peut pas se disputer avec Jim; cela ne nous est jamais vraiment arrivé. C'est toujours à sens unique. Il me traite de « garce castratrice », de « mère impossible ». Il boit. Il crie, puis il recommence avec les enfants et il sait combien cela m'atteint... Je fais ce que je peux pour me dominer. Mais je suis désespérée. Je veux que mon mariage soit réussi !

Dr Bach : Ne peux-tu l'accepter comme il est ?

Nancy : Impossible. Cela ne peut continuer ainsi. Si je ne croyais pas qu'il peut changer, répondre à l'idée que je me fais de lui, je ne l'aimerais plus.

Dr Bach : Je crois, Nancy, que toi et Jim, comme Peggy et moi, avez de ces disputes terribles justement parce que ce que nous sommes l'un pour l'autre nous tient à coeur. Sinon, nous ne nous donnerions même pas la peine de répondre.

Les hostilités échangées entre Jim et Nancy devaient, au cours des années qui suivirent, faire l'objet d'une étude approfondie de notre part. Elles nous amenèrent à reconsidérer les bagarres des autres couples venus nous consulter. Nous fûmes frappés par le nombre infini de problèmes qui se cachaient derrière de telles querelles. Les réserves de haine qu'elles recelaient étaient trop importantes pour pouvoir être ignorées. Et, de toute évidence, on ne pouvait rester là, les bras croisés, quand un des partenaires réagissait à une offense mineure, comme la prétendue tricherie de Jim, par une punition aussi disproportionnée. Jim et Nancy, que nous aidâmes à « négocier » leurs problèmes, ne pouvaient cependant être considérés comme des « malades ».

Le malheur des solitaires

Ne doivent pas être considérés comme malades, non plus, les individus de la race des « solitaires ». Nous nous référons là à ces « têtes froides » soucieuses de ne pas se laisser « embobiner ». Ils ont le culte de l'autonomie et pour eux l'intimité représente, au mieux, une bizarrerie passée de mode.

Il n'est pas surprenant que l'intimité soit si mal vue de nos jours. Peu de modèles nous en sont fournis. Les héros d'aujourd'hui sont le plus souvent des aventuriers solitaires, des James Bond qui, en toutes circonstances, se suffisent à eux-mêmes.

Foyers brisés, rêves détruits, cynisme, voilà ce que montent en épingle le cinéma, la télévision, les romans. Ce qu'apporte la vie sociale et professionnelle aujourd'hui — statut, identité au groupe, argent même — est bien plus séduisant que les bienfaits discrets de l'intimité. Comment s'étonner si la plupart des gens deviennent conservateurs en ce qui concerne leurs émotions ? Les risques leur apparaissent trop élevés.

Les solitaires remplacent l'intimité par des substituts. Les uns deviennent des « playboys », les autres s'adonnent au jeu, à un sport, à quelque collection, ou cherchent à se fondre dans une association politique, sociale ou sportive.

Certains miment chez eux les gestes d'une relation intime mais n'éprouvent leurs véritables satisfactions qu'au-dehors, dans le monde hiérarchisé de leur travail. Enfin, les plus aliénés n'ont plus que des liens fantasmatiques avec le monde, à travers la télévision ou la drogue. Les frustrations de certains solitaires peuvent les conduire jusqu'aux émeutes ou au crime politique.

Ce n'est pas par hasard que les trois jeunes gens accusés des meurtres les plus abominables de l'ère Kennedy-Johnson aient été des loups solitaires caractérisés.

Lee Harvey Oswald, qui tua le Président John Kennedy, était un garçon renfermé à la personnalité fuyante, qui ne se laissait jamais aller aux confidences. Si l'on en croit la commission d'enquête, Lee donnait, à l'âge de treize ans, l'impression qu'il se foutait des autres; il préférait garder ses pensées pour lui afin de ne pas être obligé de communiquer avec les autres. Il disait qu'il ne voulait pas d'amis et qu'il n'aimait pas parler aux gens. Après avoir rejeté tant le capitalisme que le communisme, il avait épousé une jeune femme russe six semaines après avoir été éconduit par une autre femme. Il ne vivait pas avec sa femme et il ne la voyait que les fins de semaine; il la battait fréquemment et lui criait de retourner en Union soviétique. Et de conclure la commission d'enquête : « Sa vie était caractérisée par l'isolement, la frustration et l'échec. »

Sirhan B. Sirhan, meurtrier de Robert Kennedy, était le plus renfermé des six enfants d'une famille dont les membres s'adressaient rarement la parole. Il fuyait les jeunes filles, n'avait pas d'amis et refusait que son nom paraisse dans l'annuaire de l'école. Ses collègues de classe le trouvaient secret. Un prêtre de sa paroisse le décrivit comme un garçon humble et solitaire.

James Earl Ray, qui fut accusé du meurtre de Martin Luther King, était l'aîné de neuf enfants qui furent placés dans des foyers d'adoption ou qui quittèrent leur famille. Une fois, à l'école, il perça l'oreille de son frère avec un couteau. Il tressaillait chaque fois qu'un professeur lui mettait la main sur l'épaule. Emprisonné pour une série de délits mineurs qu'il avait commis seul, il reçut le surnom de « la Taupe ». Lorsqu'il s'échappa, il se mit à fréquenter les bars mal famés et les prostituées, et plaça une annonce dans les journaux afin de trouver une « femme mariée passionnée ». Une jeune fille qui enseignait la danse sociale l'avait trouvé bizarre, tandis qu'une autre se rappelait qu'il tremblait lorsqu'elle s'approchait de lui. Après le meurtre de Martin Luther King, on le vit acheter des revues pornographiques à Toronto. Il rechercha de nouveau la compagnie des prostituées; l'une d'elles révéla qu'elle lui avait presque arraché des larmes en lui montrant la photographie de ses enfants orphelins de père.

Tous les solitaires sont aux prises avec le même dilemme. Ils cherchent à tenir debout tout seuls sur le plan psychologique et choisissent le poids de la solitude plutôt que de vivre en couple authentique supportant le fardeau de l'intimité. La plupart, pourtant, ont quelque attache formelle, qu'ils soient mariés ou qu'ils aient une liaison. Mais ils ne peuvent supporter la dépendance affective, les tensions, les échanges personnels agressifs. Le vrai solitaire préfère rompre plutôt que de se battre.

Qu'il soit cynique ou résigné, vaincu ou transfuge d'un paradis artificiel, le solitaire est rarement heureux. Il n'a pas d'amis intimes, seulement des relations superficielles qui ne s'intéressent pas vraiment à lui. Ils n'ont pas la qualité pour lui offrir critique ou louange, pour le mettre en contact avec la réalité. Il est tragique de constater que le solitaire qui n'entre pas en conflit avec la société est généralement porté à la plus impitoyable des autocritiques, qui peut le conduire au suicide.

Un ami pourrait lui dire : « Arrête de te détruire. Bats-toi contre moi plutôt que contre toi. C'est la dépression et la désintégration qui t'attendent si tu continues ainsi. » Mais les solitaires n'ont pas d'amis.

Thérapie et recherche de l'intimité

Il existe, pour ceux qui ne savent comment résoudre le problème de la proximité d'autrui, une solution temporaire consistant à acheter une intimité synthétique, sous forme de psychothérapie. Substitut d'amitié, de nombreux êtres privés d'affection se le refusent en raison de la croyance trop répandue qu'il faut être « malade » ou « cinglé » pour y avoir recours. Combien fausses sont ces étiquettes ! Nous voyons bien, à notre Institut, quelques patients malades d'un point de vue psychiatrique et nous les traitons comme tels, individuellement. Mais notre consultant typique n'est qu'un affamé sur le plan affectif qui cherche désespérément la solution du dilemme : comment s'attacher sans être submergé ?

Quand ces quêteurs d'intimité viennent enfin demander l'aide d'un spécialiste — psychiatre, psychologue ou conseiller conjugal — celle-ci leur fait souvent défaut.

De nombreux thérapeutes essaieront d'inculquer au patient de vagues notions concernant l'art d'aimer ou lui donneront des conseils mécaniques sur les techniques amoureuses. Même les quelques individus privilégiés qui peuvent se permettre de « descendre » en eux-mêmes par l'intermédiaire de la psychanalyse apprennent peu sur l'art de vivre à deux. En fait, l'analyse contribue souvent à éloigner davantage les partenaires qui deviennent encore plus tournés vers eux-mêmes en jouant le jeu psychanalytique sophistiqué de la contemplation du moi.

Ce problème est en partie imputable au thérapeute plutôt qu'au patient. En effet, de nombreux thérapeutes sont eux-mêmes des solitaires au fond. Ils écrivent des livres sur l'art d'aimer et le mariage créateur, mais leur vie personnelle est celle du solitaire psychologiquement « sophistiqué » qui ne cherche que son développement personnel. On donne souvent le nom d'« actualisation de soi » à cet effort égoïste. Nombre de thérapeutes vouent un tel culte à l'autonomie qu'ils sont incapables d'aider les couples à rester ensemble. D'ailleurs, le taux de divorce parmi eux est incroyablement élevé.

De nombreux thérapeutes, en effet, méconnaissent fondamentalement le problème des époux qui ne peuvent vivre « ni avec ni sans » leur partenaire. Il continuent à penser que les plaintes de ces couples reflètent, en réalité, les problèmes, profondément enracinés, de chacun d'entre eux. Un couple en difficulté est donc vu comme se composant de deux individus malades et incompatibles qui seront traités séparément par deux psychiatres. On leur explique qu'ils sont, comme individus, trop perturbés affectivement, trop dépourvus de maturité, trop narcissiques peut-être, pour supporter les contraintes de l'intimité. On leur enseigne qu'une compréhension mutuelle, pacifique, devrait prendre la place de leur agressivité considérée comme irrationnelle et pouvant donc être éliminée.

C'est alors que débute le processus archéologique ardu qui consiste à fouiller la réserve de ressentiments passés et présents de chaque conjoint. À la fin de ce processus, la compréhension mutuelle doit en principe remplacer l'agressivité considérée comme irrationnelle. C'est ainsi que la psychiatrie traditionnelle pactise avec le couple, pour lequel la meilleure façon de rompre les liens du mariage est souvent de jeter le blâme sur l'autre trop « malade » pour qu'on continue de vivre avec lui.

Beaucoup de mariages qui auraient pu être sauvés reçoivent ainsi le coup de grâce parce que, trop souvent, les conjoints qui commencent un traitement psychiatrique deviennent plus intimes avec leur psychiatre (et quelquefois avec leur avocat) que l'un avec l'autre.

Nous avons, quant à nous, découvert que la plupart des problèmes de nos clients, en ce qui concerne la vie à deux, ne résidaient pas en eux-mêmes, mais étaient inhérents aux complexités de toute relation intime. Nous avions affaire à des systèmes de relation déséquilibrés. C'est pourquoi nous traitons de tels cas en tant que couples ou en groupes, et non comme des « patients ».

Chapitre 3

Apprendre à combattre dans le couple

Pour nous assurer que les difficultés de l'intimité partagée étaient chose courante, nous avons mis sur pied une expérience. Nous avons demandé à nos diverses connaissances de nous aider à recruter des couples « normalement heureux », pour faire l'objet d'une étude. Nos instructions étaient les suivantes : « Pensez à tous les couples que vous connaissez. Et choisissez le plus heureux d'entre eux pour faire partie d'une « Élite du mariage ».

Nous fîmes une sélection de cinquante de ces couples d'« élite » et leur demandâmes, entre autres, comment ils se comportaient dans les situations de conflits. Nous demandions, par exemple : « Quand il arrive à votre mari d'être fâché avec vous, que fait-il ? » Puis nous posions la question : « Que pensez-vous qu'il aimerait faire ? »

Les maris et les femmes de ces couples « heureux » étaient séparés pour répondre à ces questions. Le résultat fut consternant. Pratiquement personne n'avait la moindre idée de ce qui se passait dans le monde intérieur de l'autre. Ainsi, la femme déclarait : « Quand quelque chose le contrarie, il pardonne et oublie très facilement », tandis que le mari nous décrivait la pénible lutte engagée contre lui-même afin de se maîtriser, cet effort étant motivé par la crainte d'être rejeté par sa femme, s'il venait à braver leur tabou à l'égard de tout conflit.

Enquête auprès des couples heureux

Notre expérience fit émerger trois groupes : les mariages « château de cartes », les mariages à « comédie », les authentiquement « intimes ».

Les partenaires de « château de cartes » formaient le groupe le plus important. Chez eux, tout n'était qu'apparences. En réalité, seul leur souci névrotique du qu'en-dira-t-on, du statut social et de la « respectabilité » les maintenait ensemble.

Dans le second groupe, moins nombreux, les partenaires étaient un peu plus intimes. Mais, au fond, ils s'étaient résignés à jouer la « comédie », acceptant des routines ritualisées. Ces mariages, souvent maintenus par des pressions extérieures — avantages économiques, peur du changement — consistaient plutôt en associations de protection mutuelle. Bien que considérant la cause comme perdue, les conjoints jugeaient déloyal et de mauvais goût de s'en plaindre et craignaient plus encore la solitude du célibat.

Le troisième groupe ne comportait que deux couples, dotés d'un véritable génie naturel pour maintenir, avec réalisme, leur « intimité ». Mais, interrogés sur le secret de leur réussite conjugale, ils avouèrent n'en avoir aucune idée. Tout ce que nous pûmes découvrir, c'est que ces champions du mariage, à l'encontre des autres couples interrogés, discutaillaient continuellement. La notion de conflit leur paraissait aussi naturelle que celle de nourriture.

— Bien sûr, déclarèrent-ils, nous avons des controverses sur pratiquement chaque sujet.

Ils avaient appris à vivre confortablement avec leur agressivité.

Poursuivant l'étude des disputes de nos clients, il nous devint de plus en plus évident que les couples incapables de manifester leur hostilité sont non pas bien élevés, mais hypocrites. Nous commençâmes progressivement à distinguer entre agression constructive et agression destructive; nous découvrîmes que la colère peut être canalisée. Nous constatâmes, enfin, que l'apprentissage des conduites d'affrontement ou de rapprochement avec l'autre ne pouvait être verbal mais devait être agi, de préférence sous la direction d'un thérapeute.

Nos méthodes de formation

Notre Institut ne se borne pas à former des couples au combat loyal. Nous offrons des programmes de thérapie et de recherche dans divers buts et employons une grande variété de méthodes. Tout d'abord, nous offrons à nos participants le programme de développement personnel destiné à ceux qui ont à résoudre des problèmes individuels, comme ce fut le cas pour Henri Jarry, le mari qui quitta sa femme sans un mot après vingt années de mariage en apparence paisible. À l'instar de M. Jarry, la majorité de nos inscrits ressentent encore l'effet cuisant d'un échec sentimental récent et ne sont pas prêts à envisager une relation intime dans l'immédiat. Leur moral est parfois si bas que nous les voyons d'abord seuls avant de les insérer dans un groupe de huit ou dix personnes en butte aux mêmes difficultés. C'est dans un de ces groupes que M. Jarry apprit à tenir tête à une femme « pire » que la sienne.

Aussitôt que cela nous paraît souhaitable, notre client, ainsi que sa partenaire, se joint à un groupe réservé aux couples. Ceux-ci se réunissent le soir, au cours de treize séances de quatre heures. Le groupe comprend généralement de quatre à dix couples, plus le Dr Bach ou l'un des thérapeutes ou conseillers de l'Institut. Nous avons formé à nos méthodes plusieurs centaines de thérapeutes et conseillers, et donné des ateliers tant en Amérique qu'en Europe.

Depuis quelques années, nous recevons également des couples au cours de « marathons » de vingt-quatre heures ou plus. Les participants, thérapeute excepté, prennent leur repas et font la sieste dans la salle de réunion qu'ils ne quittent que pour se rendre aux toilettes. La fatigue fait tomber les barrières de la gêne et de la réserve, et contribue au maintien de la règle fondamentale de franchise totale.

Certains thérapeutes qui se sont ralliés à nos méthodes trouvent difficile de respecter cette règle. Il y a quelques années, l'auteur principal du présent ouvrage accepta de servir de conseiller auprès d'un psychiatre d'une autre ville qui désirait organiser un marathon de formation au combat loyal.

Le psychiatre accueillit l'auteur en lui confiant que parmi les sept couples mariés qui prenaient part à la session se trouvaient un médecin et un ministre. Comme le psychiatre ne voulait pas mettre ces hommes mal à l'aise, il avait interdit toute mention de la profession au cours du marathon. Le Dr Bach exprima son désaccord. La profession d'une personne fait intégralement partie d'elle-même et on doit en tenir compte. Il proposa de soumettre le problème au groupe.

Le groupe réagit fortement. Ces gens bien élevés étaient choqués de voir leur psychiatre aussi personnellement «confronté»; en outre, la perspective de s'affronter eux-mêmes et les autres à nu leur faisait peur. Après une longue discussion, le Dr Bach persuada une des femmes d'avouer qu'elle s'était entendue avec son mari pour passer sous silence certaines querelles moches qui les avaient, plus d'une fois, conduits à la violence physique lorsqu'ils se trouvaient sur leur bateau. Il apparut finalement que plusieurs autres couples avaient conclu des accords semblables.

Lorsque le Dr Bach partit pour sa première sieste, le marathon n'avait presque pas progressé. Les couples l'accusaient d'accroître les tensions entre eux et de provoquer des problèmes nouveaux et inutiles. En même temps, ils voulaient faire preuve de bonne volonté envers ce thérapeute reconnu qui était venu de Californie. Et comme ils étaient tous au bord de la rupture, ils étaient conscients de la nécessité de faire quelque chose. Lentement et à contrecoeur, le groupe en vint à la conclusion qu'il pouvait essayer la franchise après tout.

Lorsque le Dr Bach revint, le respect démodé du savoir-vivre qui avait figé le groupe avait disparu. Chaque couple racontait les disputes vraiment horribles qu'il avait engagées. Tous avaient eu recours à la violence physique et plusieurs avaient même envisagé sérieusement de tuer leur partenaire. Vers la fin de la session, la pression qui pesait sur les couples était incroyablement forte. Ils avaient fini par admettre que mieux valait accepter ses sentiments hostiles et les exprimer, et négocier des ententes réalistes que d'essayer de vivre avec sa phobie des conflits. À la fin, ils étaient même prêts à concéder un principe que nos participants nous avaient appris : plus une personne camoufle son irritation, plus son mariage a des chances d'être profondément bouleversé.

Le soulagement des participants à la fin de ce marathon traumatisant était immense. Ils continuèrent à voir leur thérapeute en respectant la nouvelle règle de la franchise et, aux dernières nouvelles, aucun d'eux n'avait divorcé.

Les salles où se tiennent nos sessions de groupe sont claires et aérées, assez spacieuses pour permettre toute liberté de mouvements durant le « combat ». Nos fauteuils pivotants peuvent être dirigés dans tous les sens, ce qui permet aux combattants de s'approcher ou de s'éloigner selon leur besoin. Nous sommes équipés de façon à pouvoir faire entendre aux protagonistes l'enregistrement de leur dispute ou à la faire revivre sur les écrans de télévision en circuit fermé.

Il est avantageux à plus d'un titre de traiter les gens en groupes plutôt qu'individuellement ou par couples. Le travail en groupe est plus économique, plus rapide, plus efficace. Les couples cessent plus vite d'être dépendants du thérapeute. Ils se développent dans un milieu naturel. Les schémas de conduite, les gestes sont exécutés au vu de tous. Ce n'est pas seulement une situation passée dont le pour et le contre sont pesés, mais des sentiments actuels qui sont en jeu.

Dans une telle atmosphère, les couples se mettent franchement au défi. La simulation, l'exhumation de maux appartenant au passé sont réduits au minimum.

Les couples, dans le groupe, ont la possibilité de constater en quoi ils ressemblent ou diffèrent des autres. C'est avec soulagement qu'ils découvrent, parfois, ne pas être seuls à se quereller sur un sujet donné. « Tiens, vous aussi, vous vous disputez pour cela ? » s'écrient-ils, et le problème, soudain, leur paraît moins désespéré. Une femme comprendra mieux son mari lorsqu'elle aura entendu un autre homme s'écrier :

— Cela me rend fou quand ma femme s'attend à ce que je sois de bonne humeur à tout instant de la sainte journée !

Il est également rassurant, pour un couple, de constater que d'autres sont plus mal lotis, ou qu'eux-mêmes ont tout compte fait des ressources personnelles — comme le sens de l'humour, par exemple — qui font défaut aux autres.

Même douloureux, ce processus de différenciation peut être constructif. Il existe généralement dans chaque groupe un couple dont les partenaires sont réellement sur le point de rompre et qui sont venus là chercher un « sevrage » devant les conduire à ce que nous appelons un « divorce créateur ». La vue de deux êtres sur le point de se quitter a toutes les chances d'impressionner les autres membres du groupe qui saisissent le potentiel dramatique de leur propre situation. Lorsqu'après quelques séances, les partenaires prêts à divorcer se sont dit adieu, leurs chaises vides viennent rappeler aux autres qu'eux aussi traversent une période critique.

Le fait, pour les conjoints, d'être vus ensemble ou dans un groupe, coupe court à toute escalade de l'aliénation. Le seul fait de partager un sentiment d'échec, de chercher ensemble une solution, est une preuve que leur sens d'un engagement intime est encore vivant. Et si, vraiment, leur incompatibilité se révèle sans recours, la séparation, le divorce seront moins pénibles. Et les partenaires sauront qu'ils ont vraiment fait un effort. Certains cercles professionnels refusent de prendre au sérieux nos méthodes, jugées superficielles. Selon cette école de pensée, une simple « manipulation de symptômes en surface » ne peut induire de véritables modifications du comportement. Voilà qui convaincra peut-être ceux qui se repaissent de jargon psychiatrique; mais nos couples rééduqués avec succès viennent, chaque jour, témoigner du contraire, et d'autres thérapeutes formés par nos soins nous rapportent des résultats tout aussi encourageants.

On entend également reprocher à la formation de l'agressivité ses résonances artificielles. On lui reproche de vouloir suréduquer les émotions, de les encombrer d'un appareil artificiel. Ce qui n'est pas sans rappeler les objections contre l'éducation de la propreté, ou même contre la propreté elle-même. Ce que nous faisons, pensons-nous, c'est nous débarrasser d'une matière dangereuse, potentiellement contagieuse. C'est l'apprentissage de la survie dans le monde tel qu'il est vraiment : c'est un progrès.

Un progrès combien nécessaire ! Comme nous l'avons découvert un samedi, au cours d'une de nos premières séances. Nous savions déjà qu'un époux « colombe » peut s'engager dans une impasse intenable quand sa femme est du type « faucon ». Cette fois-ci, la situation était différente : un couple de faucons et un couple de colombes, se confrontant au cours d'une séance de groupe, décrivaient à leur tour comment ils étaient pris au piège.

Nous venions de rapporter au groupe une dispute dont le couple faucon — respectivement quarante-deux et trente-trois ans, mariés depuis quatorze ans — nous avait auparavant fait le récit et qui avait eu lieu alors qu'ils revenaient d'une soirée, en voiture :

Femme faucon : Je ne sortirai plus jamais avec toi ! Tu as dansé avec tout le monde sauf avec moi. Tu t'es ridiculisé à rôder autour de cette gourde en robe rose. Tu ne vois donc pas que tout le monde se moque de toi et de tes charmes bedonnants ! Tu sais combien je déteste cela ! Mais tu es trop faible pour t'arrêter. C'est écoeurant ! (Elle pleure.)

Mari faucon : Finis donc de pleurer ! C'est comme ça que tu cherches toujours à avoir le dernier mot. Pas étonnant que les enfants pleurnichent encore comme des bébés.

Femme faucon (séchant ses larmes) : Cela vaut toujours mieux que de boire, comme toi. Pourquoi ne trouves-tu pas plutôt un passe-temps constructif ?

Mari faucon : Tu peux parler ! Tu dépenses plus en coiffeurs que moi en alcool. Et tu es affreuse quand ces espèces de parasites cherchent à te rajeunir. Pourquoi ne peux-tu pas avoir ton âge ?

Femme faucon (pleurant à nouveau) : Mon coiffeur, au moins, s'intéresse à moi. Ce n'est pas comme toi, avec tes promesses que tu ne tiens jamais. Tu m'as promis un week-end loin de la maison et des enfants. Sommes-nous jamais partis ?

Mari faucon : J'essaie de conduire tranquillement et tu viens me distraire avec tes jérémiades. Si nous avons un accident, ce sera de ta faute...

Le groupe, ayant examiné cette cascade de récriminations futiles, remarqua que chacune de ces « sorties » manifestait une intention de blesser, de punir l'autre le plus possible. L'époux faucon prit alors la parole :

— Bien sûr, nous sommes en difficulté. Mais qu'allons-nous faire ? Pourquoi nous disputons-nous ainsi ? Pourquoi ne pouvons-nous vivre en paix ? Elle pense que je suis faible, détraqué. Je la trouve hypersensible, pas assez sûre d'elle. Mais nous nous aimons. Cela n'a pas de sens ! Il faut faire quelque chose.

À ce moment, les deux « colombes » intervinrent :

Mari colombe : Nous, nous sommes calmes. Mais je ne dirais pas que c'est confortable.

Femme colombe : Au contraire. Cela prouve que nous ne pouvons partager nos sentiments réels. Nous avons peur des situations désagréables, alors nous nous tenons tranquilles! Mais nous nous sentons tendus. En un sens, je vous envie de pouvoir épancher votre bile. En sept ans de mariage, nous n'avons jamais pu le faire, et nous voilà sur le point de rompre. Nous sommes incapables d'échanger des paroles hostiles.

Mari faucon: De quoi pouvez-vous bien parler?

Femme colombe: Oh! de rien... «Qu'as-tu fait au bureau?» «Qu'y a-t-il à manger ce soir?»

Mari faucon: Avez-vous des problèmes sexuels?

Femme colombe: Pas que je sache... n'est-ce pas, chéri?

Mari colombe: Non. Ma femme est la partenaire la plus merveilleuse qu'un homme puisse souhaiter.

Femme faucon: Vous avez de la chance. Je ne peux être sexy quand nous nous disputons. Et il ne me désire que si je fais les premiers pas. Donc, il ne se passe rien. Notre vie sexuelle a été gâchée par toutes ces disputes. Vous deux, vous ne vous disputez pas et, au lit, vous vous entendez. Je changerais volontiers de place avec vous!

Femme colombe: Sûrement pas! Quand on n'a rien à se dire au salon, ce qui se passe dans la chambre à coucher est dépourvu de sens. Je commence à me désintéresser de notre vie sexuelle. Sans rapprochement des esprits, cela ne vaut pas la peine. Vous deux, vous vous injuriez; c'est plus de contact que nous n'en avons!

De toute évidence, ces deux couples aspiraient à cet état d'intimité où chaque partenaire cherche l'épanouissement de l'autre et l'aide à donner le meilleur de lui-même. Dans une relation intime véritable, chacun se préoccupe de ce que l'autre pense, sent, de ce dont il rêve.

Il doit être clair à présent que l'intimité ne peut aller sans conflits. Il est intéressant de noter que certaines gens manifestent une plus grande habileté à résoudre leurs conflits que d'autres. Certains, par exemple, sont plutôt transparents et expressifs, et ils ont une facilité à régler leurs conflits verbalement. D'autres sont plutôt renfermés lorsqu'ils sont en famille. Il est vrai qu'il existe de grandes différences entre les expériences passées, la psychologie et les sources de colère chez diverses personnes. Nous croyons cependant que celles qui existent au niveau de leurs coutumes de résolution des conflits entre intimes expliquent, au moins en partie, pourquoi le taux de crime est exceptionnellement bas chez certaines ethnies et pourquoi il y a de nombreux cas de violence chez d'autres, et particulièrement entre conjoints.

Loin de nous l'idée que les conjoints maladroits en matière de combat loyal deviendront nécessairement des meurtriers ou commettront des viols. Mais pour 15% environ de nos clients, la route qui mène à l'affrontement agressif est trop rude. Ils ont trop peur de la vérité et préfèrent les masques. Ces phobiques de l'agression, tout comme les phobiques de l'avion, sont obligés de prendre l'omnibus. À notre grand regret, nous ne pouvons les aider. Nous nous consolons en pensant aux nombreux autres qui sont motivés à apprendre nos méthodes.

Chapitre 4

Comment engager
une bonne dispute

Dans la plupart des ménages, la liste des récriminations aurait de quoi alimenter un bureau de réclamations. Peu importe lequel des partenaires commence à grogner pour la nième fois, ou le sujet : les chaussettes qu'il laisse traîner par terre, la salle de bains qu'elle transforme inlassablement en laverie, l'essence qu'il oublie de mettre dans la voiture, le journal qu'elle froisse régulièrement avant qu'il ne l'ait lu, etc., etc. Si le couple n'est pas entraîné, la dispute a toutes les chances de traîner interminablement, pour s'achever sur les répliques suivantes :

A (d'un air las) : Je sais, je sais. Nous avons déjà discuté de cela maintes et maintes fois. Je sais que tu détestes cela.

B (exaspéré) : Alors pourquoi ne changes-tu pas ?

A : Je te l'ai dit et redit cent fois. Je suis comme cela. Ne le sais-tu pas encore ?

B : Oui, mais je ne m'y habituerai jamais et cela me rend fou !

A : Cesse de me rabâcher les mêmes choses. Tu sais bien que je ne changerai pas.

B : Eh bien, moi non plus.

Et c'est le départ pour une de ces rondes sans fin sur le manège des scènes conjugales. L'impasse.

Rien n'est plus déplorable, plus négatif, que cette attitude défaitiste du couple qui pense qu'« on ne peut changer les gens ».

Comme nous le faisons au contraire remarquer à nos participants, à une époque mouvante comme la nôtre, la disposition à se changer soi-même ou à se laisser modifier par autrui est d'une importance primordiale. C'est un gage de maturité, de santé mentale.

Le Dr L.S. Lubie, psychanalyste de renom, explique ce fait comme il suit : « La souplesse, la liberté d'apprendre par l'expérience, de changer selon les circonstances internes et externes, de se laisser influencer par des altercations, des admonitions, des exhortations raisonnables et par le flot de ses émotions, la liberté de réagir d'une façon appropriée au stimulus de la récompense et de la punition, et surtout la liberté de s'arrêter lorsque ses besoins ou ses désirs sont satisfaits, voilà à quoi l'on peut mesurer la santé. »

Comment arrêter le manège des scènes de ménage

De plus, il est plus facile qu'on ne le croit généralement d'opérer des changements, car les possibilités sont innombrables : on peut faire porter le changement sur soi-même. Ou sur son partenaire. Ou sur la façon dont on se comporte avec lui. Ou encore sur l'environnement (par exemple en se faisant de nouveaux amis, en déménageant, en rendant moins souvent visite à sa belle-famille).

Le comportement incriminé sera peut-être mieux toléré si le moment auquel il se manifeste est, tout simplement, mieux choisi. Ou si le partenaire « contrarié » reçoit, en échange, une compensation. Ou si l'« offensé » peut être convaincu de participer lui aussi à l'action qui est considérée offensante (comme boire, fumer, avoir tel type de comportement amoureux, aller à l'église).

Parfois, les scènes de ménage du type « ronde sans fin » peuvent avoir une utilité, quand, par exemple, un couple qui s'entend fort bien par ailleurs se choisit un sujet de désaccord chronique mais peu important comme moyen de décharge rapide. Notre expérience nous conduit cependant à penser qu'il est en général bien préférable d'arrêter le manège par une décision délibérée, comme ce fut le cas pour Michel, trente-quatre ans, avocat, et sa femme Lise, vingt-neuf ans, mariés depuis huit ans. À peine le halo romantique de leur lune de miel dissipé, ils avaient commencé à se chamailler pour des questions d'argent, ces disputes constantes ayant fini par affecter l'ensemble de leurs relations. Le dialogue suivant pouvait généralement être entendu au moment des fins de mois :

Lise (irritée) : Je m'éraille la voix à force de te le redemander : combien puis-je dépenser par mois ?

Michel : Quand tu dépenses trop, tu le sais parfaitement ! Mais tu t'en moques complètement !

Lise : Si tu parlais plutôt de chiffres. Mais tu préfères me laisser dans le vague pour pouvoir ensuite m'attraper. C'est pourtant à toi de tenir le budget de la maison, pas à moi !

Michel : Tu en serais bien incapable. Tu ne ferais rien de ce que je te dirais.

Lise (mordante) : Eh bien, prends-moi à l'essai...

Michel : À quoi bon... avec toi !

Lise : Alors ça va continuer comme avant !

Nous fîmes observer à Michel et à Lise qu'ils cherchaient mutuellement à se punir. Elle se sentait privée d'amour par son avarice, et lui, par l'habitude castratrice qu'elle avait de dépenser plus qu'il ne gagnait. Nous leur enseignâmes, en trois étapes, à sortir de l'impasse :

Tout d'abord, en prenant le ferme engagement de ne plus entamer de discussion au sujet de l'argent, à moins d'apporter une information nouvelle. En second lieu, en introduisant une modification spécifique dans la situation génératrice de conflit. Ainsi Michel fit-il ouvrir à Lise un compte en banque personnel.

Enfin, nous les encourageâmes, à l'aide de nos procédés de combat, à faire émerger les objectifs réels de ces «rondes sans fin» : ressentiment de Lise devant le refus de Michel de demander une augmentation; rancoeur de Michel devant le manque de coopération de Lise.

Tout le monde ne réagit pas aussi promptement à notre traitement que Michel et Lise. Les solitaires, les pacifistes à tout prix acceptent difficilement le combat. Dissimulés derrière leur journal, vissés devant la télévision, devenus subitement durs d'oreille ou tombants de fatigue, ils possèdent au plus haut degré l'art de prendre la fuite.

« Lorsque mon mari sent que je veux lui demander une faveur ou que quelque chose dans notre relation me chicote, il devient silencieux, de dire la femme d'un pacifiste. Et si je deviens trop agressive, il quitte la maison.» «Elle pleure dès que je me fâche, déclare le mari d'une «colombe». Ou elle me regarde d'un air triste qui me donne le sentiment d'être un goujat. Ce qui me met encore plus en colère!»

Maris et femmes sont souvent experts lorsqu'il s'agit d'appliquer la politique du silence, et parfaitement incapables d'y réagir lorsqu'elle leur est appliquée. Les uns se bercent d'illusions: «Pas de nouvelles, bonnes nouvelles.» Les autres nourrissent une admiration pour les types «forts et silencieux», et ressentent avec honte leur propre difficulté à se contrôler. D'autres encore ne réussissent qu'à exaspérer suffisamment leur partenaire pour le faire exploser, sans en tirer la moindre information utile. Seul résultat: la satisfaction sadique que peut éprouver le provocateur à voir l'autre se donner en spectacle, lui-même, par constraste, affichant le plus grand calme apparent.

Comment neutraliser les «éruptions volcaniques»

Autre exemple d'hostilité non dirigée: l'éruption de type volcanique. Il ne s'agit là que d'un trop-plein que l'on déverse, d'une manifestation spontanée d'agressivité qui ne vise pas personnellement le conjoint, même s'il est bon, dans ces moments-là, d'avoir un de ses proches sous la main. Ce type d'éruption, éclatant dans la rue et ne visant personne, attirerait certainement des regards curieux et entraînerait probablement l'arrestation de son auteur sous prétexte qu'il trouble l'ordre public.

L'éruption volcanique ne vise personne de présent, ne porte sur aucun problème divisant actuellement les partenaires, n'attend d'eux aucune solution, et s'évanouit en fumée. Un exemple de ces éruptions? Le mari qui, rentrant à la maison, hurle sans préambule à sa femme: «Si ce s... de Jean recommence, je lui flanque mon poing à la figure. Et ce sera pareil pour ton oncle!», alors que le nom de cet oncle n'a pas été prononcé depuis des semaines.

Le moyen de reconnaître ce type d'éruptions? Écouter avec sympathie et attendre ce qui va se passer. En règle générale, rien. C'est ce qu'illustre l'exemple de ce mari qui, rentrant à la maison, trouve à la porte un mot de sa femme disant simplement: «J'en ai assez.» Bouleversé, il part à sa recherche et la trouve en train de bavarder tranquillement chez une voisine. À la vue de son mari, elle lui adresse son plus beau sourire : « Tiens, c'est toi ! »

Il ne faut jamais prendre ces explosions pour argent comptant ni relever le gant.

Supposez qu'un mari crie soudain : « Je vais prendre cette sacrée tondeuse à gazon et la jeter dans la piscine ! » Une femme avisée ne répondrait jamais : « Ah oui ? Toi et qui d'autre, espèce de minable ? » Elle attendrait plutôt que la tempête passe.

Comment établir un face à face avec un intime

Certains signaux, au contraire, qui font leur apparition dans les plus pacifiques des ménages, ne devraient jamais être ignorés. Ils ont de fortes chances d'indiquer que l'accumulation des récriminations du partenaire devient dangereusement chargée.

Il ne faut ainsi jamais répondre par le silence ou l'indifférence à des appels du type : « Ne fais donc plus cela ! », « Ne me pousse pas à bout ! », « Décide-toi, pour une fois ! », « Tu ne peux plus continuer à m'ignorer ! ».

Contrairement à l'éruption volcanique, ce type de signal est nettement personnel. C'est un appel adressé à un être aimé, lui demandant quelque chose dont il doit être capable.

Il est alors temps d'engager le processus de ce que nous appelons le face à face, qui consiste à se rendre « transparent » à l'autre, en lui communiquant clairement où l'on en est soi-même et en lui faisant franchement savoir où l'on désire aller. Technique qui s'avère inutile, nuisible même, s'il s'agit d'une simple connaissance ou d'une relation d'affaires. Avec un être aimé, au contraire, l'art du face à face agressif mérite d'être cultivé. En mordant à l'hameçon de l'autre, à ses plaintes, à ses silences blessés ou à son air buté, on découvre où il veut en venir et on peut ainsi se battre pour mieux s'entendre.

À première vue, cela paraît enfantin, ce qui n'est vrai que pour d'heureux élus — femmes et maris de tempérament également bagarreur. L'un d'eux n'a qu'à s'écrier : « Allons, vide ton sac ! » pour qu'aussitôt se déclenche une saine dispute, aux objectifs précis.

Un conjoint est parfois obligé d'accélérer le processus du face à face en délivrant à son partenaire une bonne semonce, qui est aussi un acte d'amour. Mais quelle que soit la façon, les conjoints véritablement intimes n'ont habituellement pas de difficulté à engager une bonne dispute.

Préambules au combat

Nous recommandons à nos clients rebelles à la bagarre de s'y habituer par des combats-préambules : des disputes-à-propos-de-disputes, ce qui, après un peu d'entraînement, ne présente pas de difficulté. Le couple se fera face pour décider si l'objet de la querelle mérite qu'on s'y attarde. Trop souvent, ces altercations tournent court :

Lui : Pourquoi ne dis-tu jamais ce que tu penses ?

Elle : Bien... on a toujours tort avec toi.

Lui : Tu es une enfant.

Elle : Et allons donc, espèce d'Hitler ! Avec toi, comme avec lui, à vouloir tenir tête, on risque la sienne !

Lui : Et ça y est, c'est parti !

Et voilà comment une partie de pêche entamée sans conviction sur la barque conjugale peut, dès le départ, être vouée à l'échec. Si son mari l'interroge directement sur un point précis, la plus non violente des épouses lui donnera sans doute son opinion, en toute franchise. Pas s'il lui demande d'un air vague ce qu'elle pense...

Encore heureux quand une dispute n'est qu'inutile. Mais il peut arriver qu'un des partenaires dise avec précision ce qui le contrarie, pour se retrouver encore plus mal en point.

Depuis des semaines, Josée et Alain se chamaillaient au sujet de leurs prochaines vacances. Âgés de trente ans à peine, ils vivaient dans une belle maison de banlieue. La mère d'Alain, qui demeurait à trois heures d'avion, se plaignait de ne pas voir suffisamment ses petits-enfants et leur avait annoncé récemment sa visite pour la mi-août. Josée, depuis longtemps déjà, trouvait Alain trop dépendant de sa mère, lui permettant de se mêler de leurs affaires, consacrant trop de temps à de coûteuses conversations téléphoniques interurbaines avec la vieille dame. Mais elle n'avait jamais franchement fait part à Alain de ses sentiments. Et elle escamotait le vrai problème, se contentant de le harceler à propos de leurs projets de vacances. Elle avait finalement réussi à le convaincre de ne pas faire venir sa mère en août. À la place, Josée et lui feraient un voyage à la mer.

Au cours d'une des dernières soirées de juin, la querelle suivante éclata entre eux :

Josée : As-tu fait savoir à ta mère qu'elle ne pouvait venir en août ?

Alain : Pas encore.

Josée (avec agitation) : Tu me l'avais promis !

Alain : Doucement, doucement ! je n'ai pas encore trouvé le moyen de le faire, c'est tout.

Josée (rouge de colère) : C'est un sale tour que tu me joues là !

Alain : Bien sûr. Tu tombes aussitôt dans l'hystérie. Maintenant, je n'ai même plus envie de faire ce voyage avec toi.

Josée (au bord des larmes) : Pourquoi ne peux-tu jamais faire quelque chose qui me soit agréable ?

Alain : (satisfait de lui, toujours calme) : C'est ta faute. C'est toi qui a commencé !

Si Josée, dès le début, avait clairement manifesté ses sentiments, Alain aurait su que, pour elle, bien des choses étaient en jeu dans cette altercation. Et qu'elle n'avait rien d'hystérique. Peut-être, alors, n'aurait-il pas tenté de la punir pour avoir voulu engager une discussion des plus légitimes en lui retirant le privilège déjà accordé, ce voyage dont elle se faisait une fête. En fait, il la rejetait en faveur de sa mère, la rendant plus malheureuse encore qu'avant la dispute. Mieux encore, il punissait Josée d'oser aborder un sujet discordant, quel qu'il soit.

L'accusation finale, classique, d'Alain : « C'est toi qui as commencé » montre à quel point lui et Josée étaient novices dans l'art du combat. Un époux avisé, lorsque sa partenaire « commence », est heureux de saisir l'occasion d'éclaircir l'atmosphère, d'améliorer leur entente par les changements appropriés.

Mais aussi — contrairement à Josée — l'épouse, dans un ménage uni, n'engage pas de disputes avant de s'être bien mis d'accord avec elle-même pour savoir ce qui est en jeu et décider jusqu'où elle irait pour défendre son point de vue. Avant d'affronter son partenaire, il faut s'être mesuré avec soi-même.

Un dialogue intérieur peut révéler des renseignements cruciaux, des éclairs d'intelligence que des combattants non avisés explorent rarement à fond avant de s'en ouvrir à leur conjoint.

Voici des questions que nous conseillons à nos participants de se poser avant de croiser le fer :

— Suis-je en train de me battre réellement pour moi ou pour quelqu'un d'autre (ma mère, le Premier ministre, etc.) ?

— Ai-je vraiment un motif de querelle légitime ? Ou veux-je simplement faire du mal à mon partenaire ?

— Suis-je vraiment convaincu que son comportement nuit à notre relation ?

— Qu'est-ce qui est en jeu ? Est-ce que j'aborde cette querelle de façon réaliste ? Ma riposte est-elle en proportion avec l'objet de la querelle ?

— Quel sera le prix de ma victoire ? Cette cause vaut-elle une vengeance possible, de mauvais sentiments de la part de mon partenaire ?

Lorsque « gagner » peut nuire davantage que « perdre »

Il faut bien y prendre garde, en effet : dans une relation intime, la victoire peut être plus dangereuse qu'une défaite. Des adversaires qui combattent n'ont qu'un seul but à court terme : une victoire rapide et de préférence une mise hors de combat. Il n'en va pas de même cependant entre intimes. Après tout, un combat verbal constructif ne devrait être (bien que ce ne soit pas le cas bien souvent) qu'une des mesures destinées à les aider à résoudre leurs inévitables conflits. Il ne devrait donc pas se terminer par une mise hors de combat. Or une victoire peut, par exemple, décourager le vaincu qui, par la suite, n'abordera plus jamais les problèmes de front. Elle peut le rendre inutilement pessimiste ou même le décourager quant à la réussite de son mariage. Elle peut l'inciter à devenir encore plus indirect et secret. Ou lui donner une idée exagérée de l'importance du sujet controversé dans l'esprit du vainqueur.

Il n'est, dans les conflits entre conjoints, qu'une bonne issue : que tous deux gagnent. Ce qui, contrairement aux apparences, n'a rien d'impossible et ne demande que des négociations sérieuses engagées avec bonne volonté. Dans les querelles classiques à propos du lieu de vacances, les deux conjoints peuvent gagner en alternant leurs destinations (une semaine à la mer, une semaine à la montagne par exemple) et en tirant au sort la première destination; ou en cherchant une troisième possibilité, comme un endroit paisible à la campagne. Même les problèmes sexuels peuvent parfois être résolus de cette façon.

Toutes les questions, bien sûr, ne sont pas aussi clairement définies.

Nous avons mis sur pied un système de pointage entièrement original qui, dans une bataille, ne désigne ni un « vainqueur » ni un « vaincu ». Il évalue de façon très précise de quelle manière telle ou telle querelle affecte un couple donné. En vérité, la seule chose qui compte, dans ce genre de disputes, est de savoir si l'équilibre du couple a été modifié de façon positive — tous deux gagnent — ou négative — tous deux perdent. Voilà qui fera comprendre pourquoi l'apprentissage de la dispute conjugale ressemble plus à celui de la danse qu'à celui de la boxe.

Un agresseur potentiel ferait bien d'engager auparavant un bon dialogue avec lui-même qui lui permettra d'apprécier où il va. Ces « conversations intérieures » peuvent parfois servir de substituts à des querelles réelles et destructrices. L'un de nos participants, suivant nos directives et en discutant seulement avec lui-même, apprit ainsi à éviter d'interminables disputes sans issue positive qu'il avait avec sa femme et qui la rendaient folle.

« J'ai pris l'habitude de m'arrêter de temps en temps, de regarder en arrière, de me demander ce que j'ai fait, pourquoi je l'ai fait, ce que j'ai l'intention de faire et pourquoi. Si cela ne correspond pas à ce que j'essaie de devenir, je modifie mes intentions sur-le-champ. »

« J'ai dû faire des efforts pour ne pas imposer mon perfectionnisme à ma femme et à mes enfants. Il fallait que cela soit bien clair dans ma tête. J'avais l'habitude d'aller dans la cuisine dire à ma femme comment faire les crêpes; ou bien je rôdais autour d'elle et tournais moi-même les crêpes dans son dos. Maintenant, lorsque je me dirige vers la cuisine, je me demande si j'ai une bonne raison d'y aller ou si j'y vais seulement pour espionner ma femme. J'étudie ensuite soigneusement ma réponse. Si je n'ai rien à faire dans la cuisine, je retourne m'asseoir ou je vais faire une promenade. Après un certain temps, mes tendances perfectionnistes ont considérablement diminué parce que je m'obligeais à en prendre conscience à temps pour y faire échec. » Première démonstration. Obtenir des résultats en appliquant les règles du combat loyal.

Mais, comme le font remarquer nos participants, les disputes éclatent souvent par une attaque-surprise. Comment trouver le temps d'un « dialogue intérieur » quand la colère vous fait soudain exploser ?

C'est là, encore, la rançon de l'accumulation des griefs. En équilibrant les comptes régulièrement, en n'attendant pas une provocation, on ne risque pas ces attaques-surprises.

De toute façon, un agresseur avisé n'engagera pas le combat sans s'être assuré que son partenaire en connaît bien les objectifs. Tandis que le combat se déroule, l'agresseur devrait faire connaître, le plus clairement possible, ses exigences et ses besoins. Il devrait exposer les bases rationnelles de ses objectifs, et donner des exemples réalistes de la façon dont son partenaire peut les satisfaire. L'agresseur se doit de toujours préciser ce qui est en jeu, ce que perdre cette bataille signifierait pour lui, et indiquer en quoi le changement espéré pourra profiter à tous deux.

Quand une femme déclare : « Tu me gâcheras vraiment mes vacances si nous ne faisons pas les antiquaires, au moins un après-midi », elle fait savoir à son mari qu'il ferait mieux de céder s'il ne veut pas voir ses propres vacances gâchées par la mauvaise humeur de son épouse.

Lorsque les objectifs poursuivis et les solutions proposées sont exposés avec clarté, les partenaires sont capables de supporter une dose d'agression bien supérieure à ce que l'on croit généralement. Mais chacun conserve une forteresse intérieure, une zone inviolable ne se prêtant à aucune négociation. Chacun devrait connaître lui-même les limites de cette zone. Il en parlera alors à son partenaire et lui fera connaître le point à partir duquel il n'y a plus de négociation possible — du moins jusqu'à nouvel ordre.

Ces méthodes ne sont pas simples à enseigner. Une fois comprises et acceptées, cependant, elles sont très faciles à appliquer. Raymond et Monique Cyr s'en aperçurent après s'être disputés au sujet de leurs jumeaux :

Raymond: Je n'aime pas du tout la façon dont les enfants dépensent. Ils ne connaissent pas la valeur de l'argent.

Monique: Ce ne sont que des enfants. Qu'ils s'amusent pendant qu'ils le peuvent encore; ils apprendront bien assez vite.

Raymond: Tu les gâtes trop. Tu leur donnes l'impression que l'argent pousse aux arbres.

Monique: Pourquoi ne leur donnes-tu pas, toi, un meilleur exemple? Tu pourrais commencer en dépensant moins pour tes pipes.

Raymond: Qu'est-ce que cela a à voir?

Monique: Tiens! Quand les enfants te voient gaspiller de l'argent pour du superflu, ils se croient le droit d'en faire autant.

Raymond: J'achète mes pipes avec soin, je les sélectionne.

Monique: Peut-être. En tout cas, quand je t'envoie au marché, tu dépenses plus que moi; tu ramènes toujours des choses dont on pourrait se passer.

Raymond: D'accord. Tu sais mieux que moi faire le marché. Mais c'est ton boulot, pas le mien.

Monique: Alors, ne va pas dire que les enfants, c'est ma faute.

Après un certain nombre de séances, nous demandâmes aux Cyr de recommencer cette dispute devant le groupe. Voici comment se déroula cette deuxième dispute :

Raymond (débutant avec un objectif précis, non une observation générale) : J'aimerais que tu cesses de donner aux enfants de l'argent en dehors de l'allocation que je leur attribue.

Monique (montrant à Raymond en quoi son objectif peut être difficile à atteindre) : On voit que tu n'es pas là. Tu ne connais pas leurs besoins.

Raymond (précisant davantage ses objectifs) : Je veux connaître ces besoins. Qu'ils viennent me les expliquer.

Monique (justifiant son comportement passé) : Mais tu sais parfaitement ce qui se passe ici, je te le raconte. Tu sais où va l'argent.

Raymond (exposant l'objectif véritable de la discussion) : Là n'est pas la question. J'aimerais que les enfants soient plus responsables, qu'ils aient à me rendre compte de leurs dépenses et à justifier leurs demandes.

Monique (s'assurant qu'il est sérieux): Tu tiens vraiment à superviser tous ces petits détails?

Raymond (spécifiant à nouveau son objectif): Il est important de leur apprendre de bonne heure le sens des responsabilités, ne le vois-tu pas?

Monique (spécifiant les raisons de son opposition): Franchement, non. Ce sont de bons enfants. Ils s'amusent. Cela me fait plaisir. Ils auront bien assez tôt des responsabilités.

Raymond (évaluant les premiers résultats de cette discussion): Je vois que nous ne sommes pas d'accord. Ne comprends-tu pas mon point de vue?

Monique (confirmant qu'elle a compris le point de vue de Raymond): Oui. Tu veux apprendre aux enfants la responsabilité.

Raymond (à la recherche d'un terrain d'entente): Pas toi?

Monique (d'accord sur le principe, pas sur la méthode): Oui. Mais ce que tu veux faire me priverait d'un plaisir, et je ne crois franchement pas être déraisonnable. Tu sais bien que je ne suis pas dépensière.

Raymond (durcissant sa position): Certainement; tu es une maîtresse de maison avisée; je n'ai rien à dire à ce sujet. Mais il faut que tu cesses de donner de l'argent aux enfants. C'est le seul moyen de les empêcher de dépenser sans réfléchir.

Monique (se rendant compte qu'elle devra céder du terrain): Je vois que cela te tient à coeur.

Raymond (développant les raisons de sa position ferme): J'aime les enfants autant que toi. Je ne veux pas les voir devenir des adultes irresponsables.

Monique (proposant un compromis): Cela me paraît improbable. Mais j'ai une idée. Si tu me disais combien de «supplément» te paraît acceptable, et dans quelles occasions, je m'y tiendrais.

Raymond (s'assurant que Monique ne cédera pas davantage): Tu tiens vraiment à leur donner de l'argent supplémentaire?

Monique: Oui. Je te l'ai dit, cela me fait plaisir.

Raymond (acceptant le compromis de Monique, proposant des solutions pour sa mise en oeuvre, faisant de même un geste de compromis): Eh bien, établissons-leur donc un budget: tant par semaine, tant pour les extras. Ce qui compte pour moi, ce n'est pas qui leur donne l'argent mais comment.

Monique (confirmant l'acceptation de Raymond et faisant une proposition tendant, à son tour, à accomplir son objectif à lui): D'accord. Et chaque semaine, nous pourrons vérifier si les enfants et moi n'avons pas dépassé la limite. Et tu pourras leur demander comment ils ont dépensé leur argent. Tu verrais jusqu'à quel point ils peuvent être responsables.

Raymond (marque son accord et met le projet en route): D'accord. Commençons ce samedi.

Chapitre 5

Quand et où se disputer

Pour que les affrontements entre intimes apportent des résultats constructifs, le mieux est encore de se disputer « sur rendez-vous ». Voilà qui peut paraître absurde. Pourtant, plus l'agresseur a réfléchi calmement, délibérément, à ce qu'il dira, meilleures sont ses chances d'être convaincant et de maintenir la discussion dans le cadre du problème en question, sans déborder sur toute l'histoire du couple. Plus grandes, aussi, sont les chances pour que l'opposant se sente obligé de faire, à son tour, des contre-propositions calmes et constructives. Un peu comme lorsqu'on négocie un conflit de travail sans attendre que les syndicats votent la grève.

Bien peu de couples le savent. La plupart ressemblent à Émilie et Luc Déry, dans la trentaine, mariés depuis huit ans, parents de deux petits garçons. Luc, entrepreneur en construction, adorait son bateau. Émilie ne partageait pas cette passion. Un week-end, cependant, elle fit à Luc l'agréable surprise d'accepter avec enthousiasme de passer deux jours seule avec lui sur le *Sans Souci*. Tel était le nom du bateau.

Luc et Émilie se gardèrent bien de se communiquer ce qu'ils attendaient de ce week-end. Luc était persuadé que, pour Émilie, il s'agissait d'une escapade amoureuse loin des enfants, ce qui expliquait son enthousiasme. Émilie, quant à elle, s'apprêtait à mettre à profit ces instants de calme pour sortir à Luc plusieurs griefs qu'elle nourrissait depuis un certain temps, concernant en particulier la façon dont il traitait les enfants et des problèmes de budget.

Le premier jour fut idyllique. Ils pêchèrent, ils s'aimèrent. Émilie, chose exceptionnelle, parvint à l'orgasme. Le lendemain, à quai, ils étaient tous deux de merveilleuse humeur. « C'est le moment », se dit Émilie.

— Tu sais, nous ne nous disons jamais rien, observa-t-elle.

Et de vider son sac sans plus attendre.

Il se mit en fureur. Elle de même. Le retour s'effectua dans un silence de mort. Ce n'est que plus tard qu'ils apprirent — au cours de leur formation au combat loyal — qu'ils auraient pu éviter cette explosion en s'ouvrant d'avance, l'un à l'autre, de leurs attentes concernant ce week-end.

Prendre rendez-vous pour combattre

Il est essentiel de coordonner les attentes fondamentales de chaque partenaire. Et il est possible, sinon facile, de négocier un rendez-vous d'avance. Voici, par exemple, une de ces disputes anticipées, telle qu'elle eut lieu entre Luc et Émilie, après quelque temps de formation. Il était dix-huit heures quand Luc appela Émilie de son bureau :

Luc : Je viens de regarder le relevé de la banque. J'ai besoin d'une heure pour m'empoigner avec toi !

Émilie (joyeuse) : Pas ce soir ! Je suis en pleine forme et j'aimerais m'amuser.

Luc (grognant) : Pas question ! Il faut absolument que nous discutions de la situation financière; on s'amusera après.

Émilie : Mais cela me gâcherait tout. Si tu es de si mauvaise humeur, passe donc jouer un match de tennis avec ton copain Robert.

Luc : D'accord. Mais il faut absolument que demain ou après-demain on parle finances.

Émilie : Eh bien, je te propose de voir tout cela demain soir, après dîner. Mais ce soir, amusons-nous !

Il est donc possible de remettre une « scène » à plus tard, par consentement mutuel, à condition toutefois de reconnaître explicitement la colère de l'autre et de lui promettre un rendez-vous précis.

Trop souvent, des querelles prennent une tournure inutilement grave du seul fait que le plaignant a ouvert le feu quand son partenaire n'était pas d'humeur propice. Ces erreurs dans le choix du moment peuvent avoir des conséquences catastrophiques.

Jules Côté devait dîner avec sa femme, Bernadette, chez son patron, président d'une société d'épargne et de prêts au sein de laquelle il remplissait les fonctions de trésorier adjoint. Comme toujours, il était nerveux à l'idée de ce dîner, mais il finit par se résigner au fait de passer une soirée tendue. Bernadette, qui détestait la femme hautaine du patron et qui se tracassait toujours des semaines à l'avance parce qu'elle craignait de faire mauvaise impression, se sentait exceptionnellement nerveuse à propos de ce dîner. Il était presque l'heure de partir lorsque Jules rentra à la maison pour trouver sa femme en tenue de tous les jours. Elle ne le ménagea pas:

Elle (tendue et ferme): Je ne veux pas aller à ce dîner!

Lui (incrédule): Tu ne peux pas me faire ça!

Elle (malheureuse): Oh oui je peux! Je n'aime pas sortir avec toi. Tu bois trop et tu nous ridiculises!

Les Côté en arrivèrent à un compromis. Jules plaida sa cause auprès de sa femme. Celle-ci risquait de compromettre sa future promotion si elle n'apparaissait pas à ses côtés à ce dîner. Jules promit de boire modérément et il tint sa promesse. Tout se passa bien, mais il en voulait à sa femme d'y être allée trop fort; elle avait enfoncé une punaise avec une massue.

De telles tactiques sont dangereuses. Jules aurait pu avoir une réaction violente et contremander son dîner à la dernière minute, mettant ainsi en danger les relations fragiles qui existaient entre son patron et lui. Cela aurait pu aussi provoquer une explosion nucléaire: Jules aurait pu aller seul chez son patron, trop boire et débiter l'histoire de sa querelle avec sa femme, incitant ainsi son hôte à penser qu'il était incapable de prendre en main une situation.

Bernadette aurait pu s'entendre avec Jules à un moment moins critique pour engager un combat loyal sur un sujet grave qui la préoccupait, à juste titre d'ailleurs; elle aurait pu mettre cartes sur table au lieu de s'attendre à ce que Jules devine ses sentiments. Ayant tiré les choses au clair, le couple se rendit compte que Bernadette était inhabituellement sensible sur le chapitre des questions sociales. La tendance de son mari à trop boire la tracassait un peu, mais pas outre mesure. Elle tenait particulièrement à former avec son mari un couple intègre, bien vu et sain. Après qu'elle lui eut expliqué ses sentiments, Jules sentit qu'il avait alors un motif important pour surveiller ses manières lorsque Bernadette et lui se trouvaient en société.

Les rendez-vous sont d'autant plus utiles que l'heure préférée des adversaires est rarement la même. Il y a des combattants du matin et des combattants du soir, ou ceux qui préfèrent se disputer avant de se coucher ou bien au dîner, en présence ou en l'absence des enfants.

L'heure préférée de chacun est, bien sûr, l'heure qui lui est favorable : peut-être l'adversaire sera-t-il gêné par la présence des enfants ? Peut-être, à l'heure choisie, le partenaire cédera-t-il plus facilement parce qu'il sera dans une disposition amoureuse ? Peut-être le mari se sentira-t-il particulièrement fort parce qu'il viendra de toucher un salaire important ?

Voilà les moments que choisira l'agresseur pour se quereller. Ces disparités font partie de nombreuses différences naturelles qui existent entre les combattants, mais les couples peuvent apprendre à les compenser, comme nous le montrerons plus loin.

Bien souvent, on ne peut négocier les moments des querelles que par le biais de disputes-préambules. Nombre d'escarmouches se produisent à table parce que beaucoup de conjoints ne se parlent plus à d'autres moments. Certains peuvent se quereller en mangeant. D'autres ne le peuvent pas.

Nous ne proposons que deux règles fixes en ce qui concerne le moment des disputes : 1) il faut déterminer, pour les respecter, les moments où une querelle serait intolérable pour le partenaire; 2) les partenaires devraient cependant toujours avoir présent à l'esprit qu'il peut être dangereux de remettre à plus tard. Si la cartouchière est trop pleine, avec l'attente, l'accrochage d'aujourd'hui deviendra une violente scène de ménage.

Se disputer devant témoins

Beaucoup auront du mal à le croire, mais le meilleur moment pour se disputer est celui où des témoins sont présents. Les querelles en présence des enfants présentent des possibilités et des problèmes spéciaux que nous discuterons par ailleurs. Des adultes de bonne volonté, témoins de la dispute, jouent un rôle favorable car ils tendent à devenir des alliés constructifs ou des arbitres. Les combattants, généralement, se liguent contre l'arbitre, ce qui est également une des fonctions importantes de la consultation conjugale : les combattants, de ce fait, se serrent les coudes.

Le savoir-vivre moderne, malheureusement, est tellement marqué par le respect névrotique de l'intimité que rares sont ceux qui interviennent dans les problèmes des autres.

Les Pelletier venaient d'apprendre que les Simard, un couple qu'ils avaient en affection, étaient sur le point de se séparer. Avec les meilleures intentions du monde, ils parvinrent à persuader les Simard de passer un week-end avec eux, sur leur bateau. À plusieurs reprises, les Pelletier faillirent avouer à leurs amis la véritable raison de cette réunion : offrir aux Simard quelque secours en discutant avec eux de leurs problèmes. Le courage leur manqua à chaque fois. Le week-end fut tendu mais calme. Peu après, les Simard divorçaient.

Peut-être cette rupture était-elle inévitable, constructive même. Mais les Pelletier n'avaient nul besoin d'être ainsi paralysés. Ils s'empêchaient de dire : « Nous avons appris ce qui se passe. Vous croyez peut-être que cela ne nous regarde pas, mais nous ne sommes pas de cet avis. Nous vous aimons bien et en éprouvons de la peine. Que se passe-t-il ? » Cette idéologie permet aux gens de rester spectateurs, impassibles, pendant que d'autres sont tués ou blessés. C'est l'isolement qui a rendu nécessaires les professions « d'amis en location » : psychologie, psychiatrie, qui, à notre avis, devraient être consacrées essentiellement à la recherche et à l'enseignement.

Dispute et alcool

Il est assez difficile d'apprécier les effets de l'alcool sur les disputes. Beaucoup de querelles conjugales, la plupart même, sont contaminées par l'alcool, du moins dans une certaine mesure. Il en est de même des nombreuses situations insolubles qui affectent les non-combattants. Il n'existe pas de statistiques pour le prouver, mais pour chaque couple alcoolique qui s'échange des injures « à la Virginia Woolf », il y a beaucoup plus d'alliances entre des colombes qui noient leur hostilité dans l'alcool.

Ces conjoints pacifistes prennent tranquillement une cuite ensemble et n'arrivent jamais à communiquer vraiment. Le plus souvent, un des conjoints est davantage porté à boire que l'autre (ou il supporte plus mal l'alcool). C'est là une des différences les plus critiques entre deux conjoints qui se dérobent à tout affrontement. Habituellement, ce sont les partenaires phobiques de toute querelle qui sont portés à « noyer » leurs conflits. Mais il y a aussi des conjoints « méchants » qui, lorsqu'ils sont en état d'ébriété, exploitent le manque de tolérance accru de leur conjoint pour la méchanceté.

Parfois, cette disparité entre les conjoints a des résultats bénéfiques. L'alcool peut détendre suffisamment un pacifiste timoré, le faire exploser et révéler enfin la profondeur de ses frustrations. D'autre part, une personnalité explosive et coléreuse deviendra peut-être, après quelques verres, toute pleunicharde, ce qui donnera au partenaire généralement écrasé une chance, enfin, de placer son mot. Ni l'une ni l'autre situation cependant ne réunit les conditons idéales pour un combat et, en règle générale, il est très mauvais de se quereller lorsqu'on a bu.

Cela permet à un conjoint sobre, qui craint de toute façon les disputes, de fuir avec l'excuse que seuls les imbéciles se querellent avec les ivrognes.

L'alcool peut nuire à un conjoint plus porté sur la boisson en le faisant peut-être se comporter d'une façon inappropriée en société, de sorte qu'il devient facile à écarter en tant que « fou ».

L'alcool peut entraîner des querelles interminables du genre :

Elle : Tu bois trop.

Lui : Tu m'emmerdes. On ne peut pas s'amuser avec toi. Si j'ai besoin d'un ange gardien, je te ferai signe. (Il y a des couples qui se querellent exclusivement à ce propos, et d'une manière toujours destructrice.)

Si tant de personnes associent alcool et disputes, c'est qu'elles croient qu'il faut du courage pour se quereller. Notre expérience nous a démontré que les conjoints n'ont pas besoin de courage lorsqu'ils se savent sur le point d'engager une querelle constructive et loyale ; la seule inhibition que réduit l'alcool est celle de paraître ridicule.

Il nous arrive de demander à des couples ayant un problème d'alcoolisme d'arriver à deux heures du matin pour participer à un marathon de trente heures. À cette heure-là, plusieurs participants se présentent habituellement en état d'ébriété. Dix-huit heures plus tard, lorsqu'ils sont à nouveau sobres, nous leur présentons les films d'eux-mêmes tournés par une caméra de télévision cachée. Comme ils sont, en général, frappés de voir la façon ridicule dont ils font étalage de leurs sentiments lorsqu'ils sont ivres, le reste du marathon donne des résultats étonnamment efficaces.

Pour bien se quereller, comme pour bien conduire, il faut éviter de prendre plus d'un ou deux verres d'alcool. Lorsqu'on dépasse cette mesure, c'est que l'on boit pour des raisons qui méritent une investigation.

L'heure de l'apéritif est le moment préféré de certains couples pour se disputer; elle souligne cependant une disparité malvenue entre les conjoints qui préfèrent consacrer cette heure uniquement à des conversations banales avant le repas.

Les meilleurs endroits pour combattre

Là encore, cette différence peut faire l'objet de négociations, de même que l'endroit où les conjoints engageront leur dispute.

Chacun cherche à les engager là où il se sent «chez lui». Dans sa cuisine, pour la femme, derrière son bureau, pour le mari, dans sa belle voiture toute neuve, pour le jeune homme.

Un bateau est un endroit idéal pour se quereller, surtout si un des conjoints a tendance à fuir toute dispute, parce que le combat se déroule mieux lorsque les combattants sont isolés et qu'ils ne peuvent échapper l'un à l'autre. L'automobile est un autre terrain de combat populaire, bien qu'il ne soit pas sécuritaire, à moins que les combattants se rangent sur le côté de la route avant d'engager leur dispute. Comme un nombre exceptionnellement élevé de querelles éclatent pendant les vacances, remarquons qu'elles aboutissent à d'excellents résultats dans les hôtels avec pension complète. Un combattant ayant subi une «défaite» ou ayant fui a plus de chances de revenir prendre des repas qu'il a déjà payés de toute façon.

Les sujets de querelle

Sachant maintenant pourquoi? quand? où? se disputer, il reste à déterminer: à quel sujet?

Il serait souhaitable de pouvoir se demander avec un détachement suffisant: quels sont les problèmes importants entre nous, et lesquels pourraient bénéficier d'une querelle constructive?

Une fois libéré de ses inhibitions, chacun n'a que l'embarras du choix: le sexe, l'argent, les enfants, les beaux-parents, pour ne citer que les sujets de dispute les plus évidents.

Mentionnons ici deux types de querelles dont la nécessité est moins évidente et qui, pourtant, s'ils émergent dès les premiers temps de la relation d'un couple et reviennent périodiquement, n'ont rien à voir avec les « rondes sans fin ».

Pour commencer, citons la querelle d'amoureux, vieille comme le monde et apparemment absurde, ayant pour objet de savoir qui des deux aime le plus l'autre: « Je t'aime, mais toi, tu ne sais pas ce que c'est l'amour », ou bien « Tu prends une place plus importante dans mon coeur que moi dans le tien ». Querelles bien moins puériles et sottement sentimentales qu'on ne le croit. Elles peuvent se manifester avant les fiançailles, déjà, et durer toute la vie. Et elles dégénèrent facilement. Si un partenaire déclare: « Il en faut davantage de ta part pour prendre une place centrale dans ma vie », et que l'autre lui réponde: « Suis-je donc à l'essai? Voilà qui refroidit mes élans », des difficultés sont à prévoir. Par son accusation, l'un peut faire allusion à une liaison possible de l'autre ou bien il cherche à lui faire savoir qu'il est hanté par l'idée d'une séparation possible (« Toi, tu me quitterais sans trop souffrir. »)

On ignore souvent que l'un des partenaires, à un moment donné, est presque toujours plus amoureux que l'autre. Disparité naturelle du même ordre que celle qui existe dans les rapports sexuels, où l'élan de l'un des partenaires est généralement plus fort que celui de l'autre. Seuls les êtres ayant une faible capacité d'aimer se laissent troubler par ces disparités. Nous conseillons de les accepter comme inévitables. Elles n'ont rien qui doive inquiéter outre mesure.

Changer l'autre « pour son bien »

Autre bagarre chronique méritant qu'on y prenne garde : la bagarre thérapeutique. Il est certes légitime de la part d'un partenaire de vouloir modifier une caractéristique de l'autre, si c'est sans aucun doute pour son propre bien. Les bagarres thérapeutiques ressemblent beaucoup aux autres sortes de querelles dont nous discuterons plus loin, comme la querelle de « croissance » et la querelle sur le mode de vie. Mais ce genre de dispute est à sens unique (l'un des deux, seulement, doit changer, cesser de fumer, par exemple), d'où le danger. Il peut être difficile, pour un partenaire, de doser son opposition : maintenir le conjoint dans la bonne voie, faire pression sur lui constamment, mais ni trop fort, ni trop vite.

C'est pourquoi lorsque ce type de querelles éclate souvent, il vaut mieux qu'elle se déroule sous la surveillance d'un thérapeute.

Le mari : Tu fumes trop.

La femme : Peut-être, mais je fume des cigarettes avec de nouveaux filtres.

Le mari : Tu te leurres toi-même.

La femme : Tu sais que je suis incapable d'arrêter de fumer.

Le mari : Oui, mais ça me déplaît. Tu as mauvaise haleine.

La femme : Et toi, pourquoi ne fais-tu rien à propos de ton gros ventre ?

Le mari : Pourquoi n'arrêtes-tu pas de me cuisiner des plats aussi riches ?

La femme : Parce que tu les aimes trop, idiot...

Cette querelle, comme tant d'autres, repose sur l'idée romantique qu'on ne peut pas changer les gens. (« Aime-moi comme je suis. ») Bien que cette idée soit nocive, elle est fermement enracinée, surtout lorsqu'un des conjoints seulement demande à l'autre de changer.

Vider la question le plus tôt possible

Comment décider quand, où, à propos de quoi, s'affronter ? Le meilleur moyen est encore d'engager le combat le plus tôt possible après que le sujet controversé se soit présenté.

Un médecin nous avait été envoyé par un avocat à l'esprit constructif chargé de son divorce. Le médecin avait eu de nombreuses liaisons en quatorze ans de mariage, il avait enfin quitté sa femme et n'avait que tout récemment décidé de tenter une réconciliation complète avec elle.

Voici en quels termes ce médecin décrivit à son groupe thérapeutique le bénéfice retiré de l'application de cette règle :

« Avant, nous ne savions même pas très bien, je crois, à propos de quoi nous nous disputions. Il nous est arrivé de n'engager une discussion sur un sujet qu'un an ou plus après qu'il ait été soulevé pour la première fois. Maintenant, quand l'un de nous fait quelque chose que l'autre désapprouve, nous engageons immédiatement la discussion, nous mettons les choses au point, et nous n'y pensons plus. C'est fini. Il existe bien moins de tension entre nous, même si nous nous disputons plus souvent qu'avant. Mais c'est sur une base plus saine, plus honnête. Et nos disputes sont plus brèves, car nous allons droit au but. Si le moment est propice, nous faisons l'amour, la meilleure des conclusions. »

Ce même médecin raconta alors comment cette technique lui avait permis d'éviter qu'un incident, en apparence banal, ne dégénère en malaise permanent et secret :

« L'autre soir, au moment de nous coucher, ma femme m'a parue un peu distante. À mes questions, elle finit par répondre qu'elle avait découvert sur mon bureau un mouchoir taché de rouge à lèvres. Elle s'en était inquiétée puis, disait-elle, n'y avait plus pensé.

— Mais si, tu y pensais encore, puisque tu m'en parles. Eh bien, parlons-en de ce mouchoir.

— Je crois, dit-elle, que cela m'a inquiétée en raison de nos expériences passées.

— Le plus drôle, c'est qu'il s'agit de ton propre rouge à lèvres. Je l'ai essuyé après que tu m'aies embrassé sur la joue, hier soir, à mon retour.

— C'est ma foi vrai ! Cela me revient maintenant. Tu sais, je suis très contente que nous puissions nous parler de la sorte...

Le fait qu'elle soit capable d'en parler la libérait de ces inquiétudes qui auparavant l'empoisonnaient à tel point qu'elle faisait porter la discussion sur un sujet qui n'avait rien à voir avec l'incident en question. »

C'est ainsi qu'un sujet qui aurait pu faire des ravages fut abordé brièvement, loyalement, sans être contaminé par d'autres problèmes, passés ou présents.

C'était une querelle spontanée, et elle le resta parce qu'elle ne touchait pas à des problèmes passés. Aucun des conjoints n'a mis son grief dans sa cartouchière ni ne l'a collectionné à titre d'injustice comme le font certains combattants qui tiennent un registre de leurs récriminations conjugales.

Maris et femmes sont également rassurés quand ils se rendent compte qu'ils n'ont pas à avoir peur d'être perdants. Les deux conjoints sortent gagnants d'une querelle constructive, comme ce fut le cas ici. Même s'ils engagent une querelle déloyale et que tous deux perdent, il n'y a pas lieu de s'alarmer. Ce n'est qu'avec des connaissances, des clients ou des « amis d'un soir » qu'une querelle peut être finale. Mais entre intimes rien n'est sans recours, le dernier mot n'est jamais dit. Il y a toujours un lendemain.

Chapitre 6

Comment combattre loyalement

Éric Guérin était acculé au désespoir. Année après année, les frustrations de sa vie conjugale s'étaient accumulées, remplissant progressivement sa « cartouchière » de griefs. Sa vie sexuelle était tout aussi peu satisfaisante que sa vie sociale. Il avait, pensait-il, plus que sa part de soucis, qu'il s'agisse de ses finances, de ses enfants ou de sa belle-famille. Faucon par nature, Éric avait été apprivoisé par Michelle, sa femme, une petite brune fort séduisante mais très introvertie qu'il avait épousée onze ans auparavant. Éric l'aimait tendrement, mais il lui était impossible de l'« épingler », ne serait-ce qu'un moment, pour aborder sérieusement le problème des différences importantes qui les séparaient. Cette charmeuse était en réalité une colombe, phobique devant toute querelle. Quel que fut le lieu ou la circonstance, Michelle évitait à tout prix les scènes « de mauvais goût ».

Elle ne voulait pas se quereller devant les enfants à la maison. Ni en présence de leurs amis parce qu'elle craignait les rumeurs. Elle refusait de se disputer en voiture par crainte d'un accident, pendant la promenade du chien, parce que cela le rendait nerveux et qu'il se mettait à aboyer. Au moment du coucher, cela la rendait frigide pendant deux semaines ou plus quelquefois.

Finalement, Éric n'y tint plus. Avec l'aide d'un voisin ingénieur, il mit au point un système permettant d'entendre, de la chambre à coucher du voisin, tout ce qui se disait dans sa propre salle de séjour. Cela le soulageait de penser que les refus de Michelle d'affronter tout problème, sa lâcheté, pour tout dire, étaient enregistrés devant témoins. Dans sa colère, il ne se souciait guère du caractère déloyal des armes qu'il employait.

Venu finalement chercher le secours de la thérapie, Éric, sous la pression du groupe, avoua à Michelle les méthodes sournoises qu'il avait utilisées. Elle se mit en rage. Non seulement d'avoir été espionnée, mais de n'avoir pas su reconnaître à quel point son mari était désespéré. La tactique extrémiste d'Éric (que nous ne recommandons certes pas) eut au moins un effet heureux : la ligne de défense de Michelle, exagérément élevée, se trouva abaissée.

Protéger les points sensibles

Il existe pour chacun une limite départageant la zone « au-dessus de la ceinture », où les coups sont tolérés, donc loyaux, de celle « au-dessous de la ceinture », où chaque coup est intolérable, déloyal. Les froussards, comme Michelle Guérin, remontent leur caleçon de boxe jusqu'aux oreilles et crient avant même que les coups ne pleuvent. Il leur faut apprendre à être plus réalistes, à devenir plus accessibles aux saines agressions de leur partenaire. Des disparités existent, qui demandent à être compensées entre les partenaires, tout comme dans le cas de la distance optimale, de l'aptitude à se montrer cohérent sous l'empire de la boisson ou dans d'autres cas mentionnés précédemment.

Il existe donc une limite au-delà de laquelle l'un des partenaires estime ne plus pouvoir faire de concession, ni même tenter une négociation, du moins dans le présent. Cette limite doit être explicitement reconnue, et ces points sensibles protégés. Tout comme on contrôle le poids des boxeurs avant qu'ils ne montent dans l'arène, on doit compenser les hasards de la sélection des couples qui font qu'un « poids plume », bien souvent, soit opposé à un « poids lourd », par exemple un mari timide et une femme lo-quace. Heureusement que c'est en vue d'une meilleure entente et non d'une mise hors de combat que les couples vraiment intimes combattent ! Sinon, les statistiques de meurtres seraient beaucoup plus étonnantes qu'elles ne le sont à l'heure actuelle.

Comment respecter le talon d'Achille

Cette bonne volonté mutuelle est particulièrement importante. Un conjoint en effet a, plus que quiconque, le pouvoir d'infliger à l'autre des blessures psychologiques, sociales et économiques, connaissant avec précision ses points sensibles. C'est ce que nous appelons le talon d'Achille. La limite des points sensibles sert à protéger le talon d'Achille et il ne s'agit pas ici d'une métaphore. Les points faibles stratégiques et leur bouclier protecteur peuvent être situés presque à tous les niveaux.

Bien des gens font des efforts considérables pour dissimuler leur « talon d'Achille », tout particulièrement au début d'une relation pouvant devenir intime.

Une femme, avouant un point sensible qui n'est pas son véritable « talon d'Achille », se dira ainsi : « Je vais voir comment il se comporte à cet égard. S'il agit avec tact, s'il me protège, je lui révélerai alors mes véritables points vulnérables. »

Un faux talon d'Achille peut fournir des renseignements précieux sur la confiance mutuelle des intimes et sur l'appui de l'autre pour préserver leurs points sensibles. Un conjoint qui vise le talon d'Achille de l'autre prouve qu'il nourrit un profond ressentiment à son égard. En général, l'attaquant révèle ainsi une profonde inquiétude. Il a peut-être été poussé à bout. Ou encore, il indique que son partenaire porte une armure trop épaisse pour qu'il puisse la percer, sauf en un ou deux endroits.

Un faux talon d'Achille, une tromperie sur le véritable point sensible peuvent subsister après des années de mariage. Marco Polletti et sa femme Sylvia avaient déjà trois enfants en bas âge lors de cet échange :

Marco (d'un ton confidentiel) : Je pense que tu ne te rends pas compte à quel point je suis chatouilleux sur mes origines italiennes.

Sylvia (sympathisant) : Bien sûr ! J'ai senti cela le premier jour où je t'ai connu.

Marco (en apparence soulagé) : Alors, ne me traite jamais de « sale Italien » même pour rire.

Un an et quelque plus tard, les Polletti se trouvaient à une fête et Marco jugeait que Sylvia dansait un peu trop souvent avec un de ses amis. De retour à la maison, il se mit dans une colère terrible. Tous deux avaient trop bu et ils se mirent à s'insulter vertement.

Marco, assez injustement, traita sa femme de putain. Sylvia, qui crut le frapper « au-dessous de la ceinture », le traita de « sale Italien ».

Mais ce « point sensible » n'était pas réel. Il était seulement un vestige de la période où Marco se demandait s'il devait confier son bonheur à Sylvia, qu'il avait épousée après quelques semaines de fréquentation seulement. Il se rendait compte qu'en traitant sa femme de putain, il lui avait fourni l'occasion légitime de ne pas respecter son point sensible. Il éclata soudain de rire et dit :

« Voilà qui est amusant. Je sais que je t'ai dit de ne jamais m'appeler « sale Italien », mais c'était seulement pour te mettre à l'épreuve, ça ne me blesse pas vraiment. Il est à peu près temps que je t'avoue mon vrai point sensible : j'ai déjà trente-quatre ans et je sens que je dois grimper les échelons beaucoup plus rapidement au bureau. Je ne crois pas que j'y réussirai jamais et cela me tracasse beaucoup. »

Soulagée, Sylvia répondit : « Ça n'a pas d'importance ! Je t'aime quand même. Si nous avons des problèmes, je peux toujours recommencer à travailler. »

Nombreux sont ceux qui, manquant d'expérience en matière de combat, pensent qu'il faut être « poire » pour avouer ses points sensibles — que le partenaire, l'occasion venue, ne manquera pas d'en profiter. Cette crainte est vraiment sans fondement dans un couple qui cherche l'harmonie. Il est d'ailleurs toujours possible de crier « hors jeu ! » à chaque coup déloyal. Et de voir combien l'autre ménage votre sensibilité. Voilà qui fortifie la confiance entre deux êtres qui s'aiment. Et même si un coup déloyal est décoché, il n'y aura pas mort d'hommes. Au contraire, il peut y avoir là une base de discussion pour négocier, à froid, des armes à employer dans une prochaine querelle.

Situer trop bas sa ligne de défense est une attitude masochiste. Trop haut, c'est de la lâcheté. Cas assez fréquent. Car ceux qui le font se sentent dans leurs droits lorsqu'ils se plaignent des coups bas de l'autre ; la « provocation » leur semble parfois assez forte pour justifier des mesures méchantes d'autodéfense. Or, dans ce cas, contrairement aux apparences, ce n'est pas l'« agresseur » qui est déloyal, mais l'« agressé » ; lorsque, même un coup « permis » atteint l'autre au-dessous de la ceinture, il est manifestement impossible d'engager un combat constructif.

On a plus de chances de convaincre son conjoint en lui révélant carrément sa ligne de ceinture réelle, ses véritables points sensibles. Tandis que croît l'intimité entre deux êtres, celui qui aura établi une fausse ligne de défense sera démasqué. Lorsque la fraude persiste, il ne sert à rien de continuer à crier « hors jeu ! », comme il est inutile de faire face à des dangers irréels en criant « au loup ! » trop souvent. En insistant pour connaître les véritables points sensibles de leur conjoint, plutôt que de lui laisser la chance de les avouer de lui-même, certains se font les complices de la tromperie de ces fraudeurs.

On s'évite bien des peines en débattant ouvertement de ces problèmes. Sachant que son amoureux prend plaisir aux rapports sexuels qu'il a avec elle, une femme n'aura pas besoin de simuler l'orgasme. La virilité de son partenaire, selon toute vraisemblance, n'étant pas aussi vulnérable qu'elle le craignait.

Combattre à armes et à forces égales

La loyauté exige également de lutter, autant que faire se peut, à armes égales. Le « poids lourd » devrait abaisser sa ligne de défense, éviter de mettre son adversaire plus faible le dos au mur, le poussant à l'angoisse, au désespoir. Il ne lui sera pas trop difficile de n'engager le combat qu'à un moment où le partenaire « poids léger » se sent en pleine forme.

Une fois qu'il connaît la ligne de défense de son partenaire, le « poids lourd » doit baisser la sienne. Il peut crier « Aïe ! » lorsque son conjoint plus faible le frappe là où même un léger coup le blesserait; mais il ne devrait pas crier « hors jeu ! ». Lorsqu'une grande disparité existe entre les partenaires, il serait sage pour ceux-ci de combattre seulement en présence d'amis triés sur le volet ou d'un groupe de thérapie, du moins tant que le poids lourd n'aura pas été forcé de baisser les armes. La consigne encore une fois est de ne pas « lâcher une bombe sur le Luxembourg ». Cela ne peut qu'entraîner une défaite.

Ce ne sont pas tous les poids lourds qui accepteront d'être limités, mais même une brute peut apprendre à entrer dans l'arène en faisant semblant d'avoir une main liée derrière son dos ou se laisser attaquer sous conditions lorsque ses pulsions agressives sont inhibées, si c'est avant de faire l'amour par exemple ou en présence de personnes qui comptent pour lui. Il devra surtout éviter d'acculer l'autre au mur. Celui-ci, dans son désespoir, aurait l'impression de combattre pour son intégrité ou même pour sa vie.

Le docteur Gilles Roy, médecin fort occupé, sans cesse en visites, commençait à craindre que sa femme ne le trompe. Menant des vies parallèles, ne se faisant jamais part de leurs sentiments, ils ne jouissaient en aucune façon du revenu considérable que gagnait Gilles.

C'était lui le « poids lourd » de la famille, et ses décisions avaient force de loi. Corinne tentait de compenser sa faiblesse par des attaques sournoises, le traitant par exemple de « fanatique de l'argent », alors qu'elle connaissait le sentiment de culpabilité qu'il éprouvait de n'avoir que de rares malades sans le sou. Il tenta d'aborder le problème avec elle, de savoir si elle accepterait de vivre sur un budget réduit. Elle se déroba à toute discussion. Gilles l'accusa alors de « frapper en dessous de la ceinture ». Venue avec son mari à nos groupes de formation au combat loyal, Corinne expliqua ainsi ses procédés déloyaux :

Corinne (s'adressant à Gilles) : Que pouvais-je faire d'autre ? Je n'en pouvais plus d'être toujours perdante !

Dr Bach : En d'autres termes, vous êtes en train de dire à votre mari : je dois bien utiliser des coups bas quand tu me coinces. Mais pourquoi vous laisser coincer ? Cela va-t-il mieux maintenant ?

Corinne (à Gilles) : Oh oui ! Tu es infiniment mieux, maintenant.

Dr Bach : En quoi ?

Corinne : Eh bien, maintenant, il me laisse ma chance de marquer un point de temps en temps. Et moi, je n'attends plus d'avoir le dos au mur. Je n'ai donc plus besoin de frapper bas.

Gilles : Je suis bien les règles du combat loyal. J'attends qu'elle se sente en forme pour vider mon sac. Je m'arrête quand je la vois faiblir.

Dr Bach : Pouvez-vous nous raconter une dispute illustrant votre nouvelle approche ?

Corinne : Eh bien, par exemple, j'étais dernièrement témoin à un mariage très important, dans ma ville natale. J'étais si fière, si excitée par tous les préparatifs que je n'ai même pas téléphoné à Gilles.

Gilles: Tu ne répondais même pas à mes messages. J'étais complètement exclu !

Corinne: Où tu as rudement bien fait, c'est quand tu m'as remise en place, à mon retour, alors que je me sentais encore quelqu'un de très important ! (Au docteur Bach:) Il était furieux de me voir si absorbée. Et plus encore, quand je lui ai dit que, de toute façon, cela ne l'aurait pas intéressé.

Gilles: Oui, tu recommençais à décréter que je devais penser ceci ou cela...

Corinne: Mais quand tu m'as dit que tout ce qui me touche t'intéresse, que tout ce que tu me demandais, c'était d'y prendre part, là, j'ai compris. Et j'ai senti que je pouvais apprendre à partager.

Gilles: Alors, pourquoi n'en as-tu rien fait depuis ton retour ?

Corinne (avec nervosité): Parce que je n'ose pas. Je sais que tu considères mes activités comme étant sans intérêt. Et que tu m'en veux de ne pas m'intéresser plus, moi-même, à ce que tu fais.

Gilles (s'énervant): Coup bas ! Hors jeu ! Tu recommences à me dire ce que je pense, ce que je ressens. Et si tu me posais plutôt la question ? Voici ce que je te répondrais : je suis très heureux quand tu fais, pour toi-même, quelque chose qui t'intéresse. Je ne t'en aime que davantage. Mais je te demande de m'y faire participer.

Si Gilles a marqué un point dans ce combat, c'est parce qu'il a choisi de frapper alors que Corinne se sentait en haut de la pente. De plus, il a attendu qu'elle se sente assez indépendante, assez forte, pour pouvoir partager ses expériences sans avoir l'impression d'être une enfant qui a des comptes à rendre à un personnage dominateur.

Lorsqu'elle se sentit forte, elle put non seulement prendre en considération sa demande, mais elle fut même heureuse de le laisser gagner !

Dans un combat loyal comme celui-ci, il n'y a pas de perdant. Si Corinne a pu se rallier au point de vue de Gilles, c'est qu'elle avait appris quelque chosc dans cette dispute. Que c'était elle et non pas lui qui comparait défavorablement ses activités avec le travail médical important de son mari : qu'il était sincère lorsqu'il désirait faire partie de son monde à elle sans pour autant s'immiscer dans ses activités.

Des informations essentielles au couple

Les gens sous-estiment souvent l'utilité du combat constructif pour en apprendre davantage sur les sentiments d'un adversaire. On peut toujours employer à bon escient ces nouveaux renseignements qui sont souvent la clé qui sert à atteindre le but ultime du combat : apporter un changement pour le meilleur.

Dans les relations entre intimes évoluant sans cesse, il y a toujours une information à recueillir quant aux sentiments de l'autre. Un des conjoints peut lire un nouveau livre stimulant; ou se faire de nouveaux amis; ou il peut s'inscrire à un cours du soir ou entreprendre une psychothérapie; il peut ressentir une amélioration ou une détérioration dans ses relations sexuelles. Toutes les expériences peuvent amener des changements dans les sentiments d'une personne, et un conjoint avisé essaiera de se tenir au courant.

Il n'est qu'un domaine où la franchise totale semble à déconseiller : c'est celui de la recherche d'informations concernant les intérêts sexuels extérieurs au couple, qu'il s'agisse de fantasmes ou d'expériences réelles. Ici, beaucoup de tact, de discrétion seront nécessaires; ce sera là un témoignage de respect quant à l'intolérance déclarée de l'un des membres du couple pour certains sujets. En revanche, si l'on exige une ouverture totale, une complète « transparence » de l'autre, il faut pouvoir se montrer tolérant à l'égard des fantasmes ou activités érotiques du partenaire hors du foyer.

De toute façon, même s'il n'est pas question de relations extra-conjugales, il est difficile de retirer d'une querelle, même loyale, de l'information utile si elle a lieu « à chaud ».

On a rarement les idées très claires dans ces moments-là; mieux vaut donc attendre que sa colère soit tombée et se disputer « sur rendez-vous », du moins au cours des premières étapes de la formation. Un combat engagé dans un climat sensé permet une plus grande tolérance au conflit. Comme des sportifs, les combattants ont besoin d'entraînement et de conseils. Plus ils sont entraînés, plus ils sont capables de mêler l'action spontanée aux procédés appris.

Maris et femmes peuvent apprendre à retirer le maximum de renseignements de leurs échanges agressifs. Ils peuvent s'adoucir et mieux écouter, en se disant en eux-mêmes ces deux seuls mots : « C'est pas facile ! » C'est un aide-mémoire pour les combattants afin de se garder d'une sensibilité excessive dans la chaleur du combat. C'est l'équivalent du « Pense mince ! » que les obèses sont souvent obligés de se répéter.

Pourquoi les gens oublient le sujet de leurs querelles

Que les « débutants » se rassurent s'ils sont à peu près incapables, après coup, de se rappeler l'objet d'une dispute : ils ne sont pas les seuls !

En effet, lors de la phase d'expérimentation de notre formation, nous demandâmes à des couples d'enregistrer leurs disputes afin que nous puissions y appliquer un système de pointage. Lorsque, le lundi, nous demandions à ces couples de nous dire à quel propos ils s'étaient disputés pendant le week-end, et que nous comparions avec les enregistrements, nous mettions en évidence un oubli de 90 % environ de ce qui avait donné lieu à tout ce tintamarre !

Lorsqu'un couple déclare avoir engagé une bonne dispute, il fait rarement allusion au changement ou à l'amélioration qu'elle a apportée dans sa vie. Ce qu'il appelle une « bonne dispute », c'est un combat disputé dans les règles de la loyauté, sans coups bas.

Ce dont on se souvient : les injures, la souffrance, les attaques personnelles. Le style et le processus de la dispute, aussi : « On a été vaches tous les deux. » Ce dont on se souvient mal : à quoi tout cela tendait.

Dans la chaleur du combat, les partenaires n'ont plus les idées très claires. D'où la nécessité d'un effort spécial pour bien écouter ce qui se dit. Il est bon de pratiquer des pauses où l'on demande à l'autre : « Que cherches-tu exactement à me dire ? », ou de lui communiquer : « Voilà ce que, moi, j'ai compris. » On peut ainsi plus facilement tirer au clair les points controversés.

Chapitre 7

Styles de combat masculin et féminin

À voir la manière dont hommes et femmes abordent les problèmes qui les séparent, on pourrait croire qu'ils appartiennent à des espèces différentes. Les femmes qui viennent suivre notre formation déclarent souvent qu'elles ont besoin d'apprendre à « comprendre les hommes »; quant aux hommes, ils aimeraient savoir « comment fonctionne une femme ». Mystères caractéristiques de la prétendue « bataille des sexes » qui, soit dit en passant, n'a pas de fondement réel mais repose avant tout sur des stéréotypes culturels.

Qu'on nous comprenne bien. Nous sommes d'accord avec les recherches modernes indiquant que les femmes font preuve de plus de constance en amour que les hommes. Mais on a tort d'exagérer, dans notre culture, les différences psychologiques entre les sexes.

Tout est faussé au départ par la certitude qu'a chacun de savoir exactement ce que doit être un homme, une femme. Ainsi les femmes, toujours douces, impeccablement mises, devraient être dépourvues d'agressivité et se montrer de parfaites maîtresses de maison. Les hommes devraient toujours être les meneurs et de solides protecteurs; c'est donc à eux qu'incombe tout bricolage à l'intérieur du foyer.

L'acceptation au-delà de l'adolescence d'une distribution des rôles fixée à l'avance ne peut que créer des personnalités creuses, fabriquées, bien trop préoccupées de leur « identité » masculine ou féminine. Les notions de rôle sexuel rigides créent des barrières tout à fait inutiles entre hommes et femmes adultes. Leur intimité ne peut que bénéficier, au contraire, de l'absence de toute routine, et même, à l'occasion, d'un renversement des rôles joyeusement accepté. Derrière le rôle sexuel existe, avant tout, une identité personnelle, simplement humaine.

Des étiquettes qui nuisent au face à face

« Tu ne te comportes pas en homme ! », « Tu n'es pas féminine ! ». Ces accusations ne portent en fait que rarement sur des écarts par rapport à la norme proprement sexuelle. Elles ne sont que l'utilisation de stéréotypes extrêmes, dans le but d'exagérer d'autres différences, non sexuées, qui s'accumulent entre les époux. Ces clichés sont particulièrement populaires chez les femmes qui cherchent une excuse pour recourir à des tactiques de combat déloyales et chez les hommes qui cherchent à fuir toute querelle.

On trouve fréquemment chez les hommes l'idée qu'il serait « peu viril » de s'abaisser à discuter avec une femme. Combien n'avons-nous pas vu de ces maris qui restent complètement passifs quand leur femme leur reproche amèrement, pour la nième fois, de n'avoir pas fait quelque chose qu'ils auraient pu, qu'ils auraient dû faire. Se lever pour donner à boire au bébé, repeindre la cuisine, rentrer plus tôt du bureau, se montrer un amant plus empressé. Peu importe le grief. Les maris aux idées rigides quant au rôle masculin ou féminin y réagissent tous de la même façon : écouter passivement, avec une infinie « patience »...

Puis...

La femme (visiblement frustrée) : Pourquoi ne me dis-tu jamais rien lorsque je suis bouleversée ?

Le mari (calme et aimable) : Je suis désolé que tu te mettes ainsi à l'envers. Crois-moi.

La femme (furieuse) : Je te défends de me traiter comme un enfant. J'ai le droit de me fâcher contre toi. Si seulement tu faisais ta part dans la maison, je n'aurais pas besoin de m'agiter ainsi.

Le mari (gentiment) : Chérie, tu es fatiguée, c'est tout. Ça ira mieux, tu verras. (En lui-même : « Ce doit être ses règles. » Il se rapproche d'elle et la prend dans ses bras. Elle se met à pleurer.)

Cela me peine de voir que tu te mets dans tous tes états comme cela.

La femme : Ah, tu ne comprends rien.

Elle repousse son mari et quitte la pièce. Il met un disque, prend un livre ou s'adonne à son passe-temps favori. Il se dit dans son for intérieur : « Pauvre elle, comme elle est de mauvaise humeur ce soir. Ce sont sûrement ses règles ! » Ou « Elle s'est peut-être querellée avec sa mère aujourd'hui. Je vais la laisser tranquille pour le moment, puis j'irai lui chercher de la crème glacée. Cela la remontera. » Il se rend soudain compte qu'il est trop tendu pour se concentrer sur ses activités. Il s'en veut d'être fâché contre sa femme. Il se referme davantage, oublie sa décision de lui faire plaisir et fait un saut au bar du coin à la place.

Le mari ayant refusé la discussion recherchée par sa femme, le problème non résolu continuera à jouer son rôle de ferment de discorde et viendra s'ajouter au stock de griefs de la « cartouchière » prête à éclater. Et pendant ce temps le mari, inconscient de ce qui se passe réellement, se félicite de s'être montré si fort, si tolérant, et réprouve l'utilisation qu'a faite sa femme de ses « armes féminines ».

Les larmes : une arme féminine

Dans ce genre de conflit, trois différences notables entre hommes et femmes peuvent être relevées : 1) Une attitude relativement patiente des hommes à l'égard des « ruses féminines »; 2) Une attitude tout aussi tolérante de la part des femmes à l'égard des hommes du type « fort et silencieux », refusant de communiquer; 3) La tactique féminine de l'utilisation des larmes.

Ces trois différences sont purement culturelles, le clou étant enfoncé depuis l'enfance (« les garçons ne pleurent pas »). Ces étiquettes ont peu ou pas de signification psychologique et ne méritent certainement pas de gêner ainsi la communication dans la « bataille des sexes ». Elles sont exploitées par les époux qui ne veulent pas aborder ouvertement les conflits.

Les larmes féminines sont un signal de frustration, de faiblesse, de crainte et de refus de poursuivre les hostilités. L'homme y répond souvent par un silence un peu méprisant, une expression visiblement peinée ou par une explosion de colère. Il quittera plus facilement que la femme le lieu de la scène, étant moins attaché au foyer, ou il aura recours aux menaces ou à la violence physique. Encore une fois, ce ne sont là que des différences mineures, n'ayant rien de fondamentalement inhérent à chaque sexe.

C'est volontiers à la femme que l'on attribue l'accumulation souterraine de griefs, le choix du rôle de victime. Cependant, notre expérience, fondée sur des entrevues réalisées au fil des années et auprès de nombreux maris, nous indique que le sexe de l'individu ne joue là aucun rôle privilégié. Le coupable est celui qui omet d'exprimer régulièrement ses griefs.

Leurs enfants mariés, Guy, producteur de théâtre, et sa femme Marie, bibliothécaire, se trouvaient pour la première fois face à face et sans masque, dans l'expression de leur personnalité réelle. Cette situation était accentuée le dimanche, jour où ils étaient libérés de leurs carrières respectives.

L'un de ces dimanches typiques, Guy, affalé devant le téléviseur, regardait son émission sportive préférée. Mais l'image était défectueuse. Marie jardinait dehors.

Guy (hurlant) : Marie ! Marie !

Marie (rentrant, contrariée) : Qu'as-tu besoin de hurler pour m'appeler ? Voilà la vulgarité masculine. Ce serait à toi de te déranger pour venir me parler.

Guy (toujours affalé) : Je crie parce que je suis furieux. Pourquoi n'as-tu pas fait réparer la télé à temps pour le match ? Ce qui se passe ici t'est complètement égal.

Marie : Ce qui ne m'est pas égal, c'est de te voir passer nos dimanches devant ce stupide appareil !

Guy (s'ouvrant une nouvelle bouteille de bière) : Si tu te souciais un peu de moi, tu aurais fait faire la réparation. Tu t'en fiches !

Marie : Je ne m'en fiche pas du tout ! La preuve en est que je voudrais utiliser autrement nos dimanches.

Guy : Comment, par exemple ?

Marie : Tu ne vas pas me dire que tu n'en as aucune idée ? Et ça s'appelle un homme !

Guy (résigné) : Bon, bon. Faisons quelque chose. (Long silence.) Alors ?

Marie: Pour l'amour du ciel! Ne peux-tu prendre les choses en main? Toi qui sais toujours tout, trouve donc quelque chose!

Guy (tripotant les boutons du téléviseur): Ma chérie, tout ce que je demande, c'est de regarder la télévision avec un verre de bière!

Marie (retournant au jardin): Tu me dégoûtes!

En réalité, Guy et Marie avaient de nombreux problèmes qui auraient dû être abordés. Le vide laissé par le départ de leurs enfants n'avait pas été comblé, et leur vie sexuelle ne faisait que se dégrader sans qu'aucun d'entre eux n'ait franchement fait part à l'autre de ses préférences. Le «meneur» véritable, en fait, c'était Marie. Guy était un «suiveur-né», habitué par exemple à faire taire ses propres désirs devant ceux de ses clients. Mais aucun d'eux n'avait jamais admis, dans le couple qu'ils formaient, de reconnaître son rôle fondamental.

Au cours des sessions de formation, ils apprirent que la personnalité soumise de Guy, sa propension à hurler, n'étaient pas des lacunes quant à sa virilité; pas plus que la préférence de Marie pour les travaux de jardinage plutôt que pour ceux de la maison ne traduisait un manque de «féminité».

Leurs attitudes respectives ne faisaient que refléter leur personnalité réelle, mais elles étaient accentuées par leur inaptitude à régler leurs conflits.

L'agressivité: un trait aussi féminin que masculin

En réalité, les styles de combat masculin et féminin sont, dans une grande mesure, interchangeables. Dans l'ignorance de ce fait, les couples centrent leurs querelles sur des stéréotypes utilisés toutefois pour chacun d'entre eux à des fins différentes.

Le caractère asexué de toute agressivité devient évident dans la chaleur du combat. Notre système de pointage nous a permis de remarquer que tant le mari que la femme cherchent à tirer le plus d'avantages possible d'un combat. Il sont aussi vulnérables l'un que l'autre face aux menaces, aux souffrances et à la peur. Même si l'homme est plus tenté d'utiliser ses poings et la femme ses griffes, c'est toujours la même explosion de colère.

En vue d'un affrontement constructif, il y a tout intérêt à reconnaître cette vérité : rien ne ressemble plus à un homme en colère qu'une femme en colère.

Chapitre 8

Comment terminer une bonne dispute

Si tant de personnes fuient les scènes conjugales, c'est qu'elles ne savent comment les terminer et qu'elles craignent de se trouver plus mal en point après qu'avant la dispute. Celle-ci ne va-t-elle pas se terminer par une défaite ? Dans la violence ? Par une séparation ?

Pour les combattants non entraînés, névrosés, déloyaux, la fin du combat peut en effet être désastreuse. De tels individus sont portés à frapper bas, à chercher à tout prix une victoire, de préférence par mise hors de combat.

Il est heureusement possible, avec un peu de bonne volonté, d'apprendre à éviter les pièges des fins de combat : en reconnaissant avant tout que, dans une union vivante, il n'y a jamais vraiment de fin à la lutte, seulement des pauses. Point n'est besoin de redouter l'issue des combats. Rien n'étant définitif, dans le cadre de la vie à deux, pourquoi chercherait-on à se « battre à mort » ?

Les bagarres constructives prennent d'elles-mêmes un rythme naturel, s'organisant en étapes. On apprend, avec l'entraînement, comment commencer et terminer chacune d'entre elles. Les pauses ne sont admises qu'entre les étapes, jamais au milieu. Elles doivent aussi être négociées, par consentement mutuel.

Une dispute, selon le cas, a intérêt à être prolongée ou au contraire à être interrompue, pour une durée variable.

Les combattants entraînés savent quelle tactique donnera les meilleurs résultats aux diverses étapes d'un combat. En général, il faut évaluer chaque combat comme un feu de camp. Parfois le feu est assez chaud et n'a pas besoin d'huile ou d'air; d'autres fois, mieux vaut laisser les braises se consumer lentement; quelquefois, il faut souffler sur les flammes pour les raviver. Mais les campeurs civilisés ne feront jamais un feu qui risquerait de s'étendre à toute la forêt, les forçant eux-mêmes à fuir.

Le moment idéal, pour terminer une bagarre, c'est celui où chaque partenaire a eu l'occasion d'exprimer sinon totalement, du moins de façon satisfaisante, son point de vue. Il est bon de s'en assurer :

— M'as-tu bien dit tout ce que tu avais sur le coeur? Oui? Moi aussi.

Mais non sans s'être assurés auparavant que le feu est complètement éteint, qu'il ne couve pas sous la cendre.

Rares sont les disputes qui se prêtent à des prises de décisions bien tranchées. Il faut parfois remettre à plus tard la poursuite du face à face, en particulier pour éviter les scènes du type manège sans fin.

Il est indispensable de ne jamais engager un combat sans s'être, au préalable, mis d'accord sur une « sortie de secours », un signal d'alarme introduisant, au moins, une pause. Des chercheurs ont découvert que les animaux ont recours à certaines attitudes de soumission qui arrêtent même les attaquants qui sont sur le point de remporter la victoire. Malheureusement, ce rituel de secours ne fonctionne pas aussi bien chez les humains. De cette façon des soldats continuent parfois de tirer sur un ennemi qui s'est déjà rendu.

Les conjoints doivent donc s'entendre au préalable sur une « sortie de secours ». Ce signal pourra être verbal : « Arrête, je t'en prie. », « C'est bon, tu as gagné ». Mais les combattants qui en abuseraient pourraient être accusés de déloyauté, à juste titre; comme les combattants qui crient « coup bas ! » même s'ils n'ont reçu aucun coup au-dessous de la ceinture.

La réconciliation

Une querelle ne peut être considérée comme terminée que quand il y a eu réconciliation. Cela peut prendre du temps, surtout pour les époux qui ne peuvent se résoudre à faire la paix tant que le partenaire n'a pas fait son temps de «purgatoire». La punition peut être le refus d'alcool, de cigarettes, de rapports sexuels, ou une attitude froide, boudeuse.

Mieux vaut encore «purger sa peine» avec bonne humeur. Certaines natures privilégiées sont spécialement douées pour la réconciliation. Ceux-là savent faire surgir au bon moment une bouteille de champagne, des billets de théâtre ou toute autre surprise indiquant que le temps de pénitence est terminé.

Une réconciliation réussie n'admet ni gémissements ni bouderies. De plus, elle ne sera crédible que si chacun se comporte de façon qui ne soit pas étrangère à son caractère, à son comportement habituel. Il ne peut s'agir pour le tigre de devenir tout soumis, pour la mégère d'être soudain apprivoisée. Mais simplement de se montrer sous son meilleur jour.

Les conjoints doués pour la réconciliation veilleront à ne rien faire qui puisse paraître faux, comme de sortir les ordures s'ils n'en ont pas l'habitude. Ils continuent à être eux-mêmes et démontrent, en se montrant sous leur jour le plus favorable, leur volonté de se réconcilier. Nous suggérons aux conjoints qui peignent, par exemple, de faire une peinture et de l'offrir à l'offensé. Par les moyens les plus naturels, l'offenseur doit chercher à réduire la tension en transmettant le message: «Je reconnais mon erreur. Je ferai attention à l'avenir. Mais toi, maintenant que tu connais mes faiblesses, aide-moi aussi.»

Seul un conjoint malade risque de réagir à cette attitude en prolongeant la «mise en quarantaine».

L'humour, un bon «gag», sont aussi d'excellents moyens de réconciliation. Un de nos participants acheta à sa femme une mouffette en peluche et la lui offrit en signe de paix en disant: «Je n'ai pas l'intention de dire lequel de nous trois empeste le plus: toi, moi ou elle.» Ils s'embrassèrent et firent l'amour, ce qui est le plus beau geste de réconciliation qui soit. Ils purent enterrer la hache de guerre pour un temps parce qu'ils savaient maintenant qu'il y a des façons sûres de combattre, et que le processus continu du face à face de l'affrontement constructif entre conjoints véritablement intimes laisse peu de blessures chroniques.

Nous le répétons, il n'existe pas de recettes absolues dans le combat entre intimes. À chaque couple d'inventer sa propre voie.

Les dix-sept exercices que nous présentons maintenant ne sont qu'un guide général, permettant d'acquérir un style de combat plus « élégant », plus constructif. Point n'est besoin d'en apprendre le déroulement comme s'il s'agissait des grandes batailles de l'histoire. Nombre de gens deviennent d'excellents combattants sans entraînement. Nos participants apprécient habituellement ces exercices parce qu'ils permettent d'identifier les éléments principaux du combat constructif dans l'ordre le plus utile. Ils ne sont pas indispensables, mais ils aident à se « faire les muscles » au cours de « répétitions ».

Cinq exercices de mise en train

Les cinq premiers exercices constituent la mise en train.

Exercice no 1. — En solo. Chacun s'interroge intérieurement. Par exemple :

— Suis-je seulement contrarié ou vraiment fâché ?

— Que faut-il pour que mes griefs explosent en hostilité ouverte ?

— Est-il prouvé que cela va sérieusement mal entre nous ?

Exercice no 2. — Toujours en solo. Ayant trouvé un sujet méritant d'être discuté, le partenaire s'interroge à nouveau :

— Devrais-je ou non combattre pour cela ?

— Jusqu'à quel point ai-je peur de cette dispute ? D'être rejeté par mon partenaire ?

— Comment supporterai-je les tensions d'une scène ?

— Suis-je prêt à me conduire avec tact et loyauté ?

— Abandonnerai-je la partie si mon partenaire fuit le combat ?

— Ai-je bien identifié l'objet réel de notre affrontement ? Ne s'agit-il pas d'un grief sans importance qui en masquerait un autre, plus profond ?

— Suis-je prêt à demander une modification du statu quo ?

Exercice no 3. — Le duo commence. L'attaquant annonce son intention de combattre. (« J'ai quelque chose sur le coeur. ») Il établit l'heure et l'endroit, s'assurant de ne pas prendre son partenaire par surprise. Il énonce le propos de la discussion, en limite clairement les buts. Des précautions particulières sont nécessaires ici dans le cas d'une association « poids lourd-faucon » avec un « poids plume-colombe ».

Exercice no 4. — Passage en revue des règles portant sur le contrôle des armes.

— Sommes-nous tous deux disposés à écarter toute violence physique?

— Éviterons-nous les coups bas? Pratiquerons-nous des trêves entre les rounds?

— Nous rendons-nous compte que la dispute n'entraînera aucune prise de décision positive si aucun de nous n'apporte l'information nécessaire?

— Sommes-nous prêts à n'accepter aucun accord tant que nous n'aurons pas vérifié, auprès de l'autre, que cet accord existe bien, sans malentendu?

— Accepterons-nous de nous situer dans l'« ici-et-maintenant », sans faire intervenir le passé?

— Avons-nous pensé à l'intérêt possible qu'il y aurait à discuter devant un tiers, un arbitre?

Exercice no 5. — Les partenaires, ici, évaluent les résultats des quatre exercices précédents et engagent, si nécessaire, une dispute-préambule.

Sept exercices pour le feu de l'action

Ici se termine la première phase. La deuxième phase comprend sept exercices qui conduisent au coeur de la dispute.

Exercice no 6. — Les partenaires, ici, doivent être certains qu'ils ne vont pas tomber dans une « explosion volcanique », un échange d'injures du type « Virginia Woolf ». Ils énoncent alors un problème élaboré par les deux partenaires. Tous deux doivent faire connaître explicitement leurs sentiments quant à l'opportunité de la discussion.

Exercice no 7. — L'agressé renvoie la balle, pour la première fois. Il indique comment il perçoit le but de l'agresseur. Si nécessaire, celui-ci précise davantage le problème.

Exercice no 8. — L'agressé répond à la demande de l'agresseur; s'il le juge bon, il lance une contre-offensive.

Exercice no 9. — Les deux partenaires rectifient le tout et dissipent les malentendus éventuels laissés par l'exercice précédent.

Exercice no 10. — Temps de repos. Pause qui peut durer d'une heure à une semaine ou plus, avec l'accord des deux partenaires. Chacun reprend son dialogue intérieur, et peut refaire les exercices nos 1 et 2.

Exercice no 11. — Reprise du duo. Les exercices de 6 à 10 peuvent être répétés autant de fois que les partenaires le jugent acceptable.

Exercice no 12. — Le moment est venu d'opérer un dégagement. Les partenaires doivent essayer d'exprimer verbalement les modifications apportées par l'affrontement ainsi que leurs intentions quant à la réalisation de ces changements.

Cinq exercices pour régler l'issue d'un combat

On arrive à la troisième phase, comprenant cinq exercices destinés à utiliser les résultats d'une querelle, à s'assurer que le feu est bien éteint.

Exercice no 13. — En solo. Chaque partenaire devrait se poser un certain nombre de questions. Par exemple :

— Que m'a appris cette dispute ?

— En ai-je été très affecté ?

— Ai-je affecté profondément mon partenaire ?

— Jusqu'à quel point cette querelle a-t-elle rempli sa fonction de décharger nos tensions ?

— Jusqu'à quel point a-t-elle rempli sa fonction d'apporter de l'information ?

— Qu'ai-je appris sur ma façon de combattre ? Ou sur celle de mon partenaire ?

Exercice no 14. — On fait la paix et, on profite du répit enfin accordé.

Exercice no 15. — On se livre à une évaluation de la deuxième phase, avec comparaison des « gains », des « pertes », des méthodes de combat.

Exercice no 16. — Il est alors temps de distribuer les pénalités, de décider des changements jugés nécessaires à présent par les deux partenaires.

Exercice no 17. — On efface tout. On s'assure qu'il ne reste pas de tensions résiduelles, de problèmes non résolus. Il est permis de parler du prochain affrontement qui portera sur un sujet nouveau, abordé dans un esprit nouveau.

À ce point, les conjoints devraient revenir à l'exercice no 1. Avec un peu d'entraînement, tout ceci devient une «seconde nature». Libre aux couples d'adapter ces exercices afin d'en retirer le maximun de bienfaits.

Si le combat n'apporte pas de soulagement

Les peines endurées par les partenaires au cours de ces disputes sont largement compensées par la clarification de l'atmosphère, par le gain d'information. Les conjoints sont comme l'alpiniste qui atteint un nouveau sommet. Son succès lui fait vite oublier ses muscles douloureux.

Quelques couples, cependant, disent ne rien éprouver de ce soulagement, de ce sentiment d'exaltation joyeuse qu'ils avaient attendu. Ce sont, en général, des «fuyards» devant la querelle, ou ceux qui emploient des tactiques déloyales. Peut-être ne choisissent-ils pas bien le lieu ou le moment des face à face ? Peut-être les pauses sont-elles insuffisantes pour recharger leurs batteries, ou l'évaluation défectueuse ou pas assez franche ?

Peut-être n'utilisent-ils pas à bon escient l'information qu'ils retirent de leurs disputes ? Ou encore, peut-être sont-ils prisonniers d'un mariage de scènes de ménage sans fin ?

La plupart de nos participants trouvent que ces questions les aident à améliorer leurs techniques de combat et à ressentir le bien-être qui suit habituellement une bonne dispute. Si la frustration et la fatigue persistent, nous leur recommandons de consulter un thérapeute pouvant les conseiller sur ces questions.

Parfois les progrès d'un couple sous la direction même du thérapeute le plus qualifié traînent en longueur. Cela ne veut pas nécessairement dire qu'un des conjoints ou les deux sont des «cas» psychiatriques. Ils ont peut-être des façons diamétralement opposées de décharger leur agressivité, ce qui constitue une grande différence entre eux.

De toute façon, certains changements de comportement ne sont guère possibles, du moins avant un certain temps. Il serait peu réaliste de les souhaiter, de les forcer. Il faut apprendre à vivre avec ce qui ne peut être modifié.

Pendant la période d'expérimentation de notre programme, nous eûmes comme participante une femme très intelligente et très loquace qui était absolument incapable d'exprimer un seul grief à son mari. Elle piquait des crises de colère et le maudissait pendant des heures. Elle fut d'accord pour laisser son mari essayer de limiter ses vitupérations, mais elle se mit à souffrir de maux de tête et d'estomac et d'autres symptômes psychosomatiques. Il fallut arrêter les efforts de son mari pour contrôler la rage de sa femme. Nous l'encourageâmes à se montrer tolérant envers elle. Ça n'a pas été trop difficile.

En effet, il est parfaitement possible d'améliorer la tolérance d'un époux à l'égard de certaines habitudes du partenaire : désordre, mauvaise humeur matinale, tics verbaux ou autres... Il suffit de se rappeler que ces idiosyncrasies, le plus souvent, ne sont pas dirigées contre le conjoint.

Quels que soient les bénéfices apportés par une bonne querelle, il est nécessaire d'apprendre à s'accommoder d'une part de frustration, inévitable dans la vie à deux, du moins jusqu'à ce qu'intervienne un fait nouveau.

Chapitre 9

Les combattants déloyaux : comment les réformer

Il y a des gens qui se battent avec des moyens propres à décourager toute intimité dans le couple. Innombrables sont ces moyens.

Les espions et les indiscrets

Prenons, par exemple, les guetteurs, qui épient, espionnent leur conjoint du matin au soir et du soir au matin. Ce ne sont pas des observateurs attentionnés qui veulent connaître l'autre pour engager un meilleur dialogue. Toujours à l'affût, véritables voyeurs ou agents secrets, ils accumulent preuve sur preuve — soit pour les déballer devant leur victime au moment où elle s'y attend le moins, soit en vue d'une « mise en accusation ». Les yeux pleins de questions rentrées, ils observent.

Est-il maladroit ? Comment conduit-il la voiture ? Comment fait-il l'amour ? S'entend-il bien avec ses beaux-parents ? Ses voisins ?

Le fait d'épier ainsi donne lieu à une maladie chronique, et aboutit souvent à des explosions titanesques, à une perte de confiance totale et définitive en l'autre.

Il en est de même de cette autre espèce : les indiscrets qui veulent tout partager — absolument tout — avec leur partenaire et qui s'attendent à ce que ce soit réciproque ! Alors que, d'un individu à l'autre, le besoin de garder son « jardin secret » peut varier considérablement. Un indiscret peut s'attirer des ennuis s'il ne respecte pas la distance optimale nécessaire à son conjoint et les moments où il éprouve le besoin de « recharger sa batterie ».

Il ne faut pas cependant tomber dans l'erreur de considérer ces guetteurs, ces indiscrets, comme des êtres mal intentionnés, méprisables. À quelques exceptions près, leurs intentions sont, du moins, défendables. Le présent ouvrage d'ailleurs est dédié entièrement à Monsieur et Madame Tout-le-monde, c'est-à-dire des personnes d'ordinaire gentilles qui désirent simplement en savoir plus sur la façon de régler les conflits conjugaux. Et leurs intentions sont habituellement bonnes, ou du moins justifiables.

On ne devrait même pas condamner sans rémission le conjoint qui ouvre le courrier de l'autre. Rien ne prouve qu'il cherche des preuves d'une tromperie. Il y a de bonnes chances pour qu'il soit simplement curieux des relations du destinataire avec le monde extérieur, ou qu'il manifeste ainsi son inquiétude face à la popularité de l'autre, ou son propre besoin de rechercher plus activement l'affection de son conjoint. Tous les couples du monde sont curieux de ce qui les touche l'un et l'autre. Nul conjoint vraiment intime ne devrait rester indifférent aux relations de l'autre avec autrui.

Il est d'ailleurs possible de remettre en place les espions et les indiscrets : « Écoute, tu m'agaces, cesse donc, je t'en prie ! » Et si l'autre insiste : « Tu ne te rends pas compte à quel point tu m'énerves, à la fin. Il faut qu'on s'explique ! »

Les attaquants déguisés

On devrait aussi remettre à leur place cette espèce encore plus nuisible — à la langue bien pendue —, celle des époux sondeurs, de ceux qui ont lu par hasard quelques traités de psychanalyse dont les théories leur sont montées à la tête. Voici un exemple typique de leur manière d'opérer :

Lui : Ton père ne devait pas avoir le caractère facile.

Elle : Pourquoi ?

Lui : Parce que tu ne me fais jamais confiance.

Autre exemple : Une femelle-sondeuse, en voie de miner le moral de son mari :

Elle : Tu vis vraiment dans l'illusion.

Lui : Tu es ridicule. Je sais ce que je fais.

Elle: Non. Tu es inconscient. Je te connais comme ma poche, tu sais!

Soumettre son partenaire malgré lui à une analyse caractérielle et s'en servir pour interpréter tous ses actes est une des tactiques les plus exaspérantes qui soient, même quand, par hasard, les déductions sont exactes!

« Je te connais mieux que toi-même. » Voilà ce qu'à la rigueur on admet d'un psychologue, d'un psychiatre qualifié. De toute autre personne, c'est inacceptable.

Par le biais de l'analyse du caractère, on risque de faire le procès de la personnalité toute entière de l'autre. Et pour peu qu'il en fasse autant, cette escalade caractérielle s'envenime. Et l'on se retrouve engagé dans une lutte meurtrière, où l'on se détruit systématiquement.

Plus souvent, il ne s'agira que d'attaques limitées à des interprétations sans grande portée, des fautes insignifiantes. Elles n'en dégénèrent pas moins, parfois, en disputes destructives.

Voici, par exemple, comment Claude Richard et sa compagne Lorraine Morin, vivant ensemble depuis six mois, s'accrochèrent au cours d'un petit déjeuner:

Claude (ouvrant son oeuf à la coque): Pourquoi diable n'y a-t-il jamais de serviettes de table au petit déjeuner?

Lorraine (lui versant du café): Parce que ce n'est pas nécessaire. Moi, je ne renverse jamais rien sur moi.

Claude (grognant): Je ne te demande pas si, toi, tu en as besoin. Je te parle de serviettes pour nous.

Lorraine (vivement): Je ne t'ai pas encore vu renverser quoi que ce soit, toi non plus.

Claude (commençant à se fâcher): Non, mais figure-toi que j'aime pouvoir m'essuyer la bouche après avoir mangé.

Lorraine (d'un ton supérieur): Ce n'est même pas vraiment cela que tu veux. Je vais te le dire: tu prends plaisir à me houspiller.

Claude (cessant de manger): Tu parles! C'est plutôt toi qui prends plaisir à être houspillée. Voilà pourquoi je suis obligé de crier si je veux obtenir une malheureuse serviette.

Lorraine (innocemment) : N'est-ce pas que tu aimes ça, au fond ?

Claude : Quoi ? M'essuyer la bouche ?

Lorraine (perdant patience) : Mais non, idiot ! Crier après moi.

Claude (se levant furieux) : Ah ! Ça suffit. Je vais déjeuner au restaurant. (Il prend son porte-documents et sort.)

Lorraine (criant après lui) : Tu n'es qu'une brute !

S'ils avaient été entraînés à bien se disputer, le dialogue aurait pu se dérouler de la façon suivante :

Claude (contrarié, mais surtout interrogatif) : Dis-moi, chérie, pourquoi ne mets-tu jamais de serviettes de table à moins que je n'en réclame ?

Lorraine (un peu sèchement) : Oh ! je ne pense pas que nous en ayons besoin, nous sommes soigneux tous les deux.

Claude (patient mais ferme) : Je ne suis pas d'accord. Elles me paraissent nécessaires à toi comme à moi.

Lorraine : Tiens, et pourquoi donc ?

Claude : Parce que, sur une table bien mise, on trouve des serviettes. Voilà pourquoi.

Lorraine : Peut-être bien. Mais je n'en ai pas l'habitude. Dans ma famille, personne n'avait besoin de s'essuyer. (Elle rit.)

Claude (riant aussi) : Vraiment ! Pas même dans la salle de bains ?

Lorraine : Tu exagères ! Aurais-tu l'intention de déclencher la bagarre à ce sujet ?

Claude : Pas spécialement. J'aimerais seulement te dire de sortir des serviettes de table.

Lorraine : Si je comprends bien, il ne s'agit pas seulement d'un coup de serviette, mais d'un coup d'éponge.

Claude : À quel sujet ?

Lorraine : Oh ! Ma famille.

Claude (lui donnant un baiser) : Ma chérie ! Je te l'ai déjà dit et redit. J'adore tes parents. Après tout, c'est eux qui t'ont fabriquée !

Lorraine : Alors, en quoi cela te gêne-t-il de me la réclamer, cette serviette ?

Claude : Quoi ? Chaque fois que nous nous mettons à table ?

Lorraine: Évidemment, ce serait un peu idiot. Eh bien, si tu y tiens tellement, je mettrai des serviettes de table. Mais toi aussi, fais quelque chose pour moi.

Claude: Accordé.

Lorraine: Pourrais-tu être un peu moins désagréable le matin?

Claude: Promis. Je ferai un effort.

Les faux psychanalystes

Alors que dans la première querelle les partenaires s'attribuaient l'un à l'autre Dieu sait quels torts, sortant tous deux perdants de cette rencontre, dans la deuxième version, s'en tenant aux faits et gardant leur humour, ils ont réussi, récoltant en cours de route une information utile, à dissiper un malentendu persistant.

L'une des formes les plus nocives de cette analyse caractérielle, c'est l'utilisation d'étiquettes. Ranger son mari ou sa femme dans une catégorie donnée, c'est le « dépersonnaliser », renoncer à le comprendre en tant qu'individu. C'est le premier pas qui vous entraîne à le miner dangereusement, aussi bien du point de vue physique que moral.

« Tu ne te rends pas compte de tes tendances homosexuelles, mais moi oui. » Quelle pire atteinte peut-on faire à la personnalité d'un sujet que de l'étiqueter comme un objet ? Et ces psychologues amateurs ne s'en privent pas. Ils citent leur partenaire comme exemple d'une catégorie donnée, le taxant couramment d'« alcoolique », de « dépendant », « pas sevré de ta mère », d'individu « narcissique » ou « voyeur »... Quel individu sain supporterait longtemps de telles étiquettes ? C'est la voie ouverte à des échanges d'injures, ou pire.

Autre manière de dépersonnaliser son conjoint : le considérer comme un spécimen type d'une race ou d'une classe sociale donnée et, pour mieux camper ce personnage devenu symbole, le définir par des locutions populaires stéréotypées. Ceci ne peut mener qu'à une connaissance illusoire de l'autre, entraînant une sécurité non justifiée : « Ses colères ne signifient rien; c'est simplement son tempérament irlandais qui ressort. » Ou bien, de façon plus négative : « Celui-là, je l'ai catalogué ! »

Les étiquettes brouillent les cartes. Une de nos participantes, une veuve malheureuse et un peu perdue allant vers la quarantaine, venait d'épouser un célibataire endurci dont la famille avait de vagues origines orientales remontant à plusieurs générations. C'était une femme assez corpulente, pas très jolie, qui avait eu une peur mortelle de ne jamais se remarier. Son nouvel époux la traitait comme une petite fille « sexy », ce qui la ravissait, jusqu'à ce qu'elle découvre qu'il était moins que sincère et que ses mensonges élaborés étaient des chefs-d'oeuvre de tromperie.

Elle attribua ces traits de caractère indésirables aux origines orientales lointaines de son mari, et un roman qui décrivait un scélérat rusé et loquace, lui aussi oriental, confirma ses hypothèses.

Il apparut que son mari la rejetait parce qu'il s'était rendu compte de l'erreur qu'avait été ce mariage. Son comportement indiquait qu'il voulait quitter sa femme. Lorsque ces faits furent mis en lumière au cours de la formation au combat loyal, le couple opta pour une séparation à l'essai. Quelque temps plus tard, ils complétèrent leur divorce.

Ces deux personnes avaient des caractères incompatibles, mais leurs problèmes n'avaient rien à voir avec les origines ethniques du mari.

Lorsque les préjugés deviennent un mode de vie et qu'un conjoint se met à parler de « celui-là » ou de « celle-là » pour désigner l'autre, les deux conjoints risquent de se trouver sur la voie du pire désastre possible : le meurtre. Avant qu'un conjoint envisage de tuer l'autre, ce que nous faisons tous à un moment ou l'autre, il doit à tout prix transformer sa victime en un objet, un symbole, une chose impersonnelle. C'est pourquoi nous mettons nos participants en garde contre les pièges des stéréotypes, qu'ils peuvent éviter soit en s'affrontant ouvertement, soit, dans les cas désespérés, en se séparant.

Les oublis et les fausses promesses

Une forme plus bénigne d'attaque, mais combien dangereuse pour l'entente du couple, c'est la technique de la promesse jamais tenue. D'autant plus insidieuse qu'elle se fait de manière plus douce. Prenons, par exemple, cette femme en train de rassurer son mari qui part au bureau un matin par une chaleur terrible :

Elle : Ne t'en fais pas pour ton gazon, mon chéri, je vois que tu es pressé.

Lui : Mais tu détestes arroser !

Elle : Pas d'importance, mon chéri. Je m'en occuperai. Compte sur moi.

Mais elle oublie, comme elle oublie toujours. Et ce soir-là, en rentrant de son travail, voyant sa pelouse qu'il entretient avec tant de soin roussie par plaques sous le soleil, le mari, sous la pression de tant d'espoirs déçus, éclate en une violente colère.

La leçon est claire : on ne doit pas décevoir trop souvent les attentes raisonnables de son conjoint.

Pour certains, cela devient un mode de vie. Ce sont des gens aimables qui adorent le monde entier, détestent blesser les autres ouvertement et adoptent alors un style de combat indirect et passif pour décharger leur agressivité. Leurs stratégies sont si souvent désarmantes : pleins de sourires et toujours prêts à aider, ils frappent par en arrière.

Une femme-colombe qui employait cette technique passive avec son mari-faucon plutôt dominateur s'offrit à lui acheter des chaussettes et des sous-vêtements. Ils partaient pour l'Europe le jour suivant et le mari avait du travail de dernière minute à effectuer au bureau. Il accepta donc son offre avec soulagement.

Celui-ci fut de courte durée. Tout l'après-midi, le téléphone ne dérougit pas. Sa femme. Un commis de magasin. Une amie de sa femme qui l'accompagnait. Ils ne trouvaient pas tel ou tel article. Ils voulaient vérifier de nouveau les tailles, les couleurs. Ils s'assuraient ostensiblement de ne pas déplaire au mari. En fait, ils le mettaient à bout de nerfs. Il se mit finalement en colère et somma sa femme de tout laisser tomber. Ce qui lui valut d'être de nouveau dérangé par celle-ci qui désirait s'excuser de l'avoir importuné.

À son retour d'Europe, il proposa, au groupe de formation au combat loyal dont il faisait partie, de guérir sa femme de sa manie. Sa stratégie consisterait à émettre de faux besoins, puis à lui permettre de le laisser tomber et, enfin, à la priver de sa satisfaction agressive en affichant du dédain et en lui montrant qu'elle ne troublait pas son équilibre émotif.

On lui déconseilla cette tactique manipulatrice. En outre, comme c'était lui le faucon-poids lourd de la famille et elle la colombe-poids léger, il devait permettre à sa femme de libérer son agressivité de la façon qui lui convenait, même si elle n'était pas idéale pour lui. On l'incita à s'engager intérieurement à tolérer les besoins émotifs de sa femme, mais seulement en lui confiant des tâches qu'il pouvait faire lui-même et qu'il ne considérait pas comme essentielles à son bien-être.

Il est vrai que ce compromis permettait au mari de ne pas affronter directement sa femme. Faire preuve d'indulgence n'est pas toujours une mauvaise idée lorsque le couple se trouve sous un nuage radio-actif (comme la menace éventuelle de la femme de refuser d'aller en Europe par exemple). On lui conseilla donc, pour sa prochaine négociation avec sa femme sur les tâches à effectuer, de lui révéler qu'il s'était montré indolent jusque-là, et qu'il voulait dorénavant compter sur son aide pour les tâches qu'elle était vraiment disposée à accomplir.

Il est tentant, pour ceux dont les espérances sont constamment déçues, d'acquérir la certitude que leur conjoint est démoniaque, décidé à les rendre fous ! Alors qu'il s'agit souvent, en fait, de créatures pleines de bonne volonté et de bons sentiments, craignant de faire de la peine à qui que ce soit, et qui ne savent se battre que d'une façon passivement agressive. N'ayant aucune intention de faire souffrir leur partenaire, c'est inconsciemment qu'elles utilisent leurs tactiques propres à saper les nerfs de l'autre.

Les conjoints qui servent de cibles à ces manoeuvres supposément méchantes peuvent toujours vérifier quelles intentions sont à leur origine. Ils doivent cependant s'habituer à ne pas encaisser et cesser de jouer les souffre-douleur.

Les fauteurs de troubles et semeurs de désordre

Les adeptes du « laisse-moi t'aider » font partie du groupe des provocateurs inconscients. Ils peuvent s'amender si on leur fait prendre conscience du caractère destructif de leur comportement. Il est malheureusement si facile de provoquer une scène ! Supposons qu'une femme ait oublié pour la nième fois de mettre des serviettes dans la salle de bains. Son mari sort tout juste de la douche. Frissonnant et mouillé, il réclame à grands cris que sa femme lui en apporte.

Lui : N'y aura-t-il jamais de serviettes ici ?

Elle : Mais, chéri, j'ai été débordée toute la journée.

Cet homme a tout avantage à procéder ainsi : d'abord dire à sa femme : « Assieds-toi, je veux te parler », et lui expliquer en termes clairs combien cette histoire de serviettes l'exaspère, combien ce genre d'attaque sournoise ronge peu à peu son amour pour elle. Il doit aussi l'interroger, chercher à savoir si cette provocation continuelle n'est pas un signal secret destiné à lui rappeler ce que depuis longtemps il persiste à ignorer. Pour lui dire par exemple : « Je ne suis pas à ton service ! » ou bien : « Et si tu allais la chercher toi-même, comme un grand garçon, cette serviette ! » On ne devrait jamais négliger ce genre de signaux.

Autre type de provocation fort pratiquée : le désordre. En voici un exemple, rapporté devant son groupe par Arthur Bertrand, entrepreneur en peinture et dont la femme, Édith, gérait les affaires.

Arthur : Je viens de recevoir un avis de la banque. Tu as encore tiré des chèques sans provision. Es-tu complètement idiote, ou quoi ?

Édith (ton calme, posé) : Mon chéri, la banque se trompe tout le temps, tu le sais bien.

Arthur : Cela leur arrive une fois de temps en temps. Toi, tout le temps ! La banque a refusé de payer deux de mes chèques. Cela me vaut un contrat à l'eau !

Édith (commençant à pleurer) : Est-ce ma faute si nous sommes dans la purée ? Je me suis même refusé une nouvelle voiture d'enfant. Tout ce que je cherche à faire, c'est de t'aider !

Arthur (frappant du poing sur la table) : J'en ai assez de tes histoires ! Je compte sur toi et tu me mets dans le pétrin !

Édith (sanglotant) : Je suis désolée de t'avoir contrarié. Que puis-je faire pour t'aider ?

Arthur : Je te l'ai dit cent fois ! Ne pas tirer de chèques sans avoir déposé d'argent !

Édith : C'est ce que je fais toujours ! Mais, cette fois-ci, tu n'avais pas rapporté assez d'argent à la maison.

Arthur (se levant d'un bond, furieux) : Regarde donc dans ton sac, espèce de gourde ! Les quatre chèques que je t'ai remis la semaine dernière y sont probablement encore !

Édith (après avoir fouillé successivement dans trois de ses sacs à main, entassés parmi d'autres objets dans son placard, par terre, découvre des chèques plus que suffisants pour couvrir ceux qui viennent d'être tirés) : Chéri ! Je suis vraiment désolée !

Arthur : Ça m'avance bien que tu sois désolée !

Édith : Je vais les porter à la banque aujourd'hui même. Je vais tout arranger.

Ce fut avec un choc véritable qu'Édith apprit, au cours de cette séance de groupe, qu'Arthur la soupçonnait réellement de chercher à le rendre fou ! Il fut jugé préférable de reconnaître qu'elle n'était pas, pour le moment du moins, adaptée au travail de tenue de comptes. Arthur s'en occupa désormais lui-même et sa vie de couple améliora sensiblement.

La tyrannie du désordre peut être imposée de mille façons : par celles qui n'ont jamais une chemise propre à donner à leur mari quand il part au bureau; par ceux qui fourrent n'importe où leurs chaussures, les outils, la laisse du chien ou les factures du ménage... à tel point que la maison est paralysée. Ou par ces jeunes qui ont l'air physiquement incapables de ramasser quoi que ce soit !

Le désordre est le moyen idéal pour semer le trouble sans commettre de délit. Il suffit de ne rien faire. C'est la tactique par omission, qui fournit au provocateur trois magnifiques lignes de repli : 1) « Regarde, je fais de mon mieux pour t'aider. » 2) « Ça m'ennuie tout autant que toi; moi non plus je ne retrouve plus rien. » 3) « Comment peux-tu te mettre dans un état pareil pour des bêtises, si ce n'est pour le plaisir de grogner ! »

Le désordre fait partie d'une attitude de refus de coopérer avec les autres, surtout avec ceux dont la forte personnalité écrase et bouscule les plus faibles. Pour se défendre contre leur autorité, les victimes « tirent au flanc », comme on dit dans l'armée. C'est un moyen comme un autre d'agacer son supérieur !

Le plus souvent, la seule échappatoire au désordre de l'autre, c'est d'avoir des secteurs réservés pour ranger son strict nécessaire. Ou bien, ultime solution, d'apprendre à vivre dans le chaos !

Mais la provocation peut aussi venir de l'époux qui ne feint de déléguer des tâches à son épouse que pour mieux pouvoir critiquer ce qu'elle fait.

Supposez qu'un homme confie à sa femme la responsabilité de tenir les comptes. Supposez qu'il s'aperçoive ensuite qu'elle est incapable de lui faire un exposé de l'état de leurs finances quand il le lui demande, ce qu'il fait un peu trop souvent. Il se met à critiquer sa façon de faire.

Sa femme serait en droit de perdre patience et de prier son mari de cesser de la harceler, à moins bien sûr qu'elle soit réellement inefficace et qu'elle mette régulièrement son compte à découvert. Ce mari fait semblant de lui déléguer cette responsabilité. Loin de laisser à sa femme une véritable autonomie, il la prend comme bouc émissaire.

Les coups au talon d'Achille

Trop de conjoints prennent plaisir à frapper l'autre au talon d'Achille, particulièrement pour se défendre ou pour contre-attaquer. Les conjoints véritablement intimes le font seulement s'ils subissent une véritable provocation, mais de nombreux combattants déloyaux trouvent un plaisir malicieux à viser les points sensibles, et à frapper au-dessous de la ceinture.

Certes, il est difficile de ne pas céder à la tentation. Un homme se sent-il diminué parce que son salaire n'est pas assez élevé? Sa femme n'a qu'à faire quelques dépenses extravagantes pour tourner le fer dans la plaie. Une femme s'inquiète-t-elle de son manque de créativité? Son mari n'a qu'à feindre d'ignorer ses derniers écrits, peut-être même après avoir demandé à les voir. Ces attitudes peuvent, à la longue, faire perdre toute confiance.

Il est des personnes qui feignent une colère qu'elles n'éprouvent pas pour en apprendre davantage sur leur partenaire. Tel l'homme qui ronchonne parce que le dîner n'est pas prêt alors qu'il n'a nullement faim. Ou la femme qui fait tout un plat de la mauvaise conduite de son enfant alors qu'elle ne s'en soucie guère; elle cherche seulement à voir si son mari protégera l'enfant ou profitera de l'occasion pour saper son autorité.

La colère feinte est donc une tactique à déconseiller, les

querelles pour rire, où aucun intérêt important n'est en jeu, remplissant mieux la fonction d'exploration.

Certains conjoints vont jusqu'à faire de fausses confessions d'infidélité destinées à éprouver la tolérance de l'autre. Cette sorte de provocation peut entraîner des contre-attaques meutrières ou une perte de confiance irréversible.

D'autres personnes émettent de faux appels à l'aide qui séduisent leur conjoint en lui donnant le sentiment d'être fort. Cette arme peut être utile à l'occasion, mais nombreux sont ceux qui l'utilisent non seulement pour attirer l'attention de l'autre mais aussi pour la retenir. Cette tactique finit habituellement par lasser l'éventuel héros. Ainsi, la personne qui n'arrête pas de brailler à propos de son travail finit par aliéner son conjoint et par tuer l'amour de ce dernier.

Enfin, il existe des styles d'agression passive qui ont pour résultat d'isoler les conjoints. Ainsi, l'un peut traiter l'autre comme un étranger ou il peut persuader un tiers de former une alliance contre lui. Ou bien, il peut s'entêter dans une attitude négative et refuser carrément de changer.

Si cette attitude reflète un réel désir de ne pas négocier, la meilleure formation au combat loyal constructif n'y changera rien. Le conjoint qui a recours à ces armes dit en fait : « Tu dois m'aimer comme je suis. Après tout, tu m'as choisi pour le meilleur et pour le pire et je fais de mon mieux. Si cela ne te convient pas, trouve quelqu'un d'autre. » Malheureusement, ce type de défaitisme est dans les règles du savoir-vivre et conduit habituellement au divorce plus ou moins amical.

Chapitre 10

Quand les mots font défaut : poings et griffes dehors

Il faisait un temps splendide, ce dimanche matin. Mais, dans la luxueuse demeure des Talbot, l'orage couvait. Attablés devant leur petit déjeuner, ils n'avaient pas échangé une parole depuis une heure. Lui, Henri, quarante-sept ans, industriel prospère et elle, sa deuxième femme, Ingeborg, beauté scandinave de vingt-huit ans, se soupçonnaient mutuellement, à juste titre, d'entretenir une liaison.

À deux reprises, lorsque le téléphone sonna, Ingeborg décrocha, écouta en silence et raccrocha en déclarant : « Il n'y a personne au bout du fil ! » Henri, refusant de la croire, plaça le téléphone près de lui.

Ingeborg (ironique) : Je sais encore répondre au téléphone !

Le téléphone sonne. Henri décroche : « Vous devez faire erreur. »

Ingeborg (soupçonneuse) : Tu crois que je suis dupe ?

Henri (rougissant) : De quoi veux-tu parler ?

Le téléphone sonna à nouveau. Tous deux se précipitèrent et le récepteur tomba à terre. Chacun cherchant à s'en saisir refusait de lâcher prise. Henri, soudain, saisit le bras d'Ingeborg et le tordit avec force.

Henri : Espèce de garce !

Et il la frappa violemment sur la joue.

Elle s'enfuit, sanglotant. Aux excuses de son mari, grom-

113

melées sans conviction, Ingeborg ne répondit rien. Ils ne s'occupèrent guère l'un de l'autre, cette journée-là.

Henri s'échappa pour téléphoner à sa maîtresse afin de s'assurer que ce n'était pas elle qui avait appelé. Celle-ci, qui pressait Henri de demander le divorce, l'assura qu'elle était plus rusée que cela. Mais elle ne réussit pas à convaincre Henri qui croyait avoir reconnu sa voix.

Le soir, au dîner, Henri et Ingeborg reconnurent que leur dispute avait été « stupide » et décidèrent de faire la paix. Mais le problème que masquait la bagarre autour du téléphone n'avait pas été mis en lumière; la méfiance subsistait entre eux. Comme l'indique le dialogue échangé peu après, dans la chambre à coucher :

Henri (retirant ses chaussettes) : Bon. Qu'y a-t-il encore ?

Ingeborg (tapotant ses cheveux, devant sa coiffeuse) : Oh ! si tu le prends comme cela, j'ai largement de quoi m'occuper dans la maison.

Henri (retirant sa chemise) : De quoi parles-tu ?

Ingeborg (haussant les épaules, retire son soutien-gorge) : C'est bon. Autant s'en débarrasser tout de suite.

Henri (fâché, cesse de se déshabiller) : Pour l'amour du ciel ! Tu sais bien que je n'aime pas faire l'amour quand tu n'y prends pas de plaisir. Cela me refroidit complètement.

Ingeborg (revêtant une robe de chambre) : D'accord. Faisons ce que dit le Dr Bach. Évitons de « contaminer les draps » et allons discuter de tout cela dans la salle de séjour.

Les voici tous deux assis dans la salle de séjour.

Henri : D'accord, discutons. Qu'as-tu sur le coeur ?

Ingeborg (profondément résignée) : Tu ne t'en doutes pas ?

Henri (avec une feinte naïveté) : Mais non...

Ingebord (exaspérée) : Décidément, j'abandonne... !

Le rejet sexuel réciproque de ce couple, en cette fin d'un sombre dimanche, n'était qu'un autre échange insultant — ni plus ni moins important que d'autres — dans cette union empoisonnée par de multiples problèmes. Une franchise sans arrière-pensée n'était pas dans les habitudes d'Henri. Quant à Ingeborg, elle avait appris de ses parents, peu démonstratifs, à ne pas faire étalage de ses sentiments. Le problème de communication des Talbot, qui les empêchait par exemple de se faire part de leurs préférences sexuelles, avait abouti à une situation tellement frustrante que, franchissant la barrière du langage, elle avait donné lieu à cette explosion de violence physique.

Les causes de la violence physique dans le couple

Nos sessions de formation, nous l'avons dit, bannissent toute violence physique, bien que, nous le reconnaissons, une certaine rudesse puisse être à l'occasion source de plaisir et de stimulation sexuelle. Nous considérons, cependant, que les coups ou gifles échangés entre adultes consentants sont bien plus civilisés que l'hostilité silencieuse, soigneusement camouflée, de pacifistes trop bien élevés.

En réalité la violence physique, qu'on l'approuve ou non, est bien plus répandue entre conjoints qu'on ne veut le reconnaître. C'est tout naturellement que poings et gifles entrent en action quand les mots viennent à manquer, et il peut s'agir d'une question de vie ou de mort. Battre son conjoint est fort mal vu; la loi comme la morale se mettent du côté de la victime.

« Comment oses-tu me frapper », crient-ils. Ou : « Tu as perdu la raison. » « Seuls les lâches lèvent la main sur une femme. » Ou encore : « Tu n'es pas une dame pour t'en prendre à un homme. » Et bien que certains mots puissent faire bien plus de mal que des coups, celui qui abandonne l'injure pour la violence devient immanquablement objet de mépris. Il est condamné sans appel et peut même fournir à sa victime une excuse pour obtenir le divorce.

Mais pourquoi ce besoin de recourir, parfois, à la violence, chez des partenaires parfaitement civilisés ? En vérité, la violence n'est pas forcément irrationnelle. Elle peut être une demande désespérée d'être pris au sérieux, quand toute mesure non violente a échoué, la dernière tentative d'un être acculé au mur. Parfois aussi, à cause d'une provocation quelconque du partenaire, le contrôle de la conscience est mis hors circuit. Un besoin sadique, longtemps refoulé, de punir l'autre, de l'entendre enfin gémir, est ainsi libéré.

La psychanalyse, par ailleurs, a mis ce fait en évidence : il existe, à certains moments, un désir de se faire maltraiter. On retrouve dans les rêves de chacun des éléments masochistes. Le fantasme fort répandu d'être battu est un reliquat de la discipline subie dans l'enfance. Chez un adulte, il est à l'origine de comportements invitant à l'agression. Les provocations de type masochiste — toute parole, toute action incitant le partenaire à injurier ou à frapper — sont monnaie courante entre enfants. C'est aussi de très bonne heure qu'on apprend à jouir d'activités impliquant aussi une souffrance subie ou infligée. Aux injonctions des parents : « Ne vous battez pas ! », les enfants réagissent comme aux interdits sexuels, ils agissent en cachette. Et leurs bagarres secrètes deviennent des symboles de liberté, comme les explorations sexuelles précoces avec les frères, sœurs et amis.

Comment s'étonner si les adultes cherchent à recréer, en partie, cette intimité qu'ils ont connue dans leur enfance, dans les jeux sexuels comme dans les jeux violents ?

Les adultes aussi, en vertu du caractère légitime des corrections infligées lorsqu'ils étaient enfants par leurs parents et leurs maîtres, associent inconsciemment le fait de subir des coups avec ces moments — les seuls peut-être qu'ils aient connus — où ils étaient certains qu'on leur manifestait vraiment de l'intérêt. La relation entre celui qui frappe et celui qui est frappé peut être fort intime, et de là, fort rassurante.

Pour les mêmes raisons, pouvoir infliger une correction physique à autrui sans être poursuivi ni réprouvé est un signe de puissance, la manifestation d'un privilège. Le mari qui bat sa femme s'identifie généralement à l'adulte qui, lorsqu'elle était enfant, la battait « pour lui apprendre ».

Aussi ne faut-il pas être trop décontenancé si l'on se trouve soudain pris dans une tempête que n'annonçait aucune crise majeure. Pourtant, la majorité des couples, quand cela se produit, sont étonnés, comme le furent André Caron et Ève Simon, mariés depuis quatre ans. André venait de rentrer du bureau, dolent et mal en point.

André (geignant, se mouchant) : Chérie, je crois que je couve un vilain rhume. Je vais aller droit au lit.

Ève (avec sollicitude) : Mon pauvre chéri ! Je vais te préparer quelque chose.

André : Ne te donne pas tout ce mal.

Ève (maternelle) : Mais voyons ! C'est avec plaisir que je le fais pour toi !

Quand elle revint dans la chambre, avec un comprimé et la boisson promise, André, à demi dévêtu, lisait le journal, assis sur le lit.

Ève (autoritaire) : Pourquoi n'es-tu pas couché ?

André (avec accablement) : Ça y est ! Encore après moi !

Ève (indignée) : Et moi qui cherche à te soigner ! (Elle sort précipitamment.)

Vingt-deux heures trente. André et Ève sont couchés. Lui est en train de lire un roman policier, elle est d'humeur à bavarder.

Ève : Si nous allions faire du ski, ce week-end ?

André (grogne pour toute réponse).

Ève : Cela nous ferait du bien de partir sans les enfants.

André : As-tu fini de me casser les oreilles !

Ève (d'une imperturbable bonne humeur) : J'ai déjà ramassé la moitié de la somme nécessaire.

André (s'asseyant, furieux) : Mais je t'avais dit que nous ne pouvions pas nous le permettre cette année !

Ève (après un silence) : Comment ça finit, ton livre ?

André : Tu crois peut-être que je regarde la fin ?

Ève (d'un ton préoccupé) : Qu'est-ce qui te tracasse, mon chéri ? Le bureau ?... Bon. Je vais dormir. (Quelques minutes de silence.) Tu sais, je ne peux pas dormir avec la lumière.

André : Il faudrait peut-être que j'aille dormir dans la pièce à côté !

Ève (d'un ton de martyr) : Mais non, mais non. Je prendrai un somnifère.

La patience d'André, à cet instant, l'abandonne tout à fait. Sautant du lit, il en retire brusquement la couverture et se dirige vers la porte. Ève lui arrache la couverture des mains. Sur quoi, André la saisit à la gorge :

André : Garce ! Espèce de garce !

Ève (le frappant et le griffant) : Je te déteste !

André, ayant réussi à reprendre la couverture, alla dormir dans la pièce à côté. Le lendemain, tous deux étaient d'une surprenante bonne humeur. Bien qu'encore contrarié par la liberté qu'avait prise Ève de rompre leur accord concernant le ski, André ressentait lui-même une forte envie de partir. Tous deux furent d'accord pour reconnaître que si, la nuit précédente, André s'était senti un peu mieux, si Ève avait été d'une bonne humeur un peu moins ostensible, les mots ne leur auraient pas fait défaut. En tout cas, cette union ne fut pas mise en danger par un accès de violence survenu dans un moment de faiblesse.

Cinq questions pour les conjoints qui en sont venus aux coups

Que la violence soit parfois l'ultime recours de ceux qui, dans une situation d'urgence, ne peuvent s'exprimer verbalement, les réponses à notre questionnaire en cinq points destiné aux conjoints ayant récemment échangé des coups le mit abondamment en évidence. Les questions étaient :

1) Décrivez avec clarté ce qui s'est passé, en donnant des détails.

2) Donnez tout particulièrement des détails sur le « moment de vérité » : l'acte de violence lui-même.

3) Décrivez ce que vous éprouviez intérieurement : juste avant, pendant, après l'acte de violence, et ce que vous ressentez maintenant.

4) Rapportez l'explication que vous donnez de ce qui s'est produit.

5) Décrivez ce que cette bagarre vous a appris.

Nous reçûmes un rapport plutôt typique d'Annette, une veuve de trente-deux ans, jolie quoiqu'un peu seule. À l'époque, elle fréquentait depuis deux ans un ingénieur en électronique de six ans son aîné, nommé Philippe. Celui-ci était depuis longtemps séparé d'une femme qu'il avait épousée à l'âge de dix-neuf ans. Un an environ avant la bagarre en question, Philippe avait laissé entendre à Annette qu'il avait l'intention de divorcer afin de pouvoir l'épouser, mais il n'avait jamais mis ses projets à exécution. Annette était trop fière pour soulever elle-même cette question et elle craignait en insistant d'éloigner son amant pour toujours. Le couple ne se disputait presque jamais, mais Philippe revenait souvent sur l'erreur qu'avait été son premier mariage. Il était clair qu'il n'était pas prêt à mettre une seconde fois en jeu ce qu'il considérait maintenant comme sa précieuse indépendance.

Voici le rapport d'Annette :

1. Vers 17 heures samedi dernier, j'ai frappé Philippe et je me suis fracturé le petit doigt de la main droite. Voici comment cela s'est produit.

Nous avions décidé de dîner au restaurant, mais comme le service était trop lent, nous sommes sortis. En revenant à la voiture, je me suis fâchée contre Philippe parce qu'il avait engueulé le serveur qui mettait tant de temps à nous servir. Je déteste les scènes. Philippe défendit son droit de se mettre en colère contre le serveur. Il criait après moi et tout le monde nous regardait. J'étais très embarrassée. Une fois dans la voiture, j'ai découvert que j'avais fait un accroc à ma robe. À la maison, Philippe m'invita à me calmer. Nous irions manger dans un autre restaurant. J'ai fait une crise et je lui ai demandé en hurlant pourquoi il ne faisait pas les démarches pour divorcer. J'avais dit à mes parents depuis un bout de temps déjà que nous allions nous marier.

2. J'étais assise sur le lit et je criais après lui. Il essayait de me calmer afin que nous puissions aller dîner. Je ne voulais aller nulle part avec lui. Il m'a dit en termes vagues qu'il ne voulait pas se marier. Cela m'a rendue folle. J'avais envie de tout casser. En empoignant sa manche de chemise, je me suis tordu le petit doigt sur son bras et je me suis cassé le petit doigt.

3. Avant d'empoigner sa chemise, je sentais comme un ouragan à l'intérieur de moi. Je portais la terre entière en moi. J'étais incapable de voir, d'entendre ou de penser.

En m'agrippant à lui, je me sentais comme une énorme vague déferlant de la mer.

Après, je ne pensais qu'à mon doigt cassé. Je n'étais ni contente ni désolée ou quoi que ce soit.

Maintenant, je ne suis pas trop sûre de mes sentiments. Je sais que c'était important. Mais cela ne doit pas se produire à nouveau. Je crois que j'ai peur, mais que je suis contente aussi.

4. Voici mon explication de ce qui s'est passé. Lorsqu'une force irrésistible se heurte à un objet immobile, elle se dissipe, au moins pendant un moment, et vous pouvez respirer. Mais je déteste le mensonge et ma relation avec Philippe est toute entière

fondée sur un mensonge, je m'en rends compte maintenant. Elle n'a aucun avenir, sauf si nous nous marions, et il ne semble pas capable de s'y résoudre. Ou peut-être essaie-t-il de reculer l'inévitable, la séparation ou le mariage. Il y a des fois où tout cela m'est indifférent. Je sais pertinemment que la séparation est négative et que le mariage est positif, alors j'imagine que j'y attache de l'importance. Je veux être positive. Mais surtout, je ne veux plus attendre.

5. Cette querelle m'a appris qu'il est mauvais de laisser la tension monter en soi jusqu'à sentir le besoin de se battre aussi fort que je l'ai fait. Mais je ne suis pas sûre que j'aurais pu affronter le problème avant. Peut-être avions-nous tous deux besoin de passer ces années ensemble pour éprouver nos sentiments. Mais maintenant, il doit me répondre, pour lui autant que pour moi. Je veux commencer à vivre une vraie vie, et cela n'est pas possible dans les conditions actuelles. Je dois venir à bout de son entêtement, d'une manière ou d'une autre. Après cette querelle, je me déteste et je me sens mieux tout à la fois. Mais je me déteste surtout, parce qu'elle n'a rien résolu.

Moins de trois semaines après cette querelle, Philippe demande le divorce en vue d'épouser Annette. Étant tous deux du type colombe, ils continuèrent à avoir des problèmes parce que leur tendance à éviter les conflits les incitait à accumuler leurs griefs. Mais ils ne négligèrent jamais un problème assez longtemps pour que l'un des deux en vienne à recourir à la violence.

Nous avons voulu, dans ce chapitre, expliquer pourquoi on recourt à la force, non l'excuser. La violence est un phénomène rare, anormal, entre conjoints communiquant de façon satisfaisante. Ce qui, malheureusement, n'est pas souvent le cas.

Chapitre 11

Le langage de l'amour :
les disputes
de communication

Il est de mise, aujourd'hui, de se plaindre entre époux d'un
«défaut de communication». Maris et femmes s'accusent
mutuellement : «Tu ne me parles jamais.» «Tu ne m'écoutes
pas.» Ces griefs s'expriment souvent, d'ailleurs, sur un ton
résigné, comme si les partenaires étaient les innocentes victimes de
circuits électroniques tombés en panne. Alors que l'art de communiquer, c'est ce qui requiert le plus d'initiative, d'imagination;
on doit y être décidé et s'y employer sans relâche, sa vie durant.

Les directeurs d'entreprises savent que la vitalité de leur
organisation repose sur la qualité de leur communication : lorsque
ce courant ne passe plus, la production baisse ou bloque. Pour leur
part, les intimes se blâment habituellement eux-mêmes ou l'un
l'autre pour les bris de communication ou se plaignent sans cesse
de cette difficulté. Peu d'entre eux se rendent compte que la
communication intime est un art qui requiert une dose considérable d'imagination et de créativité. Peu de couples semblent
se rendre compte qu'une bonne communication exige de part et
d'autre une détermination consciente et continue à travailler dans
ce sens — pour le reste de leurs jours. Même si les partenaires intimes sont décidés à créer un langage qui serve mieux leur amour, il

leur reste bien souvent à apprendre comment le faire de façon constructive et efficace.

Pourquoi tous ces efforts? Parce que, entre conjoints, communiquer n'est pas simplement transmettre ou recevoir des signaux. C'est chercher continuellement à mettre en lumière ce que chacun attend de l'autre, apprendre à reconnaître ce qui crée des liens ou ce qui sépare, se mettre au rythme l'un de l'autre; en fin de compte, c'est effectuer cette fusion par laquelle un couple devient « nous » sans que disparaisse le « moi » ni le « toi ».

Quand un membre d'un couple déclare à l'autre, par exemple : « J'ai faim », il peut avoir en vue des buts divers :

1) Exprimer ce qu'il ressent pour voir si l'autre réagira avec sympathie ou indifférence.

2) Faire appel aux sentiments de l'autre en vue de l'amener à dire, à faire quelque chose. (Par exemple : « Viens, entrons dans cette pâtisserie. »)

3) Transmettre une information chargée de signification pour celui qui l'émet, signification qui peut fort bien échapper à l'autre. (« J'ai faim mais je n'ai pas le temps de me mettre à table maintenant. »)

On ferait une belle gaffe de répondre « Pourquoi ne vas-tu pas manger? » au partenaire qui dit : « Je suis débordé de travail. » Il désire peut-être qu'on aille lui porter quelque chose à manger pour qu'il puisse continuer à travailler tout en mangeant. Malheureusement, on ne peut pas deviner cela; et on s'attend à être deviné de son conjoint alors qu'on s'adresserait plus clairement à un collègue de travail.

Cacher et deviner ou dire et savoir ?

Plusieurs, de manière romanesque, croient qu'il suffit de s'aimer pour se comprendre d'instinct. Cette illusion encourage les paresseux à ne pas faire d'effort dès qu'il s'agit de se faire comprendre d'un proche. Ils attendent d'être devinés. (« S'il m'aime, il doit comprendre ce que je ressens. »)

Autre cause de difficultés : la crainte de sortir du rôle, du personnage que l'on s'est créé, et de montrer trop de franchise, de révéler sur soi-même quelque chose qui pourrait refroidir l'autre.

D'où la tentation pour les partenaires de tenir pour assuré, sans le vérifier, qu'ils se comprennent mutuellement.

Le plus sûr moyen de créer des problèmes, c'est de ne pas transmettre l'information nécessaire. À cause de leur manque de confiance, certains partenaires finissent par se chercher à tâtons, en aveugles. Ainsi en était-il pour Rachel Villeneuve et Armand Boyer. Ils avaient l'intention de donner une réception. Ce soir-là, dans la cuisine, Rachel réclama :

Rachel : Il me faut encore plus d'argent, le double de cela.

Armand : Tu n'y vas pas de main morte !

Rachel : Il faut bien qu'on leur donne quelque chose à manger !

Armand (conciliant) : Naturellement.

Rachel (prenant son souffle, pour plonger dans l'inconnu) : On est toujours à court depuis que tu as souscrit à ton assurance-vie.

Armand : Mais c'est pour toi !

Rachel : Je n'ai aucune envie que tu meures ! Profitons de l'existence avant, veux-tu ?

Armand (très secoué) : Tu es drôlement injuste ! Après tout, je voulais faire ce qu'il y avait de mieux pour toi.

Rachel (catégorique) : Eh bien, tu aurais mieux fait d'attendre d'être augmenté pour contracter cette assurance ! J'ai horreur de jouer les mendiantes !

Que se passait-il ? Ces deux-là avaient été si discrets l'un envers l'autre depuis des années qu'ils se retrouvaient à des kilomètres de distance quant à leur politique financière.

Pour Rachel, son mari était une « pompe » à finances. Plus il gagnait, plus elle l'aimait. Et elle jugeait que l'argent, c'était fait pour être dépensé. Pour elle, c'était de l'argent de poche comme pour un enfant. Notons qu'elle ne cherchait nullement à se confronter avec la réalité, ne posant aucune question sur leur situation financière. Au contraire, pour lui, cet argent représentait la sécurité. S'il avait bien dit à sa femme qu'il avait contracté à son nom une assurance-vie, il avait omis de lui indiquer ce qu'elle coûtait.

C'est souvent au nom du tact que les partenaires gardent pour eux-mêmes une information importante, comme en matière de préférences sexuelles. Alors que, bien souvent, si le tact est recommandable en soi, il ne s'agit que de lâcheté ou d'hypocrisie de la part d'un conjoint qui désire éviter la confrontation et qui craint les réactions de l'autre. Cependant, garder pour soi des renseignements importants ne peut qu'aboutir à des explosions encore pires plus tard.

Certains maris, par exemple, n'avouent jamais à quel point ils sont fauchés. Tout à coup, l'huissier vient saisir la voiture.

« Voyons, reproche la femme, pourquoi ne m'avoir rien dit ? J'aurais pu demander à papa de nous aider. » Ceci peut détruire irrémédiablement la confiance d'une femme envers son mari.

Entre intimes il faut tout partager, même l'anxiété. Mais certains, sans même s'en rendre compte, poussent leur conjoint à leur dissimuler des faits. Par exemple ce mari qui, à chaque fois que quelque chose allait mal à la maison, en faisait toute une histoire et critiquait sa femme en lui disant qu'elle aurait dû s'y prendre autrement. Quand il partait en voyage, il lui téléphonait chaque jour. Elle l'assurait toujours que tout allait bien. Jusqu'au jour où, après une semaine d'absence, il la retrouva avec une cheville cassée. Elle n'en avait pas parlé au téléphone, s'étant dit : « À quoi bon ? Quand cela va mal, il ne m'est d'aucun secours. »

L'incapacité de communiquer clairement, directement, entraîne une frustration qui se traduit par les reproches les plus variés, souvent fort exagérés. Par exemple : « Je pourrais aussi bien parler au mur ! » « Tu parles par énigmes ! » « Si c'est cela que tu as dit, je ne l'ai pas entendu ! » « Nous n'avons plus rien à nous dire. » « J'ai appris à me taire. » « Tu ne dis jamais ce que tu penses ! » « Pourquoi m'interromps-tu toujours ? » « Tu t'écoutes parler ! » « Tu ne défends jamais tes idées ! » « Je te l'ai déjà dit cent fois. »

À tous ceux qui se plaignent d'être victimes d'un partenaire « saboteur de dialogue », nous racontons la vieille histoire de la mule.

Elle était si entêtée qu'elle ne voulait pas obéir. Pour en venir à bout, son propriétaire fit appel à un dresseur. Après un coup d'oeil à la mule, celui-ci l'assomma d'un fort coup de gourdin.

— Mais c'est affreux ! fit le propriétaire, affolé. Vous étiez venu ici pour la dresser !

— Sûr, répondit l'homme; mais il faut d'abord que j'attire son attention!

Comment brouiller la communication

D'autres saboteurs de dialogue se rendent particulièrement odieux, et «brouillent» la communication. Par exemple, un mari qui se doute que sa femme veut lui reprocher ses folles dépenses. Mais il la connaît — il sait qu'elle adore qu'il lui raconte les histoires sentimentales de son patron. Aussi est-il intarissable sur ce sujet — toute la boîte à ragots du bureau y passe! Jusqu'à l'instant où il se lève précipitamment pour courir vers sa voiture.

— Oh, lance l'épouse, j'ai des factures à te montrer!

— Plus tard! crie le mari en démarrant.

Il est essentiel de bien vérifier qu'un message envoyé a correctement été reçu. Voici les trois étapes que l'on distingue:

1) L'intention à la base du message; 2) Sa mise en forme; 3) Son interprétation par celui qui est «au bout de la ligne». Voici, bien souvent, ce qui se passe:

Exemple no 1. — La femme dit aux enfants de ne pas ennuyer leur père. Il l'entend:

Ce qu'on a voulu dire	*Ce qui est dit*	*Ce qui est compris*
«Je te protège.»	«Laissez-le tranquille.»	«Elle me tient à l'écart.»

Exemple no 2. — À sa femme qui lui demande pourquoi il n'amène jamais de copains à la maison, le mari répond:

Ce qu'on a voulu dire	*Ce qui est dit*	*Ce qui est compris*
«Cela te ferait trop de travail.»	«Pourquoi faire?»	«Il a honte de moi.»

Il est important de garder à l'esprit ces règles simples, à la base de toute communication: Obtenir l'attention du partenaire. Le préparer à bien recevoir le message. Émettre le message le plus clairement possible. S'assurer qu'on est bien sur la même longueur d'onde. S'en tenir aux limites du problème abordé. Rester centrés sur la zone d'intérêts communs aux deux partenaires. Encourager le «récepteur» à réagir. Vérifier par ces réactions comment le message a été reçu.

De nombreux partenaires ignorent ces principes si simples par refus d'une véritable communication, car ils craignent, avant tout, d'avoir à éclaircir une situation conflictuelle, d'où le manège sans fin des reproches:

Lui: Tu parles trop!
Elle: De quoi?
Lui: De tout.
Elle: Il faut bien que l'un de nous dise quelque chose!
Lui: Tu parles, mais tu ne dis jamais rien.
Elle: Tu es fou! Que veux-tu dire?
Lui: Tu fais tant de bruit qu'il nous est impossible d'avoir une véritable conversation.
Elle: Ça y est! Ça recommence!

Ce jeu de cache-cache se poursuit parfois sur ce ton:

Elle: Tu ne me parles jamais.
Lui: Que veux-tu dire?
Elle: Ce n'est pas ce que je pense qui est important; c'est que je ne sais jamais à quoi toi tu penses.
Lui (un peu affolé): Que veux-tu savoir?
Elle: Tout!
Lui (vexé): Tu es folle!
Elle: Et voilà que ça recommence!

Cette conversation entre deux jeunes gens non mariés fut ainsi commentée, à notre Institut:

Dr Bach (à la jeune fille): Que cherchait-il à vous dire?
Elle: Qu'il ne m'aime pas.
Dr Bach (au garçon): Est-ce bien cela?
Lui: Mais non! Je l'aime!

Dr Bach: Vous mourez d'envie, l'un comme l'autre, de pouvoir vous parler. Mais vous vous servez des mots pour cacher vos véritables sentiments.

Certains partenaires, du genre «espions», ne recherchent qu'une communication à sens unique, tenant leur conjoint sous le rayon détecteur de leur radar. Ceci, sous prétexte de les «mieux comprendre».

Cela n'entraîne qu'une plus grande frustration, comme le montre le dialogue suivant :

Elle : Tu ne me dis jamais rien.

Lui : Que veux-tu que je te dise ? Tu sais tout sur moi.

Elle : Que veux-tu dire ?

Lui (avec emportement) : Tu m'épies constamment. Et dès que j'ouvre la bouche, tu ne me crois pas parce que tu as déjà tout imaginé ce que j'avais dans la tête.

Elle : Tu dis cela parce que tu ne veux pas me parler.

De nombreuses occasions de mieux se connaître

En vérité, dans un couple, on se parle; on se parle même beaucoup, et aussi bien de sujets très personnels. Mais, en général, avec un art consommé pour camoufler le propos véritable de ces conversations. Voici un couple qui retourne à la maison en voiture après une soirée :

Lui : C'était un dîner excellent.

Elle : Oui, les pommes de terre au four de Pierrette étaient délicieuses !

En explorant un peu plus à fond ce vague échange de propos, au cours d'une séance de formation au combat loyal, il apparut que le mari essayait de dire à sa femme que leur couple n'était pas populaire et qu'il n'avait pas assez d'amis. Sa femme comprit le message et répondit d'une manière sous-entendue : « Je sais que notre manque de popularité te dérange, mais je ne crois pas que Pierrette soit beaucoup mieux. » L'objet de cet échange était de mentionner un problème réel tout en évitant de l'affronter ouvertement et d'en parler d'une manière constructive afin de trouver des solutions. Aucun des conjoints n'était prêt à parler ouvertement de leur vie sociale médiocre.

Pourtant, trop peu de couples s'en rendent compte, les conversations banales, quotidiennes, offrent des occasions illimitées d'explorer le monde intérieur du partenaire. Prenons par exemple cette femme qui vient de terminer la lecture d'un article attirant l'attention sur les effets nocifs de la pilule contraceptive :

Elle : As-tu lu cet article sur la pilule ?

Lui : Ah ! oui. Les secrétaires en parlaient, au bureau. Cela les a pas mal inquiétées.

Un tel échange peut recouvrir un nombre infini de messages. Venant d'elle, par exemple : « Le sexe, c'est dangereux. » « Tu n'es plus aussi tendre avec moi qu'autrefois. » « Je crois que tu couches avec ta secrétaire. » « Cesse-donc de me pousser à avoir un autre bébé. » Peut-être, aussi, la femme, s'inquiétant particulièrement de tel effet possible de la pilule, cherche-t-elle à se faire rassurer par son mari, la question implicite étant : « Trouves-tu que j'ai trop grossi ? »

Parmi les messages renvoyés par le mari, on peut trouver, par exemple : « Toutes les femmes ont ce problème. Tu crois toujours que tu es la seule ! » « Qu'elle ne vienne pas me parler de sexe ce soir. Je suis trop fatigué ! » « Elle pense que les secrétaires sont plus désirables qu'elle. » Ou bien : « Elle devrait être plus attentive à prendre chaque jour sa pilule. »

Mais les époux en question, peu doués dans l'art de communiquer, en laissant tomber le sujet perdent une occasion de tirer au clair ce qu'ils pensaient d'un problème important.

Ils préfèrent le brouillard au soleil parce qu'ils ne connaissent pas les bienfaits de l'authenticité.

Même des sujets plus anodins, moins « chargés » émotivement que ceux qui touchent à la sexualité, peuvent avoir des implications qui méritent une exploration plus poussée, sous peine de créer une grande confusion dans l'esprit des partenaires.

Un mari qui demanderait à sa femme : « As-tu remarqué que les freins de la voiture étaient encore foutus ? » pourrait simplement exprimer ainsi son exaspération envers le mécanicien qui devait les réparer la semaine d'avant. Dans ces circonstances, une femme peut très bien répondre : « Bien sûr. »

Mais le mari pourrait aussi vouloir signifier à sa femme qu'il la trouve négligente. Ou encore : « Je ne veux pas qu'elle sache combien je me sens seul, mais j'aimerais qu'elle m'accompagne plus souvent dans mes voyages d'affaires ennuyeux. » Ou bien : « Tu dépenses trop d'argent pour toi-même et il n'en reste jamais assez pour les choses essentielles comme les freins de la voiture. » Des partenaires réellement intimes chercheraient à voir ce que cache cette plainte à propos des freins de la voiture.

Un refus d'aller jusqu'au bout, quand un sujet a été abordé, peut conduire à une impasse des plus décourageantes. C'est ce qu'illustre la discussion matinale suivante :

Lui : Que tu ne fasses pas mon petit déjeuner, d'accord. Mais je ne supporte pas la vaisselle sale d'hier soir.

Elle : Je suis désolée, chéri. Je sais que cela t'ennuie.

Lui : Pourquoi ne pas la faire alors ?

Elle : Je suis tellement fatiguée le soir.

Lui : Pas assez pour t'empêcher de regarder la télé.

Elle : Cela me détend. Mais pas de faire la vaisselle.

Lui : Tu te fous carrément de ce que je ressens.

Elle : Veux-tu dire que quelques assiettes sales et le fait que je regarde la télé le prouvent ? C'est ridicule. Pourquoi ne pars-tu pas ? Tu vas être en retard.

Lorsque ce couple entreprit sa formation au combat loyal, la femme avait commencé à faire la vaisselle le soir, mais l'homme n'était pas plus heureux. Il était temps pour eux de révéler leurs sentiments sous-jacents : « Il pense que je ne l'aime plus. » « Elle pense que ma demande est déraisonnable. »

Les deux conjoints se repliaient sur eux-mêmes avant d'engager un nouveau combat plus réaliste. Ils savaient que la vaisselle sale leur importait peu à tous deux. Qu'est-ce donc qui clochait ?

Il apparut que le mari essayait de dire à sa femme : « Il y a des fois où je pense que tu préfères la télévision à moi. » Quant à elle, elle voulait lui reprocher sa négligence lorsqu'il oubliait de faire une course à l'occasion pour elle. Cela lui déplaisait, en outre, lorsqu'il allait prendre un verre avec ses collègues après le bureau. C'est seulement en exprimant leurs griefs et en se parlant face à face que les deux conjoints purent fonder les bases d'une discussion future.

Bien lancer ses signaux

Il en va de même quand les « signaux » envoyés par le partenaire sont trop forts ou trop faibles pour attirer l'attention de l'autre dans la bonne direction. Il est nécessaire de savoir « doser » la provocation.

Jean et Suzanne étaient des personnes paisibles qui évitaient les conflits. Lorsqu'ils se disputaient, ils s'en prenaient un peu trop à leurs talons d'Achille respectifs. Le salaire de Jean revenait souvent sur le tapis. Jean gagnait un très bon salaire comme architecte, mais Suzanne croyait qu'il pourrait gagner davantage en ne laissant pas ses associés lui marcher sur les pieds. Un soir où il désirait lui parler de ses dépenses excessives, il vit qu'elle avait revêtu un déshabillé transparent, ce qui était sa façon à elle d'indiquer qu'elle voulait faire l'amour. Il en fut ennuyé et prétexta quelque travail urgent à faire. C'est ainsi que la question aboutit à une impasse comme d'habitude. S'ils avaient su comment communiquer, ils auraient parlé d'argent d'abord et fait l'amour ensuite. Au lieu de cela, il n'y eut ni discussion, ni rapports amoureux.

Albert et Solange se trouvaient, quant à eux, à l'autre extrémité de l'échelle. Ils éprouvaient une forte attirance physique l'un pour l'autre, mais ils étaient toujours empêtrés dans d'incroyables querelles qui duraient parfois presque huit heures sans arrêt. L'attirance physique qu'ils ressentaient l'un pour l'autre n'était pas du tout étrangère à leurs constantes querelles. Comme nous le verrons au chapitre 18, c'est l'inaptitude à régler les conflits bien plus que les rapports sexuels insatisfaisants qui est la cause des principaux problèmes conjugaux.

Albert était ingénieur. Sa femme et lui étaient minces et bronzés. Ils jouaient au tennis. Bref, ils formaient l'image même du couple heureux. Ils avaient l'habitude de faire l'amour le vendredi soir. Un vendredi donc, Suzanne envoya les enfants chez sa soeur et mit des fleurs fraîches dans la chambre. En revenant à la maison, Albert se demandait si Suzanne serait fidèle à leur rendez-vous intime. Mais il était plus intéressé à prendre sa femme en faute qu'à faire l'amour. Il avait l'habitude d'accumuler ses griefs plutôt que de les exprimer à mesure. Il la plaçait parfois dans une situation de «double contrainte» d'où elle sortait perdante de toute façon: si elle n'avait pas prévu de faire l'amour, il l'engueulait; si elle l'avait fait, il feignait de l'ignorer.

Suzanne avait préparé les apéritifs et mis un disque, mais, après le repas, son mari se retira dans son bureau sous prétexte de se mettre à jour dans ses lectures.

Suzanne aurait dû à ce moment l'inviter à vider son sac, mais elle se mit en colère. Elle le suivit dans son bureau en lui énumérant tous les problèmes qu'elle avait eus à la maison. Leur fils aîné s'était foulé la cheville au football. Le cadet avait oublié de sortir les ordures et la voisine avait brisé les boutons du nouveau fer à repasser qu'elle lui avait prêté.

Il feignit l'indifférence. Elle augmenta le volume de la musique. Il ôta le disque et explosa : « Si tu m'interromps encore, je... »

Elle grimpa à la salle de bains qui se trouvait juste au-dessus du bureau d'Albert, claqua la porte et fit beaucoup de bruit. Comme il ne réagissait pas, elle eut recours à la provocation suprême : elle fit irruption dans le bureau avec l'aspirateur et commença à faire le ménage.

Albert (hors de lui) : Espèce de mégère ! Tu as du culot d'essayer de m'empêcher de travailler ! Comment puis-je former mon personnel si je ne sais pas comment m'y prendre ?

Suzanne (plus fort que l'aspirateur) : Tu ne sais déjà pas comment t'y prendre...

Ils s'échangèrent des insultes. Elle le culpabilisa pour avoir gâché leur soirée intime du vendredi. Finalement, elle alla pleurer dans sa chambre. Incapable de continuer à lire, Albert la suivit, déterminé à se réconcilier.

Il réussit à apaiser sa femme, mais ces échanges d'hostilités rituels eurent raison de ces adversaires habitués aux conflits. Ils s'inscrivirent à la formation au combat loyal et apprirent comment échanger leurs sentiments tout en évitant les souffrances de la guerre non réglementée.

Le retour du travail : moment dangereux

Le moment le plus dangereux, en ce qui concerne une bonne communication entre époux, est celui où l'on rentre du travail. Là doivent se joindre, en vue de coexister, trois mondes différents : celui du mari, celui de la femme, celui de la famille. Pour peu que les attentes de chacun soient mal calibrées, c'est la collision, non la fusion, qui se produit.

Nous déconseillons le traditionnel : « Comment a été ta journée ? », qui au mieux, appelle la réponse fort peu constructive : « Comme ci, comme ça. Et toi ? ». Plus souvent, ces signaux à sens unique sont une invitation à considérer le couple comme une poubelle, ou le coup d'envoi d'une bagarre peu propice à cette fusion souhaitée des différents univers.

C'est également quand on rentre du travail que l'on rencontre le plus de comportements indirects, où l'on masque les vrais problèmes. Le grognement du genre : « Quelle journée j'ai eue ! » peut vouloir signifier : « Je crois que tu penses que je m'amuse au bureau. Ce n'est pas ce que je souhaite que tu t'imagines. » Plus doué pour l'art de communiquer, on adressera directement son message : « Tu ne me donnes pas suffisamment de possibilités de me détendre. »

Et quand l'un parvient à se dégager suffisamment de ses propres soucis pour demander : « Qu'avons-nous de nouveau aujourd'hui ? », c'est trop souvent l'autre qui, profitant de cette ouverture, déverse le chapelet de ses petits malheurs à sa façon, pour dire : « Tu ne te rends pas compte de ce que représente ma tâche à moi. J'aimerais bien changer de fardeau avec toi quelquefois. »

Le plus drôle, c'est qu'avec ce type d'échange, la plupart des gens se figurent avoir une conversation intime. Alors que la vraie communication commence après qu'on ait éliminé tout ce qui touche à la routine journalière. Car, normalement, chaque partenaire devrait être capable de s'occuper de ses propres affaires de façon plus ou moins autonome. Le sujet réel d'une communication intime, c'est le couple lui-même, leur relation, le « nous ».

Nous recommandons à nos participants, lorsqu'ils reviennent à la maison, de demander non pas le superficiel « comment vas-tu ? », mais le « comment allons-nous ? » bien plus intime. Cette question peut sembler étrange mais elle engage les intimes dans des directions plus satisfaisantes, elle aide à détruire les parasites et prévient l'accumulation de griefs secrets.

Si un échange de griefs s'enlise dans le pessimisme chronique des rondes sans fin (« Voilà que ça recommence. »), un des partenaires doit avoir assez de bon sens pour soulever le vrai problème. Le signal est souvent donné par cette phrase : « Je te l'ai déjà dit cent fois... »

Découvrir si son partenaire est sérieux

Une patience excessive ne sert pas mieux qu'une patience insuffisante la cause d'une communication efficace. Il est d'importance capitale, dans un couple, de savoir reconnaître un refus catégorique du partenaire, comme l'illustre l'exemple qui suit :
Premier round :

Lui : Devine ! J'ai reçu une prime !
Elle : Combien ?
Lui : De quoi passer deux semaines au bord de la mer.
Deuxième round :
Elle : Tu veux tout dépenser pour ce séjour au bord de la mer ?
Lui : Et comment !
Elle : Ce n'est pas raisonnable.
Lui : Je trouve que c'est tout à fait raisonnable !

Même si ce manège de répliques devait se prolonger pendant vingt rounds, la relation du couple ne pourrait qu'y gagner. Les voilà en présence d'un problème nouveau. La controverse, portant sur la façon d'utiliser leur temps de loisir et leur budget commun, est des plus légitimes. Ils ne se montrent ni fermés l'un à l'autre, ni inaccessibles à la persuasion. Sous une apparence un peu puérile, ce genre de discussion permet à chacun d'estimer jusqu'à quel point l'autre est « accroché » à son point de vue.

Certaines personnes ne supportent guère qu'on leur réponde « non ». Un « non » trop souvent répété peut les inciter à recourir à la menace sociale (un divorce), à la menace économique (dépenses extravagantes) ou même à la menace de meurtre. Dans une bonne relation, les occasions de réévaluer ses sentiments à l'égard d'un problème se présentent toujours à nouveau.

Les couples qui communiquent aisément peuvent le faire par le biais d'un système de « petites tapes », de « claques » et de « coups de pied ».

Les « petites tapes » sont manifestement des signes d'attirance, d'approbation, d'affection ou de satisfaction. Elles remplacent les mots. Tout le monde reconnaît le caractère condescendant d'une petite tape sur la tête. Il y a aussi la petite tape entendue dans le dos d'un égal (qui est parfois une « claque » déguisée), la petite tape amoureuse sur le postérieur ou la caresse rassurante sur la main.

Les « claques » (qui signifient « non », « laisse tomber », « je n'aime pas cela », etc.) sont des punitions ou des avertissements intimes très utiles qui peuvent aller du sombre regard jusqu'aux insultes abusives.

Les « coups de pied » (qui signifient « bouge », « fais quelque chose », etc.) sont des rappels, des appels, des stimulants qui visent à provoquer chez un partenaire léthargique ou confus la réaction désirée. Ils peuvent prendre la forme d'une tirade persuasive, d'une tentative subtile de séduction, d'un pincement au bras ou (à éviter) d'un vrai coup de pied.

Dans une querelle destinée à amener une meilleure compréhension mutuelle, comme dans toutes les querelles, les partenaires ont intérêt à donner des indices nets, à éviter les énigmes et, lorsqu'ils ratent leur but de peu, à souligner leur quasi-succès plutôt que leur échec. Les « petites tapes » sont très utiles dans ces occasions.

La querelle suivante portait évidemment l'étiquette « danger ! mauvaise communication ».

Lui : La venue de ta mère te rend nerveuse, n'est-ce pas ?

Elle : Qu'est-ce qui te fait croire cela ?

Lui : Eh bien, tu ne passes pas autant de temps à nettoyer la maison habituellement.

Elle : Alors, tu penses que je suis une mauvaise femme d'intérieur !

Lui : Voilà que ça recommence !

Après un peu d'entraînement au combat constructif, la même querelle prit la tournure suivante :

Lui : La venue de ta mère te rend nerveuse, n'est-ce pas ?

Elle : Ce n'est pas sa venue qui m'inquiète, mais la façon dont tu vas t'entendre avec elle. Au fait, qu'est-ce qui te fait croire cela ?

Lui : Ta façon de faire du ménage sans arrêt.

Elle : Ce que tu peux être perspicace !

Lorsqu'un couple se décide à abandonner le silence, l'hypocrisie, et à accepter le combat, les tensions s'apaisent. Tout n'est certes pas résolu. Les partenaires découvrent alors que leurs conceptions du mariage sont plus éloignées l'une de l'autre qu'ils ne le pensaient. Mais, au moins, ils peuvent travailler à un rapprochement.

Déjouer les tactiques de guérilla

Mentionnons qu'il n'est pas nécessaire pour les partenaires d'analyser les causes historiques du manque de communication entre eux. Ils perdront leur temps et n'arriveront à rien. Ils doivent se rendre compte que leur manque de communication couvre habituellement quelque chose qu'ils craignent d'affronter ouvertement : une hostitilité trop chargée peut-être, une tendance à exploiter l'autre, une dépendance excessive ou, plus souvent, la peur d'un rejet. Ces facteurs nécessitent rarement une analyse détaillée.

Ce qui importe, ce n'est pas tant de rechercher l'origine d'un refus, mais de prendre son partenaire sur le fait quand il utilise des tactiques visant au refus du dialogue, et d'exprimer clairement son désir de le voir changer d'attitude à cet égard.

Il est des formes de communication aliénantes qui sont difficiles à identifier. L'une d'entre elles consiste à « saper » le partenaire en lui menant la « guérilla » par de petites attaques au flanc.

Supposons la femme, ce soir-là, occupée à préparer un repas fin. L'homme, attiré par les délectables odeurs qui s'en échappent, pénètre dans la cuisine, tout rempli d'admiration devant la complexité des opérations engagées par elle dans le seul but de leur faire plaisir à tous deux. Il en est touché. Il commence à se sentir tendre. C'est en effet à de délicieuses odeurs de cuisine, à des préparatifs du plus vif intérêt qu'a été associé le premier amour de sa vie : sa mère. Voici maintenant sa propre femme occupée à son tour à le rendre heureux, à lui montrer combien elle tient à lui, à leur relation.

Il la pince affectueusement, essaie de l'embrasser, de la caresser. Il se peut qu'elle lui rende ses marques de tendresse. Elle plantera peut-être sa recette, laissera brûler le rôti, oubliera tout... Plus vraisemblablement, comme tant d'autres femmes à sa place, elle sera contrariée, fâchée même, s'il ne prend pas garde à ses protestations. C'est pour lui qu'elle s'affaire, pour lui faire plaisir ! Elle est toute à ses recettes, à ses épices. En ce moment, elle ne se voit pas comme objet sexuel mais en chef cuisinier. Le comportement de son mari dérange la vision qu'elle a de son propre rôle, à ce moment précis. Ce sont tous ses projets, sa personnalité même qui sont mis en cause.

Chacun d'entre nous connaît à un moment ou l'autre cette expérience déplaisante : ne pas être reconnus pour ce que nous voudrions être. Cette attitude ne peut d'ailleurs nous affecter que si celui qui l'adopte est un de nos proches. Un intime sait mieux que quiconque quel est le point vulnérable de l'autre. Négliger, minimiser une marque d'amour, voilà la pire atteinte qu'on puisse porter au partenaire.

Poussée à l'extrême, cette habitude de « saper » l'image de l'autre peut devenir une technique de querelle des plus vicieuses. Sous une forme plus bénigne, plus courante, cette distorsion dans la communication existe chez des couples relativement normaux et attachés l'un à l'autre.

Les récriminations à ce sujet sont nombreuses : « Mon mari me sape le moral. » « Je deviens fou à vivre avec ma femme. On croirait que tout ce que je dis, tout ce que je fais, la prend à rebrousse-poil. » Ou encore : « Nous ne pouvons même pas mettre le doigt dessus... Mais la situation est devenue si inconfortable que nous avons renoncé à nous parler. »

Certaines remarques négatives jouent aussi un rôle de « guérilla ». « Tu ne fais jamais... » De même que le fait de revenir souvent sur sa décision (accepter de faire l'amour puis changer d'idée). Ou encore changer les règles de certaines activités ordinaires sans discussion préalable. Critiquer sans arrêt. Les enfants et les agressifs indirects sont particulièrement habiles à manier ces techniques.

Une façon très efficace de saper l'image de l'autre consiste à refuser de reconnaître son existence tant qu'il ne se comporte pas d'une certaine manière qui, pourtant, ne lui est pas naturelle. Et d'insister : « Je te connais; au fond, tu n'es pas ce que tu crois. » Essayer de satisfaire ce genre de partenaire finit par être très éprouvant.

Car la tentation existe, pour échapper au travail de guérilla du partenaire, de s'adapter. Le résultat en est une hésitation, des plus inconfortables, entre être soi-même ou satisfaire l'autre en s'aliénant, et le danger de perdre son équilibre affectif, son identité.

Il est facile de devenir le souffre-douleur psychologique de quelqu'un. On peut sans dommage assumer ce rôle dans un bureau en se montrant tolérant envers un patron ou un collègue avec lequel on n'a pas de liens affectifs. Dans une relation avec un proche toutefois (surtout si on ne peut s'en échapper, comme c'est le cas d'un enfant dépendant), il peut être dangereux de se laisser saper le moral. Cela peut non seulement aliéner la personne accommodante, mais mettre en danger son bien-être affectif; cela peut déformer l'image qu'elle a d'elle-même et l'empêcher de se développer.

Il est difficile d'empêcher un proche de faire son travail de guérilla, mais cela est parfois plus facile qu'il ne semble. Supposez qu'un jeune homme décide d'emprunter une voiture à un service de location. S'il ne la rapporte pas au jour dit, sa « punition » consistera à débourser un montant additionnel. Aucun problème d'ordre émotif ne se pose. Mais s'il emprunte la voiture de son père, les choses sont plus compliquées :

Le père : D'accord, mais rapporte-la à seize heures sans faute. J'en ai besoin.

Le fils : Oui, papa.

(Il est six heures, le fils vient d'arriver.)

Le père : Où diable es-tu allé ? Je t'ai dit que je voulais la voiture à seize heures.

Le fils : Mais papa, il fallait que j'aille reconduire Denise. Je ne pouvais pas la planter là !

Le père est très ennuyé. Il comprend ce qui s'est passé. Il aime l'amie de son fils et n'aurait pas voulu que son fils la laisse se débrouiller seule. Mais il doit faire face à la réalité. Son fils l'a dérangé considérablement, il ne peut se contenter de regretter de lui avoir prêté la voiture. Il se dira en lui-même : « J'aime que mes enfants aient du bon temps parce que je les aime. Mais je ne veux pas me laisser exploiter. Cela finirait par détruire mon amour pour eux. » Voilà la racine du conflit engendré par l'habitude d'ennuyer l'autre. Des partenaires qui jouent à ce jeu s'attirent tantôt l'amour tantôt la haine de l'autre.

Comment faire face à des situations de ce genre ? Nous conseillons deux techniques :

— Faire directement appel au partenaire : « Tu sais que cela m'exaspère, que je ne le supporte pas. »

— Essayer de comprendre dans quel but le partenaire se comporte comme il le fait. Ne sait-il pas à quel point il porte sur les nerfs du conjoint ? Ou ne le sait-il que trop bien ? Que cherche-t-il à obtenir, dans ce cas ?

Une fois qu'on a compris la situation, il devient plus facile de faire face à cette forme de sabotage de dialogue.

Cinq exercices pour une communication efficace

Voici quelques exercices que nous recommandons, en vue d'une communication efficace :

— Faire un diagnostic de l'état actuel des communications avec le partenaire. Chacun a-t-il l'occasion de s'exprimer ? Comprend-il ce que désire l'autre ?

— Localiser quelques-unes des causes de la mauvaise communication. Reconnaître ses mauvaises habitudes, faire reconnaître les siennes au partenaire.

— Renoncer aux techniques de sabotage du dialogue.

— Essayer de devenir soi-même plus ouvert, plus accessible. Faire le point, de temps en temps, pour évaluer les progrès.

— Réagir pleinement à l'autre. Partager ses opinions, ses émotions avec lui. Plus grande est l'intimité, plus libre est l'expression des sentiments.

Chapitre 12

Comment se disputer par correspondance et au téléphone

Dans un monde mobile comme le nôtre, il est bon de se rappeler que l'éloignement opère une distorsion des images, des communications. De loin, l'individu tend à devenir symbole. Et l'on sait à quel point il est facile de tomber amoureux d'un symbole, ou aussi de s'en détacher. La distance idéalise l'autre à tel point que le contact de la réalité ne sera plus supporté.

Il est plus facile, aussi, d'exprimer son agressivité lorsqu'on n'est pas face à face avec son adversaire. Ce qui explique la fréquence des lettres de rupture. Les menaces comme les avances se font souvent par lettre ou au téléphone.

Comme il est plus facile de proférer des menaces de suicide, de violence physique et de meurtre par lettre ou au téléphone, de même, les gestes de réconciliation sont plus faciles à faire lorsque la distance réduit la gêne.

Les relations épistolaires sont fort appréciées entre pseudo-intimes. Elles fournissent le moyen idéal de construire un univers unilatéral où chacun peut se présenter sous l'éclairage qu'il préfère et se complaire dans l'illusion quant à l'attitude de l'autre. L'adepte des relations épistolaires peut se montrer sous le jour qu'il désire. Il peut décider lui-même, sans le vérifier, de l'état des relations qui existent entre son partenaire et lui, et se bercer d'illusions. Il peut écrire des poèmes d'amour et croire que la vraie vie est aussi un poème.

Il croit naïvement qu'en écrivant à l'autre ce qu'il ressent et désire, celui-ci comprendra la situation et s'en accommodera.

Les avocats connaissent bien ce type de lettres qui n'engagent en rien leur destinataire lorsque celui-ci est un collègue ou un associé. Mais entre partenaires intimes, elles peuvent conduire à de graves malentendus du fait de l'insuffisance d'information en retour.

Les lettres permettent d'exagérer fortement l'expression de ses sentiments. On le voit chez les gens sains d'esprit qui se montrent excessivement joyeux ou abattus dans leur correspondance; ou chez les patients des hôpitaux psychiatriques et les prisonniers qui écrivent des lettres bizarres à leurs proches afin de les punir de les avoir abandonnés. Encore là, l'absence de réponse leur permet de nager dans l'illusion.

Le téléphone, offrant déjà des possibilités de réponse immédiate, fournit souvent un bon point de départ pour apprendre à affronter le partenaire. Malheureusement, c'est aussi un excellent moyen d'empoisonner l'autre, d'être constamment sur son dos. Nous incitons nos participants à ne pas se servir du téléphone pour vérifier ce que l'autre fait ou avec qui il se trouve. Cela ne peut qu'inciter à la tromperie. Le téléphone se prête, tant qu'on n'aura pas mis au point un système visuel, à des manoeuvres malhonnêtes, mensongères. (Par exemple, parler à sa femme en présence de sa maîtresse.)

Le téléphone encourage les distorsions, les attaques brutales et sans réplique, l'inattention (gribouiller pendant que l'autre parle, faire des grimaces), en toute impunité.

Il en est ainsi des appels interurbains qui peuvent permettre à un partenaire de dire des choses qu'il tairait autrement; ils diminuent les répercussions des mots parce que, le partenaire qui dit : « Tu me manques, chéri » n'a pas à le prouver.

En bref, rien ne remplace une communication face à face. Car le moyen de communiquer ne doit jamais être confondu avec le message lui-même.

Chapitre 13

Les mauvais combattants :comment les neutraliser

Les hostilités entre intimes, nous l'avons vu, peuvent le plus souvent être réglées à l'aide des conseils que nous avons énoncés jusqu'à présent. Avec une compréhension suffisante... et de la chance, les couples peuvent arriver à se réformer ensemble.

Mais certains individus se comportent de façon si « malsaine », proprement vicieuse, que l'aide d'un psychothérapeute leur sera nécessaire pour sortir de leur aliénation.

Comment l'amener du monologue au dialogue

Une des transformations difficiles est le fait de passer du monologue au dialogue. Le monologuiste semble vouloir le dialogue. C'est faux : en réalité il n'attend aucune réponse. Comme la publicité à la télévision, son dialogue est à sens unique. Ce qu'il aime, c'est discourir. Il veut toujours avoir raison et, surtout, avoir le dernier mot. Il ne supporte pas d'être remis à sa place pas plus qu'il ne tolère que son partenaire lui demande de modifier son comportement au sein de leur supposé duo intime. Il a habituellement le sens de la compétition et aime se mettre en avant comme un jeune élève « zélé » qui tente de monopoliser l'attention du professeur. Sans s'en rendre compte, il est insupportable — on accepte mal d'être toujours dominé et victime d'une obstruction constante par un «embouteilleur de dialogue». Sa victime finira par se désintéresser d'un mari ou d'une femme qui monopolise constamment les circuits de communication.

Un monologuiste ennuyeux peut être simplement ignoré. Mais celui dont les propos sont intéressants frustre son partenaire dans son désir de lui répondre et se voit donc finalement contraint à l'isolement.

Il faut être prudent dans la tentative de réforme d'un monologuiste. Lui sortir brutalement une longue liste des griefs lentement accumulés peut le traumatiser. «Mais elle me déteste!» pensera le «coupable». C'est progressivement qu'un ami dévoué ou un thérapeute peut l'amener à se rendre compte de la façon dont il ennuie les autres.

Pour réduire les monologuistes au silence, on pourrait partir au milieu d'une de leurs tirades, se boucher les oreilles ou recourir aux «petites tapes», aux «claques» et aux «coups de pied». On peut les récompenser lorsqu'il répondent à ces signaux. Mais le meilleur moyen est qu'ils se voient en film, en train de pérorer devant leur victime. Celle-ci peut être passionnée au début, au point d'en oublier de fumer... puis, au fur et à mesure qu'essayant de placer un mot, elle se voit interrompue, elle se décourage, perdant tout intérêt. Jusqu'au moment où le monologuiste se voit en train de parler à... une sourde! Quelle meilleure leçon pour lui?

Comment calmer un rageomane

Les mêmes tactiques défensives sont à utiliser à l'égard des «rageomanes»; c'est ainsi que nous appelons les gens chroniquement sujets à des accès de rage. Ces personnes terrifiantes se calment parfois lorsqu'elles reconnaissent l'importance de «vider leur sac» plus régulièrement.

«Je n'aime pas voir ma femme se réfugier chez sa mère chaque fois que quelque chose va mal, de dire l'un d'eux. Le problème, c'est que je ne lui parle jamais jusqu'à ce qu'elle quitte la maison. Puis j'explose littéralement. Alors non seulement elle court chez sa mère, mais elle y reste et cela me prend tout pour la convaincre de revenir.»

Ce mari s'est débarrassé de sa «rageomanie» lorsqu'il a appris à discuter avec sa femme avant que les problèmes n'atteignent un point critique. D'autres conjoints trouvent par ailleurs un certain soulagement à laisser tomber leur excès d'agressivité sur des indifférents : chauffeur de taxi, serveur de restaurant. Des innocents, bien sûr, ce qui est injuste, mais qui seront moins affectés qu'un intime.

Les plus difficiles à guérir sont encore les couples phobiques devant le combat, qui déplacent leur agressivité sur des personnes, des événements, des idées extérieurs. Une illustration frappante en est fournie par ce colonel d'aviation et sa femme qui ne se disputaient pratiquement jamais. Mais quand cela leur arrivait, ils en étaient fortement secoués, ne comprenant pas comment le mari toujours si poli avait pu brusquement devenir si désagréable (car, tous deux le reconnaissaient, c'était toujours lui le coupable).

On découvrit, en cours de thérapie, que les périodes de calme ou d'agitation du colonel variaient directement en fonction des tensions internationales ! Il explosait, chez lui, lorsque cessait une guerre. Il se montrait angélique tandis que se développait une escalade. Mais la seule perspective d'une paix possible le transformait à nouveau en « faucon » chez lui.

Même lorsqu'il eut pris conscience de cet état de fait, le colonel ne put jamais se résoudre à aborder de front ses problèmes domestiques. Il en est de même pour tous ceux qui, incapables de faire face à leur propre agressivité, cherchent des « boucs émissaires » et, pour se défouler, font souvent partie d'un de ces groupes spécialisés dans la haine. Dans les cas extrêmes, ils s'unissent pour commettre des crimes contre leurs propres voisins ou contre la société en général.

Comment éviter les pièges intimes et les attaques et fuites

Il est parfois plus facile de modifier le comportement de ces autres combattants déloyaux qui, utilisant la manière indirecte, s'attaquent à un objet cher à l'autre : dénigrant par exemple la religion alors que le partenaire est croyant, déclarant à un producteur de cinéma qu'il s'agit là d'un art mineur, etc. Il est souvent possible de faire appel à leur *fair-play* et de demander à leurs victimes de ne pas prendre la mouche à la moindre provocation.

D'autres moyens de défense semblables peuvent être efficaces contre la trahison intime. Certains combattants déloyaux se cachent pour attaquer le talon d'Achille de l'autre. Si leur femme est allergique aux fleurs, ils en placent un bouquet sur sa table de travail. Si elle ne supporte pas les blagues ordurières, il persuadent un ami de lui conter quelques histoires salaces.

Une autre tactique qui ne manque pas de détériorer gravement les communications consiste à attaquer par surprise et à fuir aussitôt. Ainsi, le mari qui se dit prêt à discuter d'un problème qui les concerne tous deux et qui se lance dans un monologue sans laisser à sa femme le temps de placer un mot. Cette tactique, qui peut être employée en toute circonstance — au lit, quand l'un des partenaires arrive à l'orgasme tandis que l'autre commence seulement à s'émouvoir; à table : «Tu m'as coupé l'appétit.» — a de quoi rendre l'autre littéralement fou.

D'autres tactiques sont souvent employées d'une façon telle qu'elles deviennent déloyales. Un partenaire qui délègue des responsabilités à sa femme une journée pour les lui retirer le lendemain n'est qu'un pauvre type partagé entre ses désirs. Mais le conjoint qui met toujours sur le dos de l'autre les expériences ratées est carrément déloyal, comme l'illustre ce dialogue entre deux conjoints qui se préparent à sortir :

Lui (avec enthousiasme) : Amusons-nous ce soir, ma chérie.

Elle : Je suis contente de te voir d'aussi bonne humeur !

Lui : Je suis de très bonne humeur. Faisons quelque chose qui te plaît.

Elle : Tu es sérieux ?

Lui : Bien sûr. Que veux-tu faire mon chou ?

Elle : Bien, j'ai toujours voulu aller à la plage manger dans ce stupide restaurant-bateau.

Lui (avec ferveur) : Voilà une excellente idée !

Voilà pour le premier round. Le second a lieu au restaurant même qui n'est pas fameux du tout. Ils ont dû attendre longtemps qu'une table se libère. Il n'y a que du poisson au menu, mets que le mari déteste. Les prix sont exorbitants :

Lui (en colère) : Toi et tes idées !

Elle (insultée) : Mais c'est toi qui m'as demandé ce que je voulais faire.

Lui: Tu n'avais pas besoin d'avoir une idée pareille! Tu aurais pu réserver au moins...

Le mari supportait si peu l'échec qu'il recourait à des tactiques déloyales pour se dérober même à un désastre aussi mineur. Il fallut les entraîner, lui et sa femme, à prendre ensemble le plus grand nombre de décisions possible, de sorte qu'aucun des deux ne puisse blâmer l'autre en cas d'échec.

Comment faire d'une victime un souffre-douleur complaisant

Jouer la comédie est une autre façon de manipuler l'autre. Ainsi du partenaire qui décide de jouer un rôle qui ne lui convient pas pour s'attirer l'amour de l'autre.

Les membres d'un groupe de psychothérapie, nous l'avons découvert il y a quelques années déjà, ne cherchent pas tellement à se connaître les uns les autres; ils cherchent surtout à produire sur les autres une impression. À notre avis, il en est de même, quoique de façon plus subtile, entre les membres d'un couple. Ainsi l'un communiquera avec l'autre de façon sélective: il l'amènera à se conduire de façon qui soit en accord avec l'image qu'il veut bien donner de lui-même, qui la complète et aide même à son édification.

Prenons un exemple. Une femme a d'elle-même une image idéale: celle de l'infirmière altruiste et dévouée. Il ne lui suffit pas que son mari la voie ainsi. Il faut qu'il se comporte avec elle comme si elle était véritablement ce personnage. Ce qui donnera, par exemple, quand le mari rentre du travail:

Elle (l'étudiant): Chéri, tu as l'air fatigué.

Lui (surpris): Tu trouves?

Elle (avec sollicitude): Vraiment, oui. Qu'y a-t-il donc?

Lui: Oh! j'ai eu une sale journée.

Une femme experte dans l'art de la mise en scène pourra aller jusqu'à découvrir, dans un tel exemple, que son mari a de la fièvre. Même si l'effet de sa sollicitude n'est pas nuisible en soi, s'avérant même par hasard positif, il n'en reste pas moins qu'elle utilise des manoeuvres de manipulation; ce qui n'est pas un service rendu, à long terme, à la cause de l'entente du couple.

Comment la collusion mène à une crise

Le plus grand succès que puisse remporter un combattant « malsain », c'est, comme dans le cas précédent, d'amener sa victime à coopérer, portant atteinte à l'intégrité du partenaire dans son identité même. Nombre de complices mentent afin d'éviter un conflit qui risquerait d'ébranler leur relation. Ils feignent même d'être d'accord avec les idées, les attitudes et les actes de leur partenaire.

Cette collusion du « manipulé » avec le « manipulateur », pour une cause ostensiblement bonne, a pu être mise en évidence au cours d'une ingénieuse expérience portant sur des jeunes mariés. Ces derniers, souvent, sont tout particulièrement désireux de prolonger le climat idyllique de leur lune de miel. On montrait aux couples des morceaux de papier dont les couleurs différaient, mais de façon insignifiante. L'expérience était montée de façon à encourager les divergences d'opinions entre maris et femmes, quant aux couleurs perçues. De nombreux participants (hommes plus souvent que femmes, incidemment) niaient voir autre chose que leur conjoint. Ayant eu l'occasion de poursuivre l'expérience au cours des quatre années suivantes, et de suivre les couples, on put constater que ceux qui étaient les plus habiles à résoudre leurs conflits étaient aussi ceux qui étaient les moins portés à tricher ou à « pactiser ».

La tendance à pactiser est courante, en cours de bagarre, en raison de l'anxiété qui saisit les époux devant la vision du gouffre qui les sépare. Il n'est pas rare de voir un mari changer temporairement d'adhésion politique en discutant avec sa femme. Souvenons-nous qu'à « chaud », ce n'est pas tant le sujet de la dispute qui compte, mais son style, les éléments pouvant séparer ou rapprocher.

À pactiser à longueur d'année, on aboutit tôt ou tard à la crise. C'est ce qui se produisit pour Yvette Paré. Elle s'était toujours complue à voir en René, son mari, un « grand bonhomme ». Lui, propriétaire d'un modeste magasin, s'imaginait être un grand homme d'affaires. Leur train de vie n'avait cessé d'augmenter au cours de leurs douze ans de mariage, tout à fait hors de proportion avec le revenu de René. D'emprunt en emprunt, ils s'étaient couverts de dettes.

Yvette, au fond d'elle-même, avait toujours su à quoi s'en tenir mais, ignorant ce que peut être une intimité vraiment partagée, elle avait évité d'en parler et préféré se prêter à la comédie. Mais les soucis et l'inquiétude la rendirent frigide.

À la veille de divorcer, ils se laissèrent convaincre de participer à notre formation. En six mois, ils avaient appris à vivre ensemble sans « pactiser ». La frigidité d'Yvette avait disparu et toute la famille s'en tenait à un budget permettant de rembourser les dettes.

Il est mille façons de pactiser qui peuvent finir par provoquer la crise : boire avec un alcoolique, accepter d'être le passager d'un conducteur fou, regarder des programmes de télévision ennuyeux plutôt que d'échanger vraiment des idées, faire semblant d'accorder aux propos mille fois répétés du partenaire un vif intérêt, garder une secrétaire incompétente, sous prétexte qu'elle est votre femme. Tout ceci ne prête que trop facilement à la rationalisation : au nom de l'amour porté à l'autre ou en vertu de l'idée qu'on n'y peut rien.

Et pourtant, combien d'hostilité se cache derrière ce comportement complaisant. De cruauté, même, puisqu'on empêche l'autre de s'amender. Le partenaire qui accepte la collusion, de plus, en vient à perdre son estime de soi. C'est la maturité affective des deux époux qui est compromise. Le premier finira par se détester, parce qu'il est démoralisant de mener une vie de faux semblant avec un partenaire qu'il aurait aimé affronter ouvertement. En outre, ne pas mener une vie conforme à ses idées peut conduire au nihilisme psychologique et à la dépression.

Un partenaire qui invite son ennemi intime à pactiser peut avoir le désir secret d'accroître la distance entre lui et son complice. Ceci explique que la collusion s'intensifie souvent avant une séparation. Celui qui se prépare de toute façon à s'en aller peut accepter de participer à un plan dément imaginé par l'autre dans le seul but de pouvoir citer plus tard ce plan comme la goutte qui fit déborder le vase.

Se montrer complaisant à l'égard des défaillances de l'autre, c'est tomber dans un cercle vicieux. Si un partenaire garde pour lui ses réserves, il se sent seul (et il l'est); par contre, s'il partage son secret avec un étranger, il est déloyal vis-à-vis de son partenaire.

Quand des tiers deviennent des pêcheurs en eau trouble

Bien des alliances déloyales naissent lorsqu'un complice marié partage ses secrets avec un ami ou un amant (« Ma femme / Mon mari ne me comprend pas » est une rengaine typique). Certaines pseudo-amitiés, certaines liaisons, ne sont fondées que sur un échange de confidences entre deux époux complaisants, heureux de pouvoir déverser les griefs accumulés secrètement contre leurs conjoints respectifs.

Nos débutants savent la valeur que nous accordons, en certains cas, à l'intervention bien intentionnée d'un tiers. Mais nous les mettons en garde : qu'ils soient prudents dans le choix de ces tiers. Trop souvent, il ne s'agit que de pêcheurs en eau trouble.

Jean confia à son ami Luc qu'il se tracassait secrètement à propos de son futur mariage avec Solange. Un véritable ami aurait proposé d'en discuter à trois. Mais Luc répondit : « Oui, je sais ce que tu veux dire. Je l'ai vue hier soir en train de danser avec Raymond. Elle avait l'air aux anges ! » Le lendemain, Luc rencontra Solange dans un restaurant et lui dit : « Les choses ne vont pas très bien entre toi et Jean, n'est-ce pas ? »

Par chance, Jean et Solange étaient suffisamment intimes pour que Solange puisse dire à son fiancé : « J'ai rencontré Luc aujourd'hui et il m'a vaguement parlé d'une séparation entre nous. De quoi voulait-il donc parler ? » Jean comprit tout de suite et conclut que Luc n'était pas le genre d'ami à qui confier des secrets. Il en profita aussitôt pour tirer parti de la situation en abordant des questions qui le tracassaient avant le mariage. Tous deux se sont mariés en sachant où ils allaient et avec de bonnes chances de succès.

Il est indispensable de s'assurer que le tiers ne parle ni n'agit qu'en présence des sujets concernés. Ou de confronter ce qui a pu être dit derrière le dos de l'un des combattants.

Une femme cherche une consolation auprès de sa voisine. Comme celle-ci lui fait une suggestion utile, la femme éplorée lui demande alors de venir le soir à la maison l'exposer à son mari. « Je pense que cela peut nuire aux relations entre nos deux familles si j'accepte de l'aide secrètement. Vous sous sentiriez coupable de cette situation. » pourrait-elle lui dire.

Le plus grand risque est celui de tomber sur des individus voyeurs et sadiques qui, en fait, prennent satisfaction à observer la bagarre et ne font que jeter de l'huile sur le feu. Ces personnes hyperactives commencent par écouter les griefs des époux puis à appeler leurs différends des « conflits de personnalité ». Lorsqu'elles en ont assez de jouer un rôle de spectateur, elles se proposent comme arbitres. Elles provoquent les coups bas. Elles prolongent les bagarres en proposant des pauses, pas tant pour donner aux combattants un repos que pour pouvoir leur rappeler le gouffre qui les sépare. Lorsque la bagarre reprend, elles se rendent « utiles » en faisant le point sur la situation. Non seulement elles comptent les points, mais elles s'érigent en juges afin de décider qui a gagné et pourquoi. La seule façon de traiter ces amis est de les jeter hors de l'arène et de ne jamais satisfaire leurs goûts sadiques.

Inviter ou éviter les coups bas

Lorsqu'un des partenaires pactise au point de se mettre à la merci de l'autre, par exemple quand l'un déclare : « Je t'aurais déjà quitté, mais je ne sais pas où aller. », il manie là une des armes les plus dangereuses, les plus génératrices de haine de tout l'arsenal de combat d'un couple. C'est une invitation aux coups bas.

Il en est un peu de même quand un mari est l'esclave de sa femme sur le plan sexuel. Il ne peut s'en passer et ne pourrait trouver de satisfaction auprès d'aucune autre. Si sa femme découvre cet asservissement, il risque, en cas de crise aiguë, de passer de forts désagréables moments ! Il peut penser qu'en se faisant le complice de sa femme, il l'incite à se montrer particulièrement loyale lors des disputes. En fait, il l'invite plutôt à recourir à des tactiques déloyales car on sait combien ceux qui s'accrochent attirent les coups. Personne ne veut d'un partenaire qui reste seulement parce qu'il ne sait pas où aller.

Se protéger du lavage de cerveau

Nous avons déjà signalé le danger qu'il y avait à attribuer à autrui des traits de caractère, des opinions. Poursuivie avec intensité, cette technique peut aboutir à un « lavage de cerveau » du partenaire.

Un professeur de sciences économiques renommé utilisait des méthodes de travail fort désordonnées qui, dans la période terminale d'une recherche ou d'un livre, le rendaient très difficile à vivre. Il était marié depuis vingt-deux ans à une pseudo-intellectuelle qui lui était fort attachée mais qui éprouvait à l'égard de ses travaux des sentiments ambivalents, tantôt fière, tantôt jalouse, selon la phase dans laquelle se trouvait le professeur lui-même. En période de crise, quand ce dernier était dans un état de grande tension, elle lui cherchait toujours de bonnes excuses, minimisant tout ce qui, en réalité, traduisait le manque d'organisation de son mari, son talent pour se compliquer la vie. Donnait-il un coup de téléphone inutile ? Elle déclarait : « Tu n'as pas vraiment envie de terminer ton livre. » Était-il déprimé de se voir progresser si lentement ? : « Cela ne m'étonne pas ! Il y a tant d'autres choses que tu préférerais faire ! » Ou bien : « Mon chéri, ne crois-tu pas qu'il est trop fatigant pour toi de faire, en plus de tes cours, des travaux à l'extérieur ? »

Au lieu d'affronter ouvertement son mari en lui déclarant : « Écoute, j'aimerais que tu cesses d'écrire des livres. C'est trop dur pour toi et tu rends tout le monde nerveux. Je n'en peux plus. », elle avait choisi une attitude castratrice, lui disant en fait : « Tu es trop faible pour mener à bien ce que tu entreprends. »

Au prix de mille tortures, le professeur parvint à rédiger quatre ouvrages. Pour y arriver, il s'isola de plus en plus des autres, voyant peu sa femme, ne prenant que le temps de dormir un peu. Ce fut, paradoxalement, cet isolement qu'il s'était imposé qui provoqua la crise, au cinquième livre. Coupé de tout contact positif — celui de ses collègues qui encourageaient ses travaux — et soumis à la seule influence négative de sa femme, les doutes reprirent le dessus : « Elle a raison. Si j'avais quelque chose à dire, je le ferais plus facilement. J'abandonne. » Le lavage de cerveau avait réussi.

Ce fut la débâcle : trois années improductives, la boisson. Entré finalement en psychothérapie, venu ensuite à nos sessions de formation au combat, il apprit à contrecarrer les tentatives de sa femme visant à lui faire éprouver ce qu'il ne ressentait nullement. Il écrivit alors, sans intervention extérieure, ses sixième et septième livres. Quant à sa femme, elle retrouva ses propres zones d'intérêt, suivit des cours à l'université, puis se mit à enseigner. Elle écrivit même un petit ouvrage : *Le couple créateur.*

Comment avait-elle opéré son lavage de cerveau ? 1) En attribuant à son mari l'étiquette de « petite nature »; 2) En l'acculant progressivement à l'isolement psychologique; 3) En accumulant, de façon très tendancieuse, des « preuves » de ce qu'elle avançait; 4) En ne maintenant elle-même avec sa victime que les contacts nécessaires à le renforcer dans le rôle qu'elle lui attribuait. On voit facilement pourquoi ce genre de tactique est adopté par maîtres et parents à l'égard d'adolescents à la recherche d'eux-mêmes.

Comment désarmer les aliénateurs

Les cas examinés jusqu'ici concernaient des « mauvais combattants » qui, aussi bas que soient les coups utilisés, n'ont pas d'intentions mauvaises. Mais il existe des êtres aliénateurs qui utilisent de façon très délibérée leurs coups et stratégies. Ces sadiques, des malades en vérité, trouvent une vive satisfaction à observer les tensions qu'ils produisent chez leurs proches et à les voir sombrer dans la panique. Ils sont maîtres dans l'art de miner systématiquement l'autre, de gâcher une relation avec leur partenaire. Ils sont de ceux qui se rendent à un bal et refusent de danser. Qui vont à l'église et affichent, pendant le service, une expression d'intense ennui. Qui, ayant mis au point avec leur partenaire un « petit week-end tranquille », invitent tous les « copains ».

Entre intimes, il n'est que trop facile de se rendre fous réciproquement. La vulnérabilité est la rançon de la profonde implication émotive.

L'intimité, en vérité, comporte un danger : celui de la régression de l'un des partenaires à un état de dépendance infantile qui donne à l'autre le même pouvoir que celui que ses parents exerçaient sur lui. C'est parce qu'ils sont excessivement dépendants l'un de l'autre que des conjoints s'appellent « maman » et « papa », habitude malsaine qui consiste à voir l'autre comme un symbole ou une chose et qui a tendance à déconcerter les enfants.

Une certaine dépendance est, en effet, inévitable entre intimes. Mais les êtres vicieux exploitent la situation, en font un piège, se rendent indispensables, seuls capables de maintenir debout leur victime, en l'aidant parfois à satisfaire ses faiblesses (alcool), voire ses perversions.

Les victimes, cependant, ignorent à quel point leur partenaire aliénateur a besoin d'eux, lui aussi. Ici, il n'y a pas de bourreau sans victime coopérante. Ces victimes sont parfois des enfants, des personnes seules et d'autres personnes dont les besoins réels ou imaginaires de dépendance sont si forts qu'elles se sentent obligées de coller à leur partenaire dominateur. Un nombre surprenant d'entre elles refusent d'admettre que leur agresseur est un « détraqué ». Ce qui est précisément le but recherché par ces êtres sans vergogne.

La grande difficulté vient de ce que l'aliénateur porte un masque, joue le rôle d'un personnage bienveillant : La « bonne mère » (qui cache un caractère de vieille sorcière comme celle de Hansel et Gretel), le « père protecteur » (qui refuse à l'autre son autonomie et son identité propre), le « meilleur ami » (qui connaît les points faibles de son ami et en tire parti) et le « bon Samaritain » (qui envenime les conflits puis se propose comme sauveteur).

Il est habile, aussi, à sortir les éléments de leur contexte : montant en épingle, par exemple, une petite faute commise par une épouse loyale, qui, reconnaissant son erreur, sera ainsi détournée de la tentation de mettre au jour les tactiques aliénantes de son mari.

Elle se dit en elle-même : « Je suis destructrice moi aussi, il ne peut être pire que moi. Après tout, il a bien pris mon erreur et ne l'a mentionnée que lorsque je l'ai poussé à bout. »

Il sait aussi se montrer juste assez gentil pour empêcher l'autre de vérifier ses tendances sadiques. (« Comment me fâcher avec lui, il peut être un ange ! Ne m'a-t-il pas acheté un joli cadeau pour la Fête des mères et n'a-t-il pas emmené les enfants à l'église lorsque j'étais malade ? ») L'espoir de voir les choses s'arranger, la peur de la solitude, ses tendances masochistes, encouragent la victime à supporter son bourreau. Il faudra le plus souvent une intervention extérieure pour lui faire voir clair.

Hans était le troisième mari de Marthe. C'était un producteur de théâtre affable et charmeur. Marthe avait aisément succombé à son charme d'étranger et à sa conversation brillante. Après deux ans de mariage, il devint évident qu'Hans était un « rageomane » qui réservait son charme pour ses nombreuses amies. Il se servait de Marthe comme femme d'intérieur et symbole de sa respectabilité. Comme les tensions augmentaient au sein du couple, Marthe, qui avait toujours aimé boire, devint alcoolique. Son mari ne manqua pas une occasion de réprimander sa femme à ce sujet.

Lorsque le couple se joignit à un groupe de formation au combat loyal, Hans apparut rapidement comme un juge qui amenait sa femme en cour pour la faire condamner par les autres couples. Avec application, il montra les preuves qu'il avait réunies contre sa femme. Il cita le nombre de verres qu'elle prenait avant et après le repas; les fois où elle tombait endormie pendant la soirée à la maison; comment elle négligeait les filles qu'elle avait eues d'un précédent mariage; comment sa manie de boire le mettait mal à l'aise en présence de ses associés; et comment elle était indigne de lui en général.

Il devint vite évident que Marthe ne supportait cet homme que lorsqu'elle était anesthésiée par l'alcool. Et qu'elle restait avec lui parce qu'un autre divorce confirmerait la pire crainte qu'elle nourrissait face à son identité : son inaptitude à retenir un homme. Finalement, cet homme dominateur et sadique et sa femme faible et masochiste demandèrent le divorce. Ils n'avaient plus ni la patience ni la bonne volonté nécessaires pour combattre loyalement l'un avec l'autre; peut-être ne les avaient-ils jamais eues.

Il est des époux, des malades, qui vont jusqu'à pousser leur conjoint à les rendre fous afin de pouvoir leur dire : « Vois ce que tu as fait de moi ! » Une forme de sadisme fort populaire consiste à faire douter l'autre de sa perception de lui-même, du monde qui l'entoure, à le persuader de quelque chose qui n'est pas. Dans le vieux film *Hantise*, qui met en vedette Charles Boyer et Ingrid Bergman, une femme (Bergman) se rend compte avec raison que l'éclairage dans la maison baisse de jour en jour. Son mari (Boyer), qui veut la faire enfermer dans un asile psychiatrique, baisse la lumière en cachette. Mais il nie percevoir un éclairage plus diffus. Son stratagème a des effets désastreux sur sa femme partagée entre la perception de son mari et la sienne.

Le moyen de se défendre contre de telles manoeuvres ? Attaquer sur deux fronts :

153

1) De façon défensive : résister à la tendance paresseuse à la dépendance, ne pas laisser l'autre définir votre identité.

2) De façon agressive : en luttant pour conserver notre propre image.

Si Ingrid Bergman avait été formée au combat loyal dans le film, elle aurait d'abord mis fin à leurs interminables querelles qui visaient à déterminer lequel, d'elle ou de son époux, percevait les lumières correctement. Dans son for intérieur, elle aurait mis en doute, puis confirmé sa propre perception des faits tangibles. Elle aurait pu consulter un ami pour vérifier son idée. Elle aurait peut-être passé un examen de la vue. Enfin, elle aurait ouvertement affronté son mari pour lui dire qu'elle avait découvert ses plans diaboliques. Il importe surtout de refuser de jouer les victimes, de se fier à son propre instinct, et d'affirmer, devant le portrait que fait l'autre : « Ce n'est pas moi, cela ! » Un moi fort, ou fortifié par la psychothérapie, contre-attaquera avec efficacité.

Il est parfois possible, sous la pression du groupe, en psychothérapie, de forcer un sadique à abandonner ses tactiques, d'utiliser son agressivité à des fins positives en lui montrant combien supérieures sont les satisfactions retirées de l'agressivité constructive.

La formation au combat loyal ou la psychothérapie sont utiles dans les cas de sadisme ou de masochisme entre intimes. En effet, au sein d'une relation intime, il est relativement aisé de se laisser entraîner à commettre des actes non souhaitables qui sont incompatibles avec son vrai moi.

« Je fréquente une espèce de folle, de raconter un de nos débutants, qui aime se faire mordre les mamelons vraiment fort ! Je ne peux me décider à le faire et cela la bouleverse. » La jeune fille avait de quoi être bouleversée. Elle croyait, à tort, qu'il fallait encourager les gens à vous blesser pour qu'ils vous aiment. Elle avait manifestement besoin d'un traitement psychologique intensif. Son ami fit preuve de jugement et refusa, avec raison, de se laisser corrompre. Il sentait que ce n'était pas seulement une question d'éthique, mais qu'il y allait de l'identité de deux personnes.

Son amie finit par faire une dépression nerveuse et elle dut être hospitalisée ; mais avec l'aide de son ami, elle admit que ce n'était qu'au prix d'un changement considérable qu'elle pourrait maintenir une relation intime saine. La situation de ce couple était bien meilleure que celle des «joueurs» à la coquille dure qui découvrent l'entraînement au combat. Les expériences frisent parfois l'incroyable.

Marc Goulet se prétendait célibataire, ce qui était inexact. Louise Breton, mannequin célibataire, se faisait passer pour une divorcée qu'une malheureuse expérience conjugale avait laissée pleine de crainte à l'égard des hommes. Louise Breton, à la suite d'une visite que lui fit l'épouse de Marc Goulet qui avait tout découvert, résolut de briser ce ménage que l'épouse cherchait à sauver. Elle s'arrangea pour que Mme Goulet les surprenne ensemble, son mari et elle, pensant que le mariage ne survivrait pas à une telle rencontre. Mais Marc Goulet, bluffeur expérimenté, parvint à convaincre Louise Breton qu'il s'agissait d'une folle et non de sa femme.

Il arriva que Louise Breton tomba amoureuse de Marc Goulet. Mais il refusait de l'épouser. Comme elle menaçait de se suicider, il accepta de venir avec elle à des sessions d'apprentissage du combat en couple (il avait entre-temps rompu avec sa femme). Là, sous la pression du groupe, il avoua tout. Et elle put enfin se libérer. En fait, lui comme elle n'avaient jamais su ce qu'est une véritable relation intime. Ils étaient probablement condamnés à mener une vie de compromis jusqu'à ce qu'ils soient trop vieux ou fatigués. Beaucoup de ces individus deviennent psychotiques, alcooliques ou se suicident. Ils préfèrent mourir plutôt que changer.

Ce sont là des cas extrêmes qui nécessitent une aide professionnelle. La majorité des couples disposent de meilleurs moyens pour améliorer leur relation. Et tout en essayant d'affronter ouvertement leur partenaire, ils peuvent aussi apprendre à se défendre eux-mêmes en évitant de se faire souffrir inutilement.

Sept conseils d'autodéfense conjugale

Voici quelques conseils d'autodéfense :

1) On peut court-circuiter la tentative du partenaire de vous attribuer une image en refusant de jouer passivement le rôle d'écran de projection.

2) On peut s'opposer aux mystificateurs en les confrontant, autant de fois que nécessaire, à la réalité.

3) On peut désarmer des plans machiavéliques en demandant que chaque partenaire dise explicitement ce qu'il attend d'une situation donnée.

4) On peut enrayer les tendances sadiques en s'arrangeant pour que les punitions soient en proportion avec l'importance du sujet de la controverse.

5) Au partenaire trop exigeant, on peut répondre : « C'est assez ! », et s'isoler de façon temporaire pour « recharger sa batterie ».

6) La tendance d'un partenaire à « sous-alimenter » le couple en matière de communication, de stimulation, peut être contrecarrée en engageant des disputes-préambules à propos de problèmes divers, communs aux partenaires.

7) On peut déjouer les mauvais combattants grâce aux méthodes décrites dans le présent chapitre.

Chapitre 14
Comment évaluer les combats entre intimes

Comme nous l'avons déjà souligné, le but d'un combat loyal entre intimes n'est pas d'enregistrer la victoire ou l'échec des partenaires. Ou bien ils sont tous deux gagnants et sortent de l'échange agressif avec des liens plus étroits, ou bien ils sont perdants et leur relation se détériore. Bien que de nombreux facteurs positifs et négatifs contribuent à l'amélioration ou à la détérioration d'une relation, nous avons établi un système de pointage destiné à mesurer l'importance précise de chaque élément d'une querelle entre intimes.

Les réactions des combattants face à ce système sont nombreuses et diversifiées. Certains aiment mettre les choses sur papier. Ils suivent l'apprentissage au combat avec une attitude sceptique. Ils sont de la race de ceux qui démontent les mécanismes pour voir comment ils fonctionnent. Ils ont besoin de savoir exactement où ils en sont avec leur conjoint après une querelle avant d'engager la suivante. Pour eux, le système de pointage à deux tableaux convient parfaitement.

D'autres par contre le trouvent franchement rebutant. Il s'agit de personnes plus intuitives que les définitions précises exaspèrent. Elles préfèrent discuter des hauts et des bas de leur relation d'une façon plus générale. Elles peuvent, si elles le désirent, sauter le présent chapitre ou y revenir après avoir lu le reste du livre; elles peuvent aussi se familiariser avec le système et en particulier avec son application pratique.

Il n'est pas essentiel de maîtriser parfaitement ce système de pointage pour apprendre les techniques de combat constructif et pour en tirer le maximum de profit.

Avant d'entreprendre une séance d'évaluation, nous rappelons à nos participants qu'en étant très ouverts, ils se montreront sous leur vrai jour. Cela signifie également qu'ils seront subjectifs; qu'au début, ils n'entendront que ce qu'ils veulent bien entendre; que ce qui est constructif pour un peut sembler destructif à l'autre. C'est pourquoi nous les incitons à ne pas confondre leurs bonnes intentions avec leurs actions et leurs paroles. Nous leur demandons d'essayer d'évaluer ce qu'ils font ou disent réellement et non ce qu'ils tentent d'exprimer. Ils doivent laisser leur partenaire corriger leurs notes et vice versa. C'est là la meilleure façon d'apprendre que ce sont les répercussions d'un message sur son destinataire qui comptent vraiment. L'intention de l'auteur du message est donc moins importante que la façon dont il le transmet.

Neuf caractéristiques d'un combat et comment les évaluer

On trouvera dans les pages qui suivent un tableau des critères d'évaluation d'un combat. Il y en a neuf :

1. Réalisme. Ce critère sert à mesurer l'authenticité du combat. Celui-ci est jugé « réaliste » si l'agressivité du combattant est fondée sur des considérations justifiées et sensées qui donnent aussi l'impression d'être réelles et vraies. Le combat est jugé « imaginaire » lorsque l'agressivité du combattant part de raisons inauthentiques ou qu'elle contient des éléments faux et farfelus.

2. Loyauté. Un combat est « loyal » (au-dessus de la ceinture) lorsque le combattant donne des coups francs que l'autre est capable d'encaisser. Il est déloyal (au-dessous de la ceinture) si le combattant porte à son adversaire des coups bas, blessants, que ce dernier est incapable de tolérer.

3. Implication. Ce critère permet de juger dans quelle mesure le combattant est impliqué dans le combat. Le combat est « actif » (réciproque) lorsque les échanges sont nombreux. Il est « passif » (unidirectionnel) lorsque les combattants sont indifférents, qu'ils fuient les coups, les évitent ou n'y réagissent pas; ou encore si le combat se fait à sens unique.

4. Responsabilité. Sous cette rubrique, on détermine si le combattant endosse ou rejette la responsabilité de sa participation au combat. Il l'«endosse» lorsqu'il reconnaît avoir engagé le combat (ou avoir accepté d'y participer) sans mettre quiconque en cause. On lui attribue un «moins» (Anonyme ou Groupe) s'il nie la responsabilité de son agression ou la rejette sur d'autres. («Le Dr Bach a dit...» «Ta mère dit que...»)

5. Humour. Si l'un des combattants, ou les deux, rit ou blague durant le combat, ce critère vise à évaluer le but de son comportement. Il obtient un «plus» si son humeur joyeuse détend les deux partenaires; ceux-ci peuvent, par exemple, se moquer gentiment l'un de l'autre, simultanément ou tour à tour. Le combattant obtient un «moins» s'il éprouve un plaisir sarcastique à voir son partenaire déprimé; s'il tourne l'autre en ridicule ou s'amuse de sa souffrance ou de son embarras; s'il fait le pitre ou rit lorsque son adversaire est sérieux ou bouleversé; ou s'il essaie de distraire son adversaire de ses préoccupations en blaguant, etc.

6. Expression. Sous ce titre, on évalue la façon dont le combattant exprime son agressivité. Il obtient un «plus» s'il l'exprime d'une manière ouverte, libre, transparente et non déguisée; s'il pense ce qu'il dit et si ses idées sont claires. Il obtient un «moins» s'il s'exprime d'une manière retenue, voilée, subtile, camouflée, qui laisse une grande part à l'interprétation.

7. Communication. Sous cette désignation, on mesure le degré et la clarté de la communication verbale ou physique entre les deux partenaires. Le combattant obtient un «plus» si son message est clair, si la communication est libre et réciproque, et n'entraîne pas de malentendus; si elle est exempte de «bruits» et de «parasites», et si l'adversaire, par ses réactions, indique qu'il a compris. Il obtient un «moins» si son message est hermétique, à sens unique, plein de parasites, s'il est mal saisi, redondant ou s'il prête à confusion.

8. Pertinence. Dans cette colonne, on détermine dans quelle mesure l'agressivité du combattant s'applique aux actions de l'adversaire dans l'«ici-et-maintenant», sans référence à des situations anciennes ou non pertinentes. Le combattant obtient un «plus» s'il soulève des problèmes courants et un «moins» s'il fait

PROFIL DES ÉLÉMENTS DU COMBAT

	1	2	3	4	5	6	7	8	9
	RÉALISME	INJURES	IMPLICATION	RESPONSABILITÉ	HUMOUR	EXPRESSION	COMMUNICATION	APPROCHE	SPÉCIFICITÉ
+	Authentique	Loyales, coups francs	Active, réciproque	Endossée	Joyeux, soulagement	Ouverte	Claire, réciproque	Directe	Concrète, précise
0									
−	Imaginaire	Déloyales, coups bas	Passive ou unidirectionnelle	Anonyme ou groupe	Sarcasmes, pitreries	Retenue ou camouflée	Statique, sens unique	Diffuse	Abstraite, générale

Les points (+) du profil représentent les comportements agressifs loyaux (ou « de rapprochement »).
Les points négatifs (—) représentent les comportements agressifs déloyaux (ou « aliénants »).
Les points situés au niveau zéro (0) représentent les comportements neutres, non appropriés ou intangibles.
On établit son profil en reliant d'un trait les neuf dimensions au niveau approprié (+ ou — ou 0). Lorsque la majeure partie du trait se trouve au-dessus du niveau « 0 », les comportements « de rapprochement » ont dominé au cours du combat. Lorsqu'elle se trouve au-dessous du niveau « 0 », les comportements aliénants ont dominé au cours du combat.

160

allusion à des actions passées de l'adversaire ou s'il déplace son agressivité sur des êtres ou des objets chers à l'adversaire.

9. Spécificité. Sous cette désignation, on détermine dans quelle mesure les attaques et les contre-attaques des combattants se rapportent à des actions, des sentiments ou des attitudes précises et tangibles. Ceci est défini par opposition aux tactiques visant à généraliser, à interpréter ou, par exemple, à juger certains comportements de l'adversaire comme étant « typiques » d'un trait plus général de sa personnalité. Le combattant obtient un « plus » si ses attaques et ses contre-attaques se limitent à des comportements concrets de l'adversaire et un « moins » s'il « analyse » les actions de son adversaire en les incluant dans une catégorie ou un modèle plus vaste.

Le processus de pointage vise à déterminer dans quelle mesure une querelle particulière ou une série de querelles ont influé sur l'attitude mutuelle des conjoints; dans quelle mesure le combat s'est avéré constructif ou destructif. C'est pourquoi nous informons nos participants qu'ils ont le choix entre quatre méthodes de pointage. Ils peuvent (1) chacun de leur côté marquer les points de leur adversaire avant de les comparer; (2) s'attribuer ensemble leurs points; (3) demander à un observateur assez expérimenté de marquer leurs points; (4) travailler de concert avec un observateur expérimenté.

Douze effets d'un combat et comment les évaluer

Après avoir évalué le combat en fonction des critères précédemment mentionnés (de rapprochement et d'aliénation), nous cherchons à dresser le profil des effets du combat. Le but de ce second profil n'est pas seulement d'évaluer le niveau du combat, mais aussi de vérifier ses répercussions sur les participants. Il vise à mesurer les changements qu'a entraînés le combat, ceux-ci étant répartis en douze catégories. À l'instar du profil des éléments du combat, cette deuxième feuille de pointage sert à établir une courbe indiquant les aspects de l'intimité qui ont été influencés d'une manière positive; ceux qui l'ont été d'une manière négative et aliénante; et ceux qui sont restés inchangés au cours de l'échange agressif.

On trouvera, dans les pages qui suivent, le profil des effets du combat. On l'utilise de la même façon que le précédent.

Lorsque l'opinion des combattants quant à certaines catégories est divergente, on utilise des traits pointillés pour marquer cette différence.

Voici la signification des douze catégories qui forment le profil des effets du combat :

1. Souffrance. Ce critère vise à mesurer la souffrance infligée à un combattant par son partenaire, soit par un geste hostile, soit par son absence de réaction. On indique « souffrance réduite » lorsqu'un combattant souffre moins après le combat qu'avant et « souffrance accrue » s'il souffre davantage, s'il se sent offensé, amoindri ou humilié après le combat.

2. Information. Sous cette désignation, on évalue l'information obtenue par le combattant. Sait-il davantage où il en est avec son partenaire ou a-t-il appris du nouveau sur ce qui lui plaît ou le rebute. On indique « information nouvelle » si un combattant a obtenu de nouveaux renseignements significatifs; et « ancienne » (déjà connu) s'il n'a rien appris qu'il ne sût déjà.

3. Position. Sous ce titre, on évalue dans quelle mesure un combattant croit que le combat a pu aider à résoudre le conflit. On indique « progrès » s'il a permis de situer le conflit dans une optique nouvelle, plus claire et plus encourageante; et « recul » lorsque la situation s'est détériorée, que les données du conflit sont moins évidentes et ses chances d'être résolu, moindres.

4. Influence. Sous cette rubrique, on détermine l'influence ou le pouvoir que le combattant exerce sur le comportement de son partenaire à la suite du conflit qui les oppose. On indique « accrue » si le combattant a acquis une influence plus efficace et « réduite » s'il a perdu une partie de son influence au cours du combat.

5. Peur. Sous cette désignation, on indique comment le combat a influé sur la peur du combattant face à la situation conflictuelle ou simplement sur sa peur de son partenaire. On indique « réduite » si le combattant a moins peur et qu'il ne sent plus le besoin d'être sur ses gardes, et « accrue » s'il a une peur plus grande et qu'il se tient davantage sur ses gardes.

162

6. Confiance. Ce titre sert à mesurer l'évolution de la confiance des combattants face à leur partenaire. On indique «accrue» (partenaire digne de confiance) lorsqu'un combattant a senti qu'il pouvait discuter en toute bonne foi avec son partenaire, qu'il pouvait manifester de la bonne volonté et de la considération; et «réduite» (partenaire indigne de confiance) lorsqu'à la suite du combat, le combattant se montre plus prudent, plus méfiant, qu'il ne comprend pas ou ne respecte pas ses intérêts et ses points sensibles.

7. Revanche. Cette catégorie se rapporte aux sentiments de vengeance ou d'animosité des combattants. On inscrit «oubliée» si le combat n'a pas provoqué ni favorisé l'éclosion de sentiments vindicatifs et si les souffrances sont oubliées et pardonnées; et «stimulée» si le combattant qui nourrit des sentiments vindicatifs est alors plus porté à chercher dans l'avenir des occasions de se venger.

8. Réparation. Sous cette désignation, on évalue tout geste visant à réparer des blessures ou à inciter l'autre à oublier, ainsi que toute excuse. On indique «active» lorsque le combattant s'emploie à réparer les dommages qu'il a faits ou qu'il accueille favorablement les tentatives de réparation de l'autre de façon à le déculpabiliser; et «aucune» s'il ne fait aucun effort pour favoriser la réconciliation ou pour réparer ses torts, s'il bloque les tentatives de réconciliation de son partenaire ou s'il refuse de le déculpabiliser.

9. Impact. On enregistre sous ce titre toute modification de la place occupée par le combattant dans le coeur et dans la vie privée de son partenaire. On indique «plus» si le combattant sent, après le combat, qu'il compte davantage aux yeux de l'autre et qu'il occupe une place plus importante dans son coeur; et «moins» s'il a l'impression qu'il compte moins pour l'autre et occupe une place plus marginale dans son coeur.

10. Estime de soi (autonomie). Sous ce critère, on mesure toute modification du sentiment du combattant quant à sa valeur personnelle, à l'estime qu'il se porte; on détermine s'il se sent coupable ou au contraire sûr de lui après le combat. On indique «accrue» si le combattant a l'impression de s'être bien querellé, s'il s'estime davantage et accepte son rôle dans le combat; et

PROFIL DES ÉLÉMENTS DU COMBAT

Premier round du combat loyal entre Bernadette Duval et Gérald Labonté

	1	2	3	4	5	6	7	8	9
	RÉALISME	INJURES	IMPLICATION	RESPONSABILITÉ	HUMOUR	EXPRESSION	COMMUNICATION	APPROCHE	SPÉCIFICITÉ
+	Authentique	Loyales, coups francs	Active, réciproque	Endossée	Joyeux, soulagement	Ouverte	Claire, réciproque	Directe	Concrète, précise
0									
−	Imaginaire	Déloyales, coups bas	Passive ou unidirectionnelle	Anonyme ou groupe	Sarcasmes, pitreries	Retenue ou camouflée	Statique, sens unique	Diffuse	Abstraite, générale

Les points (+) du profil représentent les comportements agressifs loyaux (ou « de rapprochement »).

Les points négatifs (—) représentent les comportements agressifs déloyaux (ou « aliénants »).

Les points situés au niveau zéro (0) représentent les comportements neutres, non appropriés ou intangibles.

On établit son profil en reliant d'un trait les neuf dimensions au niveau approprié (+ ou — ou 0). Lorsque la majeure partie du trait se trouve au-dessus du niveau « 0 », les comportements « de rapprochement » ont dominé au cours du combat. Lorsqu'elle se trouve au-dessous du niveau « 0 », les comportements aliénants ont dominé au cours du combat.

« réduite » s'il s'en veut de la façon dont il s'est comporté pendant le combat.

11. Catharsis. Sous cette rubrique, on indique dans quelle mesure le combattant sort du combat « lavé » ou « purifié » parce qu'il a libéré ses tensions agressives. On inscrit « soulagé » s'il a diminué sa réserve d'agressivité et s'il se sent moins tendu; et « inhibé » si le combat a augmenté sa frustration et ses tensions et l'a davantage frustré.

12. Cohésion-affection. Dans cette colonne, on indique en quoi le combat a modifié la « distance optimale » nécessaire au combattant, soit le degré de proximité avec son conjoint qui lui convient davantage. On indique « plus proche » si le combattant se sent plus uni et plus proche de son partenaire, et « plus distant » s'il se sent moins uni.

Comment employer ce système de pointage

Nous sommes maintenant en mesure de montrer comment les couples qui suivent la formation au combat loyal emploient le système de pointage et les tableaux. Nous commencerons par enregistrer le premier round d'un combat loyal entre Gérald Duval et Bernadette Labonté. Mariés depuis quatre ans, ils forment un couple agréable, d'élocution facile. Gérald a trente-deux ans, Bernadette trente ans, et ils ont un enfant de trois ans. Gérald est associé dans une entreprise en électronique, petite mais prospère. Bernadette est adjointe administrative à l'hôtel de ville. Au moment de ce premier round, ils avaient déjà participé à deux de nos groupes marathons. Ils avaient déjà eu l'occasion d'observer d'autres couples mettre en acte leurs problèmes dans des groupes de psychodrame.

Ils se préparent maintenant à engager un combat à notre Institut :

Dr Bach : Qu'est-ce qui ne va pas ? Je vois que vous ne vous entendez plus. Vous n'êtes plus satisfaits de votre relation depuis un certain temps. Je veux que vous vous affrontiez directement avec vos différences, sans retenue. Bien sûr, notre but ici est de trouver le chemin de l'entente. Mais il faut commencer par les différends.

Gérald : Elle n'arrête pas de se plaindre.

Dr Bach : Je vous en prie, adressez-vous directement à votre femme.

Bernadette : Oh, cela ne sera pas nécessaire. Il me dit beaucoup trop souvent que je suis une commère.

Dr Bach : Je vous crois, mais ni l'un ni l'autre n'avez tiré de leçon de ces discussions répétées. Je veux voir comment vous pouvez apprendre à vous quereller de façon constructive. Alors, adressez-vous l'un à l'autre et ne vous plaignez pas à moi. Même si vous ne vous dites rien de nouveau, cela est nouveau pour moi et le fait d'exprimer vos différends en ma présence est une expérience nouvelle pour vous. Maintenant, répétez votre grief à votre femme.

Gérald : Chérie, tu te plains trop. Je suis fatigué de cela.

Bernadette : Si je rouspète, ça doit être pour une bonne raison.

Gérald : Je me fous que tu aies ou non une bonne raison de te plaindre. Je ne veux tout simplement plus t'entendre. Et puis, je ne pense pas que tu aies vraiment une bonne raison d'être toujours fâchée.

Bernadette : Tu es en colère et tu me critiques, mais je l'accepte parce que cela fait partie de toi, même si je n'aime pas cela.

Gérald : C'est différent. Mes critiques sont positives. Elles ne sont certainement pas irrationnelles.

Bernadette (s'échauffant) : Et les miennes sont idiotes peut-être ? Es-tu en train de me dire que tes critiques sont constructives tandis que les miennes sont irrationnelles, qu'il s'agit de « chialages » intolérables ? Quel vaurien pompeux tu fais ! C'est trop drôle ! (Elle rit de lui.)

Gérald (avec fermeté) : Je ne trouve pas cela drôle. Soyons réalistes, tu veux ? Est-ce que mes critiques t'empêchent de faire ce qui t'intéresse ? Je crois que non.

Bernadette (exaspérée) : Tu poses des questions et tu y réponds toi-même, comment pouvons-nous arriver à quelque chose ? Vous voyez, Docteur Bach, il rend toute communication impossible.

Dr Bach : Oui, je vois que vous éprouvez certaines difficultés, mais laissez-moi hors de votre discussion pendant un moment.

Essayez de communiquer directement, même si vous trouvez cela ardu. Vous devez établir un contact direct entre vous !

Gérald : D'accord. Je crois que j'avais raison : mes critiques ne t'empêchent pas d'en faire à ta tête même si tes récriminations me dérangent sérieusement dans mon travail ! Et j'en ai assez !

Bernadette (en colère) : Je ne t'ai jamais dérangé dans ton travail ! Je sais qu'il est très important pour toi, qu'il te cause des soucis, et que tu es très ambitieux. J'accepte tout cela. Je t'aime comme cela et je suis fière de ton travail et de ton ambition. Alors, comment peux-tu dire une chose aussi stupide ? Je t'encourage de mon mieux, idiot ! Je t'aime !

Gérald (suffisant) : Je sais que tu m'aimes, mais tu le montres d'une façon assommante.

Bernadette : Tu veux dire que je t'empêche de te ridiculiser... comme, par exemple, avec Charles ?

Dr Bach : Qui est Charles ?

Bernadette : Charles est l'associé de mon mari.

Gérald : C'est l'associé principal et nous nous entendons très bien.

Bernadette : Oui, tant que tu lui lèches le cul. Tu essaies toujours de te faire bien voir de tes supérieurs. Tu es une sorte de flagorneur. Oui c'est ce que tu es, un flagorneur.

Gérald : Fla-quoi ? Je vois que tu as trouvé une nouvelle étiquette pour moi.

Bernadette : Oui, un flagorneur, un lèche-cul.

Gérald (riant) : Que c'est drôle ! Pourquoi dis-tu que je lèche le cul de Charles ?

Bernadette : Tu lui fais croire qu'il est un génie et que ses moindres paroles valent de l'or.

Gérald : Eh bien, c'est un fait, la plupart du temps. Charles a plus souvent raison que tort et il a été très bon pour moi et pour toi aussi. Tu sembles oublier que c'est grâce à lui que nous nous sommes connus puisque nous travaillions tous deux dans son organisation.

Bernadette : Ne fais pas l'imbécile. Bien sûr que je me souviens. Je me souviens aussi que ton mariage avec moi t'a rapproché de Charles qui a fait de toi son associé à part entière. Tu vois, j'ai été très utile à ta carrière.

Gérald : Oui, tu étais très complaisante et tu nous as aidés, Charles et moi, à nous entendre. Mais dernièrement tu t'es retournée contre Charles. Qu'attends-tu de lui ? Il ne te doit rien. C'est plutôt toi qui es son obligée. Tu sembles oublier quelle aide précieuse il t'a apportée avant que j'entre à la compagnie.

Bernardette : Je l'ai aidé moi aussi. Je me suis tuée à l'ouvrage pour lui. De toute façon, c'est du passé ; je ne travaille plus pour la compagnie. Je ne dois rien à Charles ni à son organisation.

Gérald : Que tu es ingrate ! (En colère.) Tu étais une nullité à moitié alcoolique et divorcée avant qu'il ne t'engage. Il t'a montré à travailler, t'a donné de l'avancement et t'a aidée à te désintoxiquer.

Bernadette : Charles m'a fourni un milieu sain et il m'a donné une chance, je le reconnais. Mais rappelle-toi ceci, jeune homme (très en colère) : j'en ai profité ! J'étais fatiguée de mes déceptions antérieures et j'y ai mis du mien ! (Criant.) Et j'ai gravi les échelons au sein de l'organisation à la sueur de mon front ! Tu remets sans cesse cela sur le tapis : comment Charles (en se moquant) a changé Cendrillon en princesse, en parlant de moi. Cela me met hors de moi. Tu as bien raison : je m'en plaindrai jusqu'à la semaine des quatre jeudis. Pourquoi reviens-tu toujours sur mon passé ? Est-ce que tu veux tourner le fer dans la plaie ou quoi ?

Gérald (troublé et rouge, se lève et fait quelques pas) : Oui, c'est un fait ; à force de parler tout le temps contre Charles, tu rends mon travail avec lui très difficile. Il est bon que tu te souviennes de l'appui qu'il t'a donné lorsque tu étais dans une mauvaise passe.

Bernadette (encore très bouleversée) : Tu veux rire ? Je ne nie pas le fait que Charles m'ait aidée. Mais combien de temps encore devrai-je m'humilier devant lui ? Je ne lui dois rien à l'heure actuelle. Il t'aime bien, d'accord. Il se sert de toi. Mais il ne fait plus du tout attention à moi. En fait, il se comporte même d'une façon un peu insultante envers moi. Lorsque nous lui avons rendu visite chez lui dimanche dernier, ce fut encore la même vieille rengaine : il est content de te voir, mais il peut à peine me sentir ! Cela me paralyse. Je ne me sens pas libre de m'exprimer dans une atmosphère aussi peu accueillante. Pourquoi devrais-je me montrer aimable ?

Gérald : Pourquoi te tracasses-tu à propos de Charles ? Tu t'occupes trop des autres. Que diable veux-tu qu'il fasse ? Pourquoi devrait-il s'intéresser à toi ? Pourquoi recherches-tu son approbation ? Rends-toi à l'évidence, ce n'est pas toi qui compte à ses yeux mais moi. C'est moi qui veille aux bonnes relations publiques de sa compagnie et non toi. En réalité, tu ternis notre image de marque avec ton attitude hostile à l'égard de Charles. C'est si stupide de ta part ! Après tout, il est important pour nous. As-tu oublié que nous lui devons notre nouvelle voiture ?

Bernadette : Une chance que j'ai moi-même choisi la marque. Si je t'avais laissé faire, tu aurais acheté la même marque que Charles !

Gérald (sarcastique) : J'adore le bifteck, Charles aussi. Je le mange bien cuit pour la seule raison que Charles le mange bien cuit aussi. N'est-ce pas ce que tu essaies de me dire ? C'est trop ridicule !

À bout d'arguments, le couple se tut. Le premier round de ce combat venait de se terminer. Comme les premiers rounds de la plupart des combats conjugaux, il n'avait abouti à rien. Le couple sentait qu'il avait suffisament éclairci l'objet de la querelle pour ce premier round dont le but est de permettre aux deux conjoints de tâter le terrain et de mesurer leur ouverture d'esprit mutuelle face à toute modification de leurs positions respectives.

Habituellement, chaque conjoint tend à être plus pessimiste qu'optimiste à propos de ses chances de convaincre l'autre. Ce pessimisme s'intensifie parfois au point de se changer en pénible sentiment de désespoir de jamais voir les choses changer. Désespoir renforcé par la croyance erronée et répandue qu'on ne doit pas essayer de changer son conjoint; que l'intimité est synonyme d'acceptation inconditionnelle de l'autre; et que de toute façon, la nature humaine étant résistante au changement, mieux vaut l'accepter comme elle est ! Les conjoints combattants se trouvent alors enfermés dans un absurde dilemme dont ils ne peuvent sortir sans aide extérieure. C'est pourquoi nombre de combats avortent en cours de route malgré les pauses entre les rounds. Les combattants font face au pénible paradoxe suivant : s'ils acceptent le statu quo, tous deux sont malheureux, mais s'ils exigent des changements de l'autre, c'est qu'ils ne s'acceptent pas ou qu'ils ne s'aiment pas !

Une des premières étapes de l'entraînement à la dispute constructive consiste à sortir le couple de ce piège en élevant le désir de changement au rang de vertu humaine et en reléguant la notion « d'acceptation inconditionnelle » aux oubliettes des stéréotypes romantiques et irréalistes.

Revenons au premier round du combat loyal de Gérald et Bernadette afin d'en juger les aspects positifs. Ce couple poursuivra sa formation au combat loyal afin d'améliorer son style en vue du prochain round.

Exemple de profil des éléments du combat

Le couple a évalué lui-même son combat avec l'aide d'un conseiller. On trouvera aux pages suivantes le tableau du profil des éléments de leur combat. Voici comment nous avons procédé pour chacun des éléments.

1. Nous avons attribué « plus deux » à la dimension « réalisme ». Gérald sentait que son grief à propos de Bernadette était fondé et sensé parce qu'en se plaignant sans cesse de Charles, son associé principal, elle nuisait à son travail. Bernadette croyait avoir exprimé un argument réel pour sa défense. Les deux conjoints avaient l'impression d'avoir exprimé de façon réaliste plutôt qu'imaginaire leurs différences. Cela concordait avec l'opinion du conseiller : l'objet de la querelle était réel, aucun des deux conjoints ne jouait un jeu.

2. La dimension « loyauté » obtint « moins un ». Gérald jugeait que le round avait été loyal. Sa femme n'était pas de cet avis. Il avait employé des tactiques déloyales en faisant allusion à ses échecs passés. Surtout parce qu'elle avait elle-même résolu ses problèmes, ce qu'il ne semblait pas reconnaître. Il attribuait plutôt à Charles la croissance personnelle de sa femme, ce qu'elle trouvait injuste.

3. À l'article « implication », ils s'attribuèrent « plus deux ». Aucun des conjoints ne s'était montré passif ou fuyant. Tous deux avaient pris une part active à la dispute.

4. On attribua aussi « plus deux » au chapitre de la « responsabilité ». Les deux conjoints ont admis leur grief, l'ont exposé

ouvertement et ont endossé la responsabilité de la dispute. Ils n'ont pas impliqué d'hommes de paille ou d'étrangers dans leur querelle. Ils n'ont même pas demandé au conseiller de les appuyer. Leur comportement était exceptionnel chez un couple peu entraîné à l'art du combat loyal.

5. La catégorie « humour » reçut « moins deux », chaque conjoint ayant ridiculisé l'autre et s'étant moqué de lui. Tous deux ont démontré un humour sarcastique et pénible qui a contribué à augmenter plutôt qu'à réduire la tension entre eux.

6. Au chapitre de « l'expression », on attribua « plus deux », chaque conjoint s'étant exprimé assez ouvertement. Aucun des deux n'a eu conscience de cacher un sentiment pour créer une impression sur l'autre ou pour le manipuler.

7. La catégorie de la « communication » reçut elle aussi « plus deux ». Les deux conjoints se sont exprimés directement et clairement; ils ont compris le message de l'autre même lorsqu'ils n'étaient pas d'accord. Le conseiller avait l'impression qu'ils n'avaient pas compris tous les sentiments que cachaient leurs paroles, mais on ne peut s'attendre d'un couple qui en est à son premier round de tout comprendre du premier coup.

8. On attribua « moins deux » à la catégorie « approche ». En effet, même si les deux conjoints se sont exprimés librement, ils n'ont envisagé aucune solution de rechange directement. Tous deux se sont arrêtés à des problèmes du passé plutôt qu'a ceux de l'ici-et-maintenant. Ils avaient aussi tendance à attaquer ou à défendre Charles, à se quereller à son propos. Ils ont critiqué ou louangé sa façon de les traiter. Ils ne se sont pas demandé de quelle façon Charles influait sur leur attitude l'un envers l'autre ni de quelle façon tous deux se servaient de Charles pour se quereller. Ils n'avaient jamais abordé de front la question cruciale de la loyauté.

9. Au chapitre de la « spécificité », les deux conjoints méritèrent « moins deux ». Aucun n'a indiqué avec précision ce qui les attirait ou les rebutait chez l'autre. Tous deux ont démontré une tendance à se poser mutuellement des étiquettes. En fait, lorsque nous discutâmes de ce premier round, ils avouèrent ouvertement qu'ils avaient généralisé certaines actions de leur conjoint qu'ils avaient trouvées désagréables pour en faire des traits de caractère généraux. C'est ainsi que Gérald proclama que Ber-

PROFIL DES EFFETS DU COMBAT

	+	0	–
1 SOUFFRANCE	Réduite		Accrue
2 INFORMATION	Nouvelle		Ancienne
3 POSITIONS	Progrès		Recul
4 INFLUENCE	Accrue		Réduite
5 PEUR	Réduite		Accrue
6 CONFIANCE	Accrue		Réduite
7 REVANCHE	Oubliée		Stimulée
8 RÉPARATION	Active		Aucune
9 IMPACT	Plus		Moins
10 ESTIME DE SOI	Accrue		Réduite
11 CATHARSIS	Soulagé		Inhibé
12 COHÉSION-AFFECTION	–	0	+
	Plus proche		Plus distant

nadette était plaignarde parce qu'elle rouspétait à propos de l'interférence supposée de Charles dans leur mariage. Quant à Bernadette, elle interpréta comme de la flagornerie l'admiration que Gérald portait à son associé. De plus, le mari exagérait lorsqu'il déclara à sa femme qu'elle se préoccupait trop de l'opinion des autres parce qu'elle était sensible à leur approbation.

En tout, Gérald et Bernadette recueillirent onze points positifs (rapprochement) et neuf points négatifs (aliénants). Il s'agit là d'un bon pointage qui reflète déjà la formation qu'ils avaient reçue auparavant, aussi brève soit-elle. Les deux conjoints toutefois ont encore beaucoup à faire, surtout au chapitre de la « pertinence » et de la « spécificité ». Ils ont encore beaucoup à apprendre sur le combat loyal, sur les coups francs et les coups bas.

Comme beaucoup de conjoints qui s'aiment profondément, Gérald et Bernadette ne connaissaient pas vraiment leur pouvoir de blesser. Parce qu'ils s'aiment et se le disent, ils croient que tout ce qu'ils se disent l'un à l'autre est automatiquement bien intentionné et loyal. En fait, comme nous avons pu le constater, aucun d'eux n'était insensible aux coups bas. Gérald insista sur le passé de sa femme tandis que celle-ci attaquait l'attachement évident de son mari pour Charles. De surcroît, leur humour n'était pas très drôle.

Exemple de profil des effets du combat

La réussite d'un combat se mesure aussi à ses effets subséquents, qui, dans le cas de Bernadette et Gérald, comme nous le découvrîmes quarante-huit heures après leur échange, n'étaient pas si bons. On trouvera le profil des effets de leur combat aux pages suivantes.

Il indique que tous deux avaient enregistré des effets négatifs dans quatre catégories (souffrance, information, position et impact); et des effets positifs dans trois catégories (peur, estime de soi et catharsis). Le couple avait enregistré des effets neutres dans trois domaines (revanche, réparation, cohésion) et des effets différents dans deux dimensions : confiance et influence. Comme nous attribuons « moins un » aux effets partagés, nous avons obtenu un total de sept points négatifs contre trois positifs.

Voici comment furent répartis ces points pour chaque catégorie :

1. Les deux conjoints se sont entendus pour s'attribuer « moins deux » sous la rubrique « souffrance ». Tant l'homme (H) que la femme (F) se sont sentis diminués psychologiquement, le premier lorsque sa femme l'a traité de « flagorneur », la seconde, lorsque son mari l'a accusée de « trop s'occuper des autres » et l'a appelée « nullité à moitié alcoolique », etc. Ils se sont sentis blessés par le manque de respect qu'ils éprouvaient mutuellement à l'égard des angoisses de l'autre quant au rôle que Charles, la tierce personne de ce combat, jouait dans leur mariage assez jeune. À partir de la troisième année de mariage, les nouveaux couples ne peuvent demeurer entièrement autosuffisants. Ils ont besoin de sortir un peu du cadre de leur couple et de se créer un environnement affectif et intellectuel stimulant pour leur nouvelle famille. Dans le cas de Bernadette et Gérald, la question est manifestement de savoir quel degré d'influence doit être laissé à Charles qui a joué antérieurement un rôle crucial dans leur rencontre. Gérald est encore très attaché à Charles; il est proche de lui et en dépend financièrement; cela le blesse de voir que sa femme critique les liens qui l'attachent à son associé. C'est pourquoi il tente, par la manipulation, de lui faire partager son admiration pour Charles en attaquant sa femme à ce niveau. Ce qui la blesse et l'incite à réagir à l'opposé de ce que son mari attend d'elle. Maintenant plus que jamais, Bernadette est déterminée à briser les liens émotifs qui les relient (elle et son mari) à Charles. Le manque de respect de son mari pour son désir de s'affirmer la blesse, de même que sa volonté de la rabaisser pour défendre les sentiments qu'il porte à Charles. Ce n'est pas sans raisons que l'élément « souffrance » de ce combat est si fort.

2. Gérald et Bernadette furent d'accord pour s'attribuer « moins deux » sous la désignation « information » parce qu'ils n'ont apporté aucune donnée vraiment neuve au problème. Bernadette fut quelque peu choquée de voir que son mari non seulement la voyait sous un jour défavorable mais encore qu'il menaçait de la traiter de la façon condescendante qui était celle de Charles envers elle.

3. En ce qui touche la « position », le couple n'eut pas de difficulté à s'entendre pour enregistrer « moins deux ». Leur situation leur semblait plus obscure après le combat qu'avant. Ils se sentaient encore plus confus et même ébahis parce qu'ils ne savaient pas davantage comment intégrer Charles à leur intimité. Ils se sont mis à penser tout bas. Bernadette se demande si son mari souhaite qu'elle devienne plus indépendante, lui qui l'accuse toujours de faire trop de cas des autres. Eh bien, elle se passera de Charles ! Pourquoi veut-il qu'elle se montre gentille avec lui ? Gérald est un peu étonné, lui aussi. « Elle comprend certainement combien il est important pour ma carrière, et nous nous entendions bien tous les trois. Elle se comporte comme si elle se trouvait en dehors de tout cela. Comment est-ce possible ? » se demande-t-il.

4. Dans la catégorie « influence », Gérald et Bernadette ne purent s'entendre sur les points à marquer, aussi leur avons-nous attribué « moins un ». Bernadette voulait s'attribuer des points positifs parce qu'elle avait l'impression d'avoir affermi son pouvoir. Elle avait senti qu'elle avait forcé le respect de son mari en lui tenant tête. Elle croyait avoir atteint une plus grande maîtrise d'elle-même en affirmant ses sentiments pour se défendre contre les coups bas de son mari. Elle avait tenu son bout et ne s'était pas laissée intimider par les allusions de Gérald à ses points faibles ou par ses accusations à propos de ses erreurs passées. Elle avait aussi laissé entendre à son mari qu'il ne pouvait lui imposer un changement d'attitude à l'endroit de Charles et maîtriser son dégoût réel pour les manières froides et explosives de Charles avec les gens, et avec elle en particulier. Son mari, au contraire, avait senti qu'il avait perdu un peu de son pouvoir considérable habituel sur sa femme, spécialement lorsqu'elle avait refusé de confirmer le rôle stimulant et bienveillant de Charles à son égard dans le passé. Cette perte d'influence l'ennuyait et le peinait considérablement.

5. Au chapitre de la « peur », Gérald et Bernadette n'hésitèrent pas à s'attribuer « plus deux ». Ils s'étaient montré leurs crocs et avaient survécu. Tous deux avaient exprimé leurs différences ouvertement sans perte d'intimité. Quelle que soit la peur qu'ils aient eue avant le combat à l'idée de mettre sur le tapis le problème délicat du rôle de Charles, ce premier round

l'avait diminuée. Ce qui leur prouva qu'ils pouvaient négocier le problème de Charles et qu'ils n'avaient pas besoin de le dissimuler derrière une discrétion et un faux tact.

6. Sous la rubrique « confiance », Charles et Bernadette obtinrent « moins un » pour leur vote divisé. Il n'avait senti aucun changement. Elle avait senti une baisse. Elle se sentait forcée à une plus grande méfiance, son mari ayant « mis en cartouchière » ses fautes passées. Elle lui avait tout avoué au début de leur relation et Gérald s'était montré très compréhensif. Maintenant il semblait croire que la période de leurs fréquentations avait eu des relents thérapeutiques. Il lui avait confié le rôle de « patient » psychiatrique. En réalité, il la soupçonnait d'avoir voulu lui dire : « Chéri, regarde comme je vais grandir si tu m'épouses. » Il semble que dans ces conditions, il avait été tout pour elle. Il était même fier d'elle. Maintenant elle s'interroge sur la sagesse de lui dévoiler aussi complètement ses sentiments profonds dans l'avenir.

7. Au chapitre de la « revanche », le couple s'entendit pour s'attribuer un zéro. Ni l'un ni l'autre ne sentait, dans ce premier round, qu'il y avait quelque chose à pardonner ou motif à rancune.

8. Le couple s'attribua aussi « zéro » à « réparation ». Aucun des conjoints ne sentait le désir d'offrir des excuses ou d'en recevoir.

9. Sous la rubrique « impact », Gérald et Bernadette s'attribuèrent « moins deux ». Les conjoints occupent moins une place centrale dans le coeur de l'autre mais une place périphérique. C'est ce que les deux conjoints ont ressenti après leur premier round. Ils ont senti une certaine dépression, une perte d'importance. Ils furent forcés de conclure que Charles occupait une place importante dans le coeur de chacun d'eux. Cela indique qu'une relation avec un tiers peut à un certain moment devenir aussi importante, sinon plus, que la relation intime du couple. Il est clair que, dans ce cas, Gérald ne se soucie pas exclusivement du bien-être de sa femme, mais il pense aussi à Charles et à lui-même. Le fait même que son mari craigne tellement de la voir détruire l'importante relation émotive et économique qu'il a établie avec Charles lui prouve que l'importance qu'elle a à ses yeux est soumise à certaines

conditions, soit la façon créatrice dont elle peut établir des relations avec un tiers.

10. En ce qui regarde «l'autonomie», le couple s'attribua «plus deux». Tous deux s'étaient sentis quelque peu valorisés dans ce combat. Ils avaient l'impression d'avoir été raisonnables, de s'être justifiés et d'avoir manifesté une saine agressivité. Ils ne se sentaient pas coupables, pas plus qu'ils n'éprouvaient le besoin de se faire des reproches. Leur estime de soi accrue était en partie liée à leur aptitude à s'affronter. Ils ne connaissaient pas la soumission, la collusion ni l'accommodation.

11. Dans la catégorie «catharsis», le couple s'entendit très vite pour s'attribuer «plus deux». Les deux conjoints s'étaient fortement impliqués émotivement dans le combat. Les deux s'étaient échauffés et avaient explosé d'une rage authentique. Résultat: ils se sentaient mieux. Ils s'étaient libérés des frustrations qu'ils éprouvaient depuis longtemps à l'égard de Charles. Au point qu'il purent blaguer à ce propos et en rire pendant le trajet de retour à la maison. Ils se couchèrent tard et firent l'amour. Ils savaient que le problème n'était pas vraiment réglé. Le bien-être qu'ils ressentaient à propos du processus de combat lui-même, en dépit de son contenu plutôt destructeur, était dû au style plutôt constructif dans lequel il s'était déroulé.

12. Il était évident que le couple allait mériter un zéro au chapitre de la «cohésion-affection». Les deux conjoints étant déjà très proches et n'ayant pas de difficulté à communiquer, ce round n'avait pas modifié sensiblement leur degré d'intimité. Tous deux ont absorbé les «coups» sans s'éloigner l'un de l'autre et sans ressentir le besoin de se réconcilier.

Nous pouvons maintenant nous faire une idée assez juste des éléments destructifs et constructifs du combat de Gérald et de Bernadette. Le couple a enregistré onze points positifs (rapprochement) et sept points négatifs (aliénation) sur son profil des éléments du combat et trois points positifs et sept points négatifs sur son profil des effets du combat. Néanmoins, c'est là un résultat plutôt respectable pour des débutants parce qu'un bon style de combat peut compenser à un degré surprenant les mauvais effets ultérieurs du combat.

Cela est possible grâce à la propension des conjoints d'oublier presque tout le contenu malveillant du combat alors qu'ils se rappellent toujours les procédés cruels, pénibles ou déloyaux de leur adversaire. Ce qui confirme le vieux dicton : *Ce n'est pas ce que vous dites qui importe mais la façon dont vous le dites.*

Comment employer les résultats des profils

C'est pourquoi nous insistons davantage, au cours de nos séances d'entraînement au combat, sur le style du combat. Par chance, combattre en douceur est un art qui s'enseigne comme ont pu le constater Gérald et Bernadette.

Après avoir discuté des effets de leur premier round avec leur conseiller et quatre autres couples qui participaient au séminaire de formation au combat loyal, on demanda à Bernadette et Gérald de participer à d'autres séances pour couples. Auparavant, on les invita à venir voir leur premier round qu'on avait enregistré sur bande vidéo. Un adjoint leur donna les conseils suivants :

« Observez attentivement la façon dont vous vous adressez l'un à l'autre. Essayez de saisir le processus de communication entre vous. Essayez d'avoir une idée de la façon dont vous discutez l'un avec l'autre. Ne prêtez pas attention, dans la mesure du possible, au contenu de la querelle. C'est la manière dont vous combattez, plus que le sujet de la querelle qui doit retenir votre attention. Arrêtez la bande chaque fois que l'un de vous ressent le besoin de discuter d'un élément du combat avec l'autre. Après la séance, vous serez en mesure de découvrir avec le Dr Bach de meilleures façons de combattre pour le prochain round. Vous pouvez prendre des notes si vous le désirez, mais surtout regardez et écoutez attentivement. »

Si nous insistons tant sur la nécessité de « regarder » et d'« écouter », c'est pour deux raisons. Tout d'abord, nous encourageons nos participants à observer les réactions de leur conjoint pendant qu'ils regardent la bande. Se voir, comme s'entendre se quereller avec son conjoint et pouvoir observer ses propres manières et ses émotions dans la chaleur de la discussion est une expérience des plus profitables. Nous recommandons à chaque couple de repasser sa querelle au moins une fois, lorsque sa colère

PROFIL DES EFFETS DU COMBAT

Premier round du combat loyal entre Bernadette Duval et Gérald Labonté

F. femme   H. homme   H.F. les deux partenaires

	+	0	−
1 SOUFFRANCE	Réduite		(H.F.) Accrue
2 INFORMATION	Nouvelle		(H.F.) Ancienne
3 POSITIONS	Progrès		(H.F.) Recul
4 INFLUENCE	Accrue (F.)		(H.) Réduite
5 PEUR	Réduite		Accrue
6 CONFIANCE	(H.F.) Accrue		(H.) Réduite
7 REVANCHE	(F.) Oubliée		Stimulée
8 RÉPARATION	(H.F.) Active		Aucune
9 IMPACT	(H.F.) Plus		Moins
10 ESTIME DE SOI	Accrue		(F.F.) Réduite
11 CATHARSIS	(H.F.) Soulagé (H.F.)		Inhibé

	−	0	+
12 COHÉSION-AFFECTION	Plus proche	(H.F.)	Plus distant

(Le trait pointillé indique l'opinion du partenaire de sexe féminin dans les catégories où elle diffère de celle du partenaire de sexe masculin.)

179

est tombée, afin de juger plus judicieusement son propre comportement.

Gérald et Bernadette viennent de regarder leur premier round :

Dr Bach : Êtes-vous d'accord pour dire que le premier round qui s'est déroulé la semaine dernière n'a pas eu d'effets très constructifs ?

Bernadette : Eh bien, Docteur, je ne sais pas ce qu'en disent vos tableaux et tout cela, mais je crois que ce combat nous a fait beaucoup de bien ! Nous n'avons pas arrêté d'en parler depuis.

Gérald : Oui, mais nous n'avons rien réglé du tout. Tu te plains encore de mes relations avec Charles et cela me dérange encore dans mon travail. Je ne vois vraiment pas ce que tu trouves de bon là-dedans !

Bernadette (s'adressant au docteur) : Ce que je veux dire, c'est qu'il (pointant un doigt accusateur en direction de son mari tout en regardant le Dr Bach) s'arrête habituellement bien avant.

Dr Bach : Bien avant quoi ?

Bernadette : Vous vous souvenez du moment où il s'est mis à faire le pitre ?

Dr Bach : Vous voulez dire lorsqu'il s'est mis à dire qu'il aimait les biftecks ?

Bernadette : Précisément. Il se met toujours à faire des blagues lorsque nous approchons trop près de la vérité. Puis il se retire avec une remarque sarcastique !

Dr Bach : Pourquoi vous en plaignez-vous à moi plutôt qu'à lui ?

Bernadette : Est-ce que je ne suis pas censée exprimer mes griefs ?

Dr Bach : Bien sûr, mais pas à moi ! C'est avec lui que vous vivez, pas avec moi ! Allez, adressez-vous directement l'un à l'autre et essayez de voir les parasites dans votre système de communication ou les stratégies défensives que vous employez l'un avec l'autre. Après les avoir découverts, entendez-vous pour les détruire et commencez à vous affronter, à endosser vos responsabilités, à partager vos sentiments positifs et négatifs. Cherchez ce qui dès maintenant vous attirera davantage l'un vers l'autre et vous rebutera de moins en moins !

Bernadette (s'adressant avec emportement à son mari) : Tes pitreries et tes sorties sarcastiques non seulement me rebutent, mais elles m'empoisonnent l'existence.

Gérald (calme) : C'est ce que je veux, ma chérie. C'est ma façon de te remettre à ta place lorsque tu t'entêtes à soutenir une idée ridicule et indéfendable.

Bernadette (avec dédain) : De quelle idée veux-tu parler ?

Gérald (supérieur) : Oh je t'en prie, ne me le demande pas ! Tu sais très bien ce que je veux dire.

Bernadette (pointant un doigt accusateur vers son mari) : Je t'ai eu ! (Se tournant vers le Dr Bach.) Il n'est pas censé deviner ce que je sais mais s'en assurer directement auprès de moi, n'est-ce pas ?

Dr Bach : Oui, mais il y a autre chose que vous devez prendre en considération aussi. Vous vous réjouissez trop de l'avoir pris « en flagrant délit ». Pourquoi ne lui dites-vous pas ce que vous ressentez maintenant ?

Bernadette (à son mari) : Cela me refroidit lorsque je vois que tu ne veux rien apprendre ici. Je sais ce que tu as en tête. Tu veux me faire passer pour folle.

Gérald (furieux) : Arrête, imbécile ! Lequel de nous deux devine ce que l'autre pense ? Non seulement tes présomptions sont fausses, mais tu me prêtes des motifs cachés ! Tu essaies de me dire ce que j'ai dans la tête. C'est peut-être toi qui te crois folle !

Bernadette : Ne sois pas ridicule ! C'est toi qui es fou.

(Tous deux se mettent à rire de leur prise de bec hors de propos. Un long silence suit.)

Dr Bach : Nous rions de quelque chose qui n'est pas vraiment drôle. Mais peut-être devriez-vous vous moquer l'un de l'autre encore plus fort. Cela vous aiderait peut-être à revenir au coeur du sujet. Vous êtes-vous déjà tourné l'un l'autre en ridicule ?

Le couple : Que voulez-vous dire ?

Dr Bach : Je veux dire que vous pourriez délibérément tourner en ridicule quelques-unes des façons que vous avez de communiquer ensemble. Prenez ses pitreries. (Se tournant vers la femme) : Avez-vous déjà mimé les pitreries de votre mari afin de lui montrer de quoi il a l'air à ces moments-là ?

Bernadette (stupéfaite) : Serait-ce bon pour son amour-propre ? Il serait si vexé qu'il pourrait m'étrangler. N'est-ce pas, chéri ?

Gérald (pensif) : Non, pas vraiment. Pas si je peux te rendre la pareille. J'ai souvent envie de te faire une bonne imitation de la façon dont tu m'apparais lorsque tu rouspètes.

Bernadette : Voilà ce dont tu as l'air lorsque tu te retires d'une discussion. (Elle mime son mari que se retire avec un air affecté.)

Gérald (grimaçant, quelque peu embarrassé) : Ça va, j'ai compris. Tu n'as pas besoin d'insister davantage.

Bernadette : Alors resteras-tu avec moi lorsque nous nous querellerons la prochaine fois ?

Gérald : Oui. Mais évitons de faire perdre du temps au Dr Bach. Allons travailler sur nous-mêmes. Voilà ce que je pense : je crains que tu n'arrêtes jamais d'interférer dans mon travail. Juste le fait d'y penser me rebute.

Bernadette : Il y a des fois où je pense que tu veux que je te rebute...

Gérald et Bernadette disputèrent quatre rounds supplémentaires. Ils devinrent de plus en plus familiers avec la gamme complète des règles du combat loyal et des exercices à faire à la maison. Depuis, ils ont assisté à deux rencontres à l'Institut. Une fois par année, nous louons un chalet pour les cinquante ou cent de nos participants qui désirent se mettre à jour dans leur progrès et régler leurs nouveaux problèmes. Aux dernières nouvelles, Bernadette et Gérald avait amélioré leur relation de couple à la suite de leur formation au combat loyal. Ils étaient sortis de l'impasse des premières années du mariage et avaient, pour la première fois, décidé quel mode de vie convenait à leur couple.

Gérald apprit qu'il devait faire preuve d'une plus grande autonomie vis-à-vis de Charles, son patron et ami, s'il voulait gagner le respect de sa femme. Lorsqu'il cessa de vouer un culte exagéré à Charles, sa femme put cesser de le harceler à ce sujet. Elle devint elle-même plus indépendante. Ces changements n'altérèrent pas la relation du couple avec Charles. Ce qui fut en grande partie imputable à l'amitié croissante qui existait entre Bernadette et la nouvelle femme que Charles épousa peu de temps après qu'ils eurent terminé leur formation au combat loyal. Les deux femmes suivent des cours du soir ensemble. Les deux couples s'entendent bien et savent garder leurs distances, chacun d'eux ayant une vie propre.

Gérald et Bernadette achetèrent une nouvelle maison et eurent un deuxième enfant. Ils ont beaucoup d'amis. À la maison, ils se querellent régulièrement, mais leurs disputes se situent à un niveau plus élevé. Ni l'un ni l'autre n'a trop de temps libre et chacun a des idées à revendre sur la façon de remplir ses heures de loisir, ce qui fait l'objet de la plupart de leurs disputes. Ils demandent souvent à des amis de les aider à trancher ces questions qui reviennent souvent sur le tapis. Le couple a remarqué qu'à quelques exceptions près, ils ne se blessent plus l'un l'autre lorsqu'ils discutent.

« Je n'ai plus peur de parler ouvertement à mon mari, de dire Bernadette, et il ne fait plus la sourde d'oreille. Alors, je ne lui cherche plus querelle. »

Chapitre 15

Les disputes pour des « riens »

Au cours d'un sondage d'opinion effectué il y a quelques années, on a posé à des couples la question suivante : quelle est la source de frictions la plus importante, la plus fréquente entre vous ? En tête de liste vinrent le budget et l'éducation des enfants. Cependant, immédiatement en troisième position, les enquêteurs recueillirent toute une série de récriminations portant sur des sujets apparemment très insignifiants. Les maris se plaignaient d'être trop souvent l'objet de critiques mesquines de la part de leurs femmes. Celles-ci reprochaient à leurs maris leur désordre ou leur laisser-aller.

Comme le remarquait un des maris : « Ma femme me houspille continuellement à propos de bêtises : de mes vêtements, du chien qu'il faut promener, que sais-je encore ? Cela fait des années que je ne l'écoute même plus. »

Ce mari, pacifiste-né, « décrochait » devant toute une série de problèmes qu'il préférait ignorer dans son mariage. Aussi étrange que cela puisse paraître, c'est également ce que font tous ces couples qui, quotidiennement, s'engagent dans des batailles épiques à propos de toasts brûlés, d'une clé de voiture égarée, de l'oubli d'une commission ou d'un retard à un rendez-vous.

Quatre raisons pour lesquelles on cesse d'écouter son conjoint

D'un point de vue psychologique, quatre raisons importantes peuvent rendre compte de cette amnésie :

1) Dans la chaleur de la dispute, les conjoints ne pensent plus de façon très claire; ils choisissent aussi parfois la politique de l'autruche.

2) Le souvenir est refoulé par la honte. Dans le calme qui suit la tempête, on se rend aisément compte du caractère disproportionné de la tension émotive éprouvée par rapport aux sujets, si insignifiants en apparence, qui en ont été l'origine. L'embarras éprouvé après un éclat peut être si profond que les partenaires se chercheront mutuellement des excuses. («Il était si furieux qu'il ne savait plus ce qu'il disait.») Ou bien, ils nieront le problème après coup. («Ce n'est pas ce que j'ai voulu dire.» «Ne fais pas attention; j'étais tellement en colère que je ne me rappelle même pas ce que j'ai bien pu raconter.»)

3) Un sujet de dispute banal peut jouer le rôle d'amorce. Il fait alors partie d'un plan de bataille plus vaste, dont l'auteur, cependant, n'est généralement pas conscient. Il servira par exemple de prétexte à une colère dont le but réel est de faire peur au conjoint, de vérifier jusqu'où il faut aller pour le faire sortir de ses gonds. Le plus souvent, les vétilles qui ont déclenché la dispute sont autant de signaux d'alarme qu'il faut savoir déchiffrer. Ainsi l'oubli d'une commission peut vouloir signifier au partenaire : «Tu as cessé de m'intéresser.» L'histoire d'un goût douteux, racontée en public, sera perçue par l'épouse comme délibérément humiliante pour elle.

Les personnes du type «victimes-nées» sont portées à exagérer fortement la portée de tels messages. Toujours à l'affût d'un incident banal, elles sont toujours prêtes à y voir l'indice de quelque noirceur profonde. Attendent-elles quelques minutes à un rendez-vous, elles diront qu'on leur manque d'égards en général. Un mari échange-t-il quelques mots avec une autre femme ? Son épouse verra là la confirmation de son infidélité.

4) L'objet même de la dispute est en effet tellement futile qu'il ne mérite pas qu'on s'en souvienne ! On serait bien trop em-

barrassé de reconnaître s'être mis dans de tels états «pour un rien».

Trois motifs pour se disputer si fort pour si peu

Pourquoi ces bagarres font-elles naître chez les couples une telle angoisse? Comment une histoire de pantalon oublié chez le teinturier peut-elle devenir une «affaire d'État»? Comment se fait-il que des étrangers, s'ils se disputent souvent avec violence (mortellement, parfois), ne le font jamais qu'à propos de choses importantes et non de banalités?

On peut avancer trois explications:

1) Les conjoints, eux, sont profondément concernés l'un par l'autre. Ils sont continuellement à la recherche d'indices les informant sur l'humeur de l'autre, sur son caractère. Tout comme des savants, ils cherchent à confronter avec la réalité des hypothèses concernant leur relation. Cette technique intuitive peut être constructive à condition d'en user avec modération, sans arrière-pensée. Ce qui n'est pas le cas des vindicatifs guetteurs et espions.

2) L'intensité des querelles éclatant à propos de vétilles s'explique souvent par une sorte d'accumulation sournoise de griefs que l'on a stockés comme des munitions plutôt que d'affronter ouvertement le problème. D'une façon générale, même la plus petite des déceptions est une goutte de plus dans le vase qui recueille les frustrations de la vie quotidienne. Dans le cas d'un couple, ce vase est souvent déjà plein. À la moindre tension, il ne demandera qu'à déborder. C'est pourquoi les prises de bec à propos de sujets futiles jouent le rôle de soupape de sûreté. En écartant trop souvent les «riens» comme ne valant pas une dispute, en sacrifiant trop à la paix du ménage, c'est une crise majeure que le couple risque de voir éclater, à propos d'une vétille peut-être, mais aussi bien à propos d'un problème important. Et la pression, dans ce cas, a des chances d'être trop forte.

3) Les «vétilles» sont donc loin d'être... des «riens». Et les querelles qu'elles peuvent susciter, à d'importantes exceptions près, peuvent être l'indice de conflits fondamentaux sous-jacents.

Vendredi matin. Serge Renaud, expert-comptable, s'apprête à partir travailler. Sa femme, Annie, fait les lits.

187

Serge : J'aimerais bien aller jouer au tennis avec Charles, demain. Pourrais-tu porter mon costume de tennis à nettoyer ce matin, en service express ? Il me le faut ce soir.

Annie : Bien sûr. Je sais combien tu aimes faire ta partie avec Charles.

Serge : N'oublie pas de le rapporter, surtout !

Annie (agacée) : Pourquoi as-tu besoin de te préoccuper de ces petits détails ? Fais-moi confiance, pour cela.

C'est le soir. Serge rentre du bureau. Annie prépare le dîner.

Serge (de bonne humeur) : Enfin la fin de semaine ! Et une bonne partie de tennis, demain. Tu as bien rapporté mon costume ?

Annie (sursautant) : Non !

Serge (plus inquiet que fâché) : Je devrais peut-être aller le chercher ? Pourvu que la teinturerie ne soit pas encore fermée !

Annie (anéantie) : Mon chéri, je suis absolument navrée, j'ai complètement oublié de le porter à nettoyer. Je suis pourtant passée devant la teinturerie ce matin. C'est vraiment stupide de ma part !

Serge (très en colère) : Bravo ! Autrement dit, tu ne tiens pas tes promesses; cela t'est égal que je passe ou non un week-end agréable !

Annie (criant) : Comment peux-tu dire une chose pareille ! Tu sais combien je t'aime. (Pleurant.) Comment puis-je supporter de vivre avec un ingrat, un égoïste comme toi !

Comment décoder une dispute pour un « rien »

Des combattants avertis n'auraient pas attisé le feu comme ces deux-là, gâchant complètement le week-end. Ils n'auraient pas non plus passé l'éponge en cataloguant l'oubli de la femme sous la rubrique « mauvaise maîtresse de maison ». Voici d'ailleurs comment Serge et Annie reprirent ce sujet pas tellement innocent après qu'ils eurent appris à se faire face.

Serge (définissant sa position, fait sa demande) : Cela ne t'ennuie pas, j'espère, si je joue au tennis avec Charles, demain ? Dans ce cas, il faudra donner mon costume de tennis à nettoyer dans la journée.

Annie (vérifiant) : Tu as vraiment envie de jouer au tennis demain ?

Serge (confirme) : Oui. Je crois que ma demande est légitime, après une semaine de travail. J'ai besoin d'exercice et j'aime jouer avec Charles.

Annie (définit sa position et fait une contre-demande) : Légitime, oui. À condition que tu passes aussi une partie de ton temps libre avec moi et les enfants.

Serge (vérifiant la proposition de sa femme) : Puis-je jouer au tennis demain si nous faisons quelque chose tous ensemble dimanche ?

Annie (prête à discuter de ce qui lui tient vraiment à coeur) : Oui. J'aimerais que tu nous sortes à la plage et ensuite à dîner. Cela me paraît une façon honnête de répartir ton temps libre.

Serge (faisant apparaître les points d'accord et de désaccord) : Pour être franc, je préfère rester à la maison le dimanche plutôt que de courir les plages et les restaurants.

Annie (explorant) : Sous quelles conditions consacrerais-tu une partie de ton temps à des activités familiales ? Toi, tu aimes rester à la maison, moi j'aime sortir.

Serge (faisant des propositions en vue d'un accord) : Et si nous faisions un roulement : une semaine, comme je le désire; la suivante, à ta manière, et la troisième selon un compromis ?

Annie (vérifiant qu'il n'y aura pas de malentendu) : Autrement dit, une semaine sur trois, on fera ce que je veux. Et tu te montreras coopératif ?

Serge (s'engageant, pour le présent) : Oui. Mais ce week-end, je veux jouer au tennis avec Charles, samedi, et regarder le match à la télévision, dimanche...

Annie (l'interrompant) : Et nous sortir à dîner dimanche soir ! Magnifique ! Je vais aller faire nettoyer ton costume de tennis afin qu'il soit prêt pour demain.

En faisant cet effort de compréhension réciproque, le couple en question découvrait que le costume, dans l'affaire, n'avait pas la moindre importance. Le problème véritable résidait dans la distribution du temps de loisir de ce couple. Lorsqu'ils eurent mis le doigt dessus, ils purent discuter sans problème.

L'objet du litige est parfois moins évident. Par exemple, un mari qui demande à sa femme pourquoi elle n'apparie pas ses chaussettes croit peut-être que celle-ci a délibérément recours au désordre pour lui dire « Tu ne m'aimes pas assez » ou « Tu prends plaisir à me torturer » ou même « Je pense que tu aimes me voir dépendante de toi pour pouvoir me laisser tomber ». Elle emploie peut-être la tactique du « désordre » pour lui signaler qu'elle est fatiguée de le voir se comporter comme un petit garçon sans défense ou qu'elle le méprise de s'attendre à ce qu'elle effectue cette tâche, même si elle a elle-même offert de s'en charger. Cependant, il est plus probable que l'objet de la querelle soit futile. La femme en a peut-être simplement assez d'être la servante de son mari.

Comment savoir si un accrochage à propos de chaussettes désassorties est insignifiant ou non ? En engageant un combat dans les règles. Le mari peut tout simplement demander à sa femme ce qui ne va pas. Si la femme répond qu'elle ne veut pas jouer à la servante, les deux conjoints peuvent trouver une solution raisonnable. Engager une aide quelques heures par semaine par exemple. Le mari doit se rendre compte que cette solution, si elle diminue la source d'irritation de sa femme, ne l'élimine pas complètement toutefois. C'est à lui qu'il appartient de montrer à sa femme qu'il ne la prend pas pour sa servante et que le fait d'apparier ses chaussettes n'en fait pas pour autant une servante à temps plein.

Le plus souvent, la mauvaise humeur du mari, par exemple, signifie simplement qu'après une journée passée à recevoir des ordres, à son bureau, il éprouve le besoin d'en donner à son tour. Sa femme devrait peut-être lui laisser ce plaisir jusqu'à un point raisonnable. Elle ne devrait pas cependant, à l'instar de certaines femmes frustrées, laisser traîner ostensiblement l'aspirateur et la planche à repasser pour signifier à son mari qu'elle fait son possible.

En vérité, alors que le mari trouve, à son travail, tout loisir de libérer son agressivité, la femme, elle, n'a en général que ses enfants après qui crier, ce dont elle se sent coupable. Il peut s'avérer payant, pour le mari, d'écouter avec sympathie le récit de la « terrible journée » qu'a eue sa femme, tandis que lui-même rigolait avec ses collègues et prenait un verre en dînant aux frais de son employeur.

Les querelles à propos des meubles, de la maison et de la voiture

Par contre, on sous-estime parfois la gravité de certains sujets de dispute. Comme ceux, par exemple, qui touchent à l'installation du couple, à l'édification du « nid ». L'homme est un « animal territorial » et il doit apprendre l'art compliqué de la collaboration pour tout ce qui touche à son installation.

Lorsqu'une femme déclare : « Je ne peux plus vivre en appartement, je veux une maison », ce n'est pas un problème immobilier qu'elle est en train de soulever; ce qu'elle met en question, vraisemblablement, c'est une certaine image d'elle-même et du couple qu'elle forme avec son mari. De même quand il s'agit de l'ameublement. Chacun des époux a son propre goût, dont il n'est pas toujours si sûr, et qu'il craint parfois de révéler.

Si le mari n'a pas de goût, sa partenaire, et même les étrangers, s'en apercevront tout de suite. Il peut donc manipuler sa femme pour qu'elle prenne la responsabilité de certains achats qu'il n'aurait pas le courage de faire lui-même. La peur de commettre des erreurs est très fréquente et plutôt que de tirer une leçon de leurs erreurs, la plupart des gens préfèrent trouver un bouc émissaire pour les problèmes subséquents qui se posent. Or, pour bien des gens, une table, une lampe, un tableau plus encore, sont de véritables prolongements d'eux-mêmes, des objets dont le choix contribue fortement à assurer leur sécurité.

L'achat d'une automobile est parfois un acte chargé de fortes émotions. Même si on ne passe pas sa vie en voiture, celle-ci est souvent très caractéristique du mode de vie, des goûts et du statut de leur propriétaire. On a toujours considéré l'automobile comme un symbole masculin. Il se peut que la femme prenne part au choix, mais le mari a toujours le dernier mot dans ce domaine.

Il est souvent facile, à travers la décoration d'un foyer, de deviner qui « porte la culotte », comme l'illustre la conversation suivante entre une femme et son mari qu'elle appelait au bureau :

Elle : J'ai enfin trouvé la chaise qu'il te fallait dans ton bureau.

Lui : Où donc ?

Elle : Ici !

Lui : Où es-tu ?

Elle : Au *Mobilier international.*

Lui : J'aimerais bien pouvoir m'y rendre.

Elle : Moi aussi.

Cette femme voulait engager la responsabilité de son mari dans cet achat, ou du moins se protéger contre son mari qui l'accuserait peut-être de ne pas l'avoir consulté au sujet d'un article qui lui importait beaucoup. Son mari aurait dû lui dire : « Cet achat me concerne »   et la femme aurait dû admettre qu'elle craignait de faire une erreur.

La solution consiste à déterminer à l'avance qui achètera quoi en toute liberté, et à quel prix. Dans un couple où la femme trouve son mari affligé d'un fort mauvais goût, et où le mari, cependant, exerce un droit de veto, on arrive souvent à des impasses... et à un intérieur dont l'aménagement n'est jamais terminé.

Un changement radical de « nid » peut être l'indice de sérieux problèmes au sein d'un couple. Un nombre relativement élevé de couples attendent des avantages irréalistes d'un déménagement. Ils espèrent qu'un changement de décor leur permettra de surmonter certains problèmes psychologiques. En fait, c'est souvent le contraire qui se produit, et leurs tensions s'intensifient. Dans de nombreux cas, c'est même le coup de grâce asséné à un mariage chancelant. Les courtiers en immeubles et les avocats sont les seuls bénéficiaires de ces tentatives irréalistes de résoudre de graves problèmes intimes par le biais de raccourcis matériels.

Il arrive qu'un incident insignifiant réveille un problème qui, lui, ne l'est pas et qui « travaille », de façon plus ou moins consciente, l'un des époux. Ce dernier découvrira alors soudain que, dans sa vie conjugale, l'équilibre est compromis.

C'est ce qui se produit dans le cas des querelles sur la distance optimale (voir chapitre 2).

Les querelles pour rire

Parfois des querelles futiles éclatent pour des raisons futiles, qu'il serait inutile et même nuisible de chercher à approfondir en cuisinant son partenaire. On abuse trop des « pourquoi » dans la vie conjugale, alors que, le plus souvent, il est impossible à quiconque de mettre en lumière l'explication profonde de tel ou tel comportement. Encore faudrait-il que ce soit souhaitable!

Comment donc savoir quand il n'est pas nécessaire d'interpréter une querelle futile?

En apprenant tout d'abord à reconnaître, pour les ignorer, les « explosions volcaniques », dépourvues de toute utilité.

Inutile également de chercher des causes sérieuses à des bagarres pour rire, de celles où l'on s'enflamme pour un pseudo-problème.

Un geste, une inflexion de la voix peuvent indiquer s'il s'agit d'une bagarre pour rire ou si le motif est réel. Le mari, par exemple, peut demander: « Tu es sérieuse? » Si la femme répond d'une certaine façon « Bien sûr que je suis sérieuse », les deux ne verront probablement pas là motif à s'inquiéter.

La plupart des querelles pour s'amuser portent sur de faux problèmes. Les voitures de cette année sont-elles meilleures que celles de l'an dernier? Est-ce à la suite d'une peine d'amour que tel acteur s'est suicidé? Qui, du mari ou de la femme, a raison dans l'interprétation donnée du film vu la veille? Dans une querelle pour rire, ce ne sont pas les intérêts des partenaires qui sont en jeu.

Plutôt distrayantes, ces disputes évitent l'ennui, la monotonie. Et permettent de décharger une agressivité naturelle. Elles peuvent aussi servir à intégrer les autres, en particulier les enfants, à une activité familiale. (« Qu'en penses-tu, George? »)

La table de bridge est un endroit qui convient à merveille à ce type de divertissement parce que rares sont ceux qui n'apprécient pas de rire de bon coeur du perdant. En passant, nous encourageons toujours nos participants à jouer l'un contre l'autre. Cela leur permet de décharger sainement leur agressivité et minimise les représailles contre un partenaire de jeu maladroit. (« Qu'est-ce qui t'a pris? Combien de fois t'ai-je répété de ne pas...! »)

Lors de nos premières sessions de formation au combat loyal, nous nous aperçûmes que les querelles pour rire pouvaient avoir un résultat tout à fait inattendu. À l'origine, nous demandions à nos participants de ne pas se disputer pour des motifs futiles et irrationnels ou, s'ils le faisaient, de trouver le vrai problème sous-jacent. Résultat : quelques-uns de nos premiers participants devinrent extrêmement habiles à régler leurs conflits d'une façon rationnelle, avec la logique de vrais combattants. Ils y trouvèrent non seulement la paix, mais un certain éloignement.

Deux de ces partenaires nous annoncèrent fièrement qu'ils ne se querellaient plus du tout parce qu'ils discutaient à fond tous leurs problèmes et arrivaient toujours à s'entendre. Une discussion fascinante avec le groupe suivit cette déclaration :

Un membre du groupe : On dirait que les disputes vous manquent à tous deux.

Lui : Oh non ! Cela m'amuse réellement de voir qu'elle est devenue logique et rationnelle. Elle ne me cherche plus noise à propos de rien... ou presque rien. J'en suis bien content.

Elle : Oui, nous ne nous crions plus par la tête. C'est beaucoup mieux ainsi.

Un autre membre du groupe : Vous avez l'air tristes, presque déprimés. Et vous êtes maussades, tous les deux. (Silence.)

Lui (après avoir échangé un regard inquisiteur avec sa femme) : Bien, depuis que nous avons arrêté de nous disputer, nous ne faisons presque plus l'amour. (Rires du groupe.)

Elle : Tout est si beau, si tranquille, si rationnel; notre vie sexuelle est au point mort. Je ne sens plus rien. Lui non plus. Cela n'est pas habituel chez nous.

Lui : Ouais ! Nous avions l'habitude de faire l'amour trois ou quatre fois par semaine pendant le bon vieux temps des querelles. (Rire sarcastique.) Depuis trois semaines... rien. La coexistence pacifique !

Elle : Je ne comprends pas. Maintenant que nous nous entendons mieux, notre vie sexuelle en souffre. Pourquoi ?

Dr Bach : Le groupe a vu juste. Vous êtes tristes. Vos bagarres vous manquent-elles ?

Elle et lui : Oh non ! Nos querelles étaient stupides et méchantes. Je ne voudrais pas recommencer.

Dr Bach : Je crois que vous avez raison. Vous n'êtes pas obligés de reprendre vos vieilles querelles méchantes.

Lui : D'accord. Mais notre vie sexuelle ?

Dr Bach : Eh bien, avez-vous l'impression que certaines

disputes, comme des disputes pour rire par exemple, pourraient vous stimuler sexuellement ?

Cette discussion, comme d'autres semblables, nous a appris que les couples les plus heureux, loin de supprimer toute querelle, engageaient des disputes pour des riens, ce qui aboutissait à une réconciliation et à un rapprochement.

Amants et époux qui ne se disputent jamais pour des « riens » sont perdants. Ils laissent échapper, en particulier, le pouvoir rajeunissant, d'un point de vue érotique, de ces jeux qui font revivre les tactiques mises en oeuvre par l'homme au temps où il courtisait sa femme, avec les cycles: attraction-répulsion, refus-don, résistance-abandon. En général, la redondance de ces rituels ne sert pas la cause de l'affrontement réaliste, mais les disputes pour rire font exception. Nous avons appris à nos dépens que les intimes de longue date supportent difficilement de rejeter les querelles pour rire sous prétexte qu'elles sont indignes d'eux.

En quoi consiste le caractère stimulant pour l'amour des bagarres pour rien? La poursuite, avec sa part d'agression, et la possessivité du partenaire, qui revendique l'autre comme « à moi », ont par eux-mêmes le pouvoir de faire naître et de libérer les émotions amoureuses. À l'opposé, l'attraction diminue lorsque chacun des membres du couple considère l'autre comme acquis. Le partenaire toujours disponible, trop accommodant, se prive et prive l'autre d'un plaisir considérable, bien qu'il y ait des moments où il est nécessaire, car rassurant, d'être disponible.

Les partenaires vraiment intimes savent cela, comme ils savent que si la poursuite ou la résistance est trop agressive, elle risque d'avoir des conséquences fâcheuses et de se changer en querelle sérieuse à propos du manque de communication. Il est heureux que l'absence même de sujet de discorde réelle incite les intimes à provoquer des querelles.

Chapitre 16

Le rêve : allier disputes et cour amoureuse

Tout commence à partir du jeu de la cour amoureuse. Dès l'instant où deux inconnus se sentent attirés l'un par l'autre, chacun se met à fabriquer trois images : l'image de cet autre séduisant, tel qu'il se révélera au fur et à mesure qu'on le connaîtra davantage; l'image de soi, tel que l'on désire apparaître aux yeux de cet autre. Et de cette attirance réciproque naît l'image d'un « nous », que l'on voudrait vivre ensemble.

Ces images, que chacun des deux partenaires a en tête, interfèrent l'une avec l'autre, empiètent partiellement l'une sur l'autre, comme celles que se renvoient les miroirs à trois faces. Hélas ! elles ne nous montrent pas la personne réelle mais son reflet idéal, faussé. Il est inévitable que se déclenchent des bagarres autour de ces images disparates, en particulier pour arriver à une vision acceptable et juste.

Ces combats, les partenaires ont tout intérêt à les engager le plus tôt possible. Mais ils ne le font justement pas, croyant un tel comportement incompatible avec le jeu de la cour amoureuse. Et, par la suite, c'est une fausse image de soi-même, de l'autre, que l'on traîne avec soi dans le mariage. D'où, bien des chagrins, bien des désillusions.

La rencontre d'une personne avec qui l'on est susceptible d'entretenir des liens intimes est une aventure merveilleuse. Tandis que chacun recueille, un peu au hasard, des informations sur l'autre, les images se forment, graduellement. Objectives, parfois : « Elle a de jolies jambes. » « Il a déjà été marié. » Subjectives, souvent : « Nous formons un beau couple. » « Enfin quelqu'un qui m'apprécie vraiment ! » Ce sont ces faits et ces sentiments combinés qui produisent l'excitation et l'anticipation qu'éveille la rencontre avec une personne nouvelle et intéressante.

Ce qui cloche dans les premières rencontres

Mais c'est aussi, dès le début, même chez les êtres les plus droits, que l'on commence à feindre, que se posent les masques. Elle se demandera : « Vais-je lui plaire ? Peut-être faut-il éviter de me montrer trop entreprenante ? » Quant à lui, au lieu de lui dire : « Vous me plaisez ! », il manifestera son intérêt pour elle en déclarant : « Je n'aime pas votre coiffure. » Et l'on se perd avant même de s'être trouvés.

L'échafaudage des malentendus commence à se construire à partir du moment où, innocemment, l'homme se demande : « Qu'est-ce qui lui plaît en moi ? » et surtout, quand, se donnant à lui-même une réponse erronée, il cherche à s'y conformer.

Écoutons ce dialogue entre deux étudiants qui viennent de faire connaissance :

Premier round :

Elle : Quelle sorte de voiture as-tu ?

Lui : Pourquoi ?

Elle : Comme ça, pour savoir.

Second round :

Lui : Aimes-tu les Beatles ?

Elle : Et toi ?

Lui : C'est moi qui ai demandé le premier.

Troisième round :

Lui : Pourquoi tiens-tu tellement à savoir ce que j'ai comme voiture ? (« Peut-être n'aime-t-elle pas les décapotables ? »)

Elle : Parce que cela m'intéresse. (« Pourvu que ce ne soit pas une décapotable ! Mes cheveux seraient fichus. »)

Quatrième round :

Lui : Je te raccompagne chez toi.

Elle (voyant la décapotable) : Oh !

Lui : Tu n'aimes pas les décapotables ?

Elle : Qu'est-ce qui te fait dire cela ?

Lui : (« C'est gagné ! Elle aime les décapotables ! »)

Cinquième round :

(Ils sont dans la voiture.)

Lui : Quelle nuit merveilleuse, n'est-ce pas ?

Elle : (« Il me plaît, mais pourvu qu'il ne décapote pas, à cause de mes cheveux. Mais que pensera-t-il si je ne montre pas, moi aussi, que je trouve cette soirée magnifique ? » Elle ne dit rien mais se pelotonne contre lui.)

Et voilà comment, à peine ébauchée, cette relation part d'un mauvais pied. Elle n'aime pas les décapotables. Il préfère réserver les manifestations d'affection aux moments où il n'est pas occupé à conduire sa chère voiture. Mais chacun d'entre eux est fondé à imaginer juste le contraire !

Que nous apprend tout cela ? Qu'on se crée bien des complications en démarrant avec des masques. Que le « décodage » des signaux du partenaire est une tâche difficile, inextricable même, quand on s'engage dans le labyrinthe des « je pense qu'il pense que je pense... ».

Le couple dans la décapotable peut se compter chanceux si sa soirée se termine par la querelle suivante qui porte sur la distance optimale :

Lui : À demain !

Elle : Non, je ne crois pas.

Lui : Pourquoi pas ?

Elle : Ma soirée est déjà engagée.

S'il se décide à tirer les choses au clair sur le moment, ce qui est peu probable, le jeune homme exprimera son désaccord. Au lieu de cela, il demandera à la jeune fille s'il peut l'appeler quand même, ou s'il est naïf, s'il peut l'accompagner quand même.

Pourquoi les gens ont-ils peur de tomber en amour ?

Reconnaissons la cruelle vérité : se faire une place sûre dans le coeur de l'autre n'est pas chose facile. Combien de problèmes, de peurs, de déloyauté parfois, se cachent sous l'extérieur cordial de certains êtres au « contact facile » ?

Deux types de doutes assaillent les nouveaux amis. Doutes sur soi-même, sur son propre physique, mais surtout sur les mérites personnels qui vous rendraient dignes d'être inclus dans l'univers de l'autre. Doutes quant à l'autre, comme partenaire possible : « Est-ce mon type d'homme ? » « Puis-je lui faire confiance ? »

Il est impossible, cela va sans dire, de tout aimer, d'aimer tout le monde. Chacun trie, chez le partenaire, ce qui lui paraît « aimable » et ce qui ne l'est pas, cherchant à l'adapter à un cadre prédéterminé. Si l'autre refuse, pour être aimé, de se plier à cette image, on décidera qu'il n'est « pas mon genre ». Les êtres humains sont très enclins à avoir le coup de foudre pour des personnes qu'ils connaissent à peine; ou à adorer en imagination un être très éloigné comme Jésus ou un héros décédé. Mais ce qu'on sait le moins faire, c'est aimer des êtres réels et familiers, y compris soi-même.

Pourquoi le « coup de foudre » est-il une expérience si excitante ? Parce qu'il s'agit d'une invasion émotive soudaine, instantanée, qui ne laisse pas de place pour les doutes, les réticences. Parce qu'il délivre des anxiétés habituelles : « Serai-je accepté ? » « Serai-je rejeté ? ». Mais le coup de foudre ne dure pas. Avec de la chance, il sera le point de départ d'une relation authentique, mais à partir du moment, seulement, où le couple aura affronté les premiers obstacles de l'acceptation et du rejet, et en fonction de la manière dont il les aura franchis.

Lorsqu'on « tombe » amoureux, loin de se livrer à un échange de sentiments avec l'autre, on se concentre sur soi-même, sur ses fantasmes, sur le besoin qu'on a de l'autre. Celui-ci répond à son tour, adaptant ses intérêts à ceux du partenaire du mieux qu'il peut. Mais personne n'accepte personne inconditionnellement. On ne tombe pas amoureux de façon élégante. C'est une période de folie, de fièvre, ou tout au moins d'insécurité inspirée par quelqu'un qui commence à prendre de plus en plus d'importance dans votre vie. Aussi les amoureux ont-ils peur de s'affronter ouvertement, de façon réaliste. Ils jouent la comédie, se manipulent réciproquement, afin de renforcer un lien encore fragile. Ils sont heureux, certes, mais perturbés.

Comme le remarquait une étudiante célibataire et jolie, à l'un de nos séminaires :

L'étudiante : Professeur Bach, c'est quand je suis amoureuse que je me déteste le plus.

Dr Bach : Pourquoi ? N'êtes-vous pas heureuse d'aimer et d'être aimée ?

Elle : Oui, à vous entendre, c'est absolument merveilleux : aimer, sentir qu'on m'aime, donner et recevoir. Mais je ne parle pas de cela exactement.

Dr Bach : C'est pourtant ce que j'ai entendu. Corrigez-moi !

Elle : Je veux dire que je deviens une vraie garce lorsque je tombe en amour ou que je suis déjà amoureuse. Cela n'est pas très sécurisant n'est-ce pas ?

Dr Bach : Non, il n'est jamais sécurisant de tomber.

Elle : Lorsque j'aime vraiment quelqu'un, je deviens agressive, bagarreuse, je critique tout.

Dr Bach : Pourquoi ?

Elle : Je ne sais pas. Peut-être pour mettre le garçon à l'épreuve. Parce que cela m'ennuie d'être prise au piège. La seule idée de « tomber » amoureuse ! Je n'aime pas être vulnérable. Nous pouvons nous blesser maintenant. Je peux le blesser simplement en ne lui retournant pas ses appels. Je peux interpréter comme un rejet n'importe quel geste idiot de sa part. Nous nous querellons à propos de rien. L'amour que nous avons l'un pour l'autre nous rend vulnérables.

Dr Bach : Alors pourquoi vous chamailler ?

Elle : C'est une sorte d'assurance : je le rejette la première, de sorte que s'il me rejette, je dirai que c'est en réponse à mon refus à moi.

On observe ici la réaction de panique, assez compréhensible, d'une jeune fille devant cette atteinte partielle à l'intégrité de soi qu'entraîne le processus de tomber amoureux. Et il est bon, en effet, de préserver agressivement son identité. Mais il n'y a pas lieu de s'affoler !

Que fera cette jeune fille si son soupirant lui demande de l'accompagner à la plage, par exemple ? Elle sera tentée de répondre « oui » parce qu'elle l'aime; « non », parce qu'elle ne veut pas que ce soit lui qui décide. Le moyen d'éviter un tel piège est de demander : « Est-ce juste pour me faire plaisir que tu proposes la plage ? » Puis, quelle que soit la réponse, de se demander : « Est-ce quelque chose que j'ai envie de faire ? »

Les bagarres éclatent tout naturellement quand un partenaire essaie, de gré ou de force, de faire entrer l'autre dans le cadre qu'il lui a préparé. L'autre s'adaptera peut-être, par crainte du rejet; ou bien, s'il refuse de pactiser, il luttera pour amener le premier à élargir le cadre de façon plus conforme à ce qu'il est lui-même réellement.

La collusion avec les fantasmes de l'autre provoquera plus tard bien des querelles (« Tu m'as trompé. » « Tu n'es plus celui (celle) que j'aimais. ») Elle est, pourtant, une composante banale des premières phases de la conquête amoureuse, quand deux étrangers pleins d'anxiété, craignant de regarder la réalité en face, cherchent à s'encourager eux-mêmes dans la voie d'un engagement irréversible.

Il est possible que cette phase, celle où les partenaires ont recours aux stéréotypes et au rêve au lieu d'avoir des attentes réalistes, soit essentielle pour réunir deux étrangers et les aider à se rapprocher. À titre de prélude à une relation intime à long terme cependant, elle entraîne de réels problèmes. En s'accrochant à des rêves, les amoureux réduisent leur peur à l'égard de cette nouvelle intimité, de sorte qu'ils peuvent s'engager profondément dès le départ. Mais il vaut mieux pour eux qu'ils abandonnent leurs rêves du temps de la cour amoureuse et qu'ils acceptent la réalité telle qu'elle est.

Combattre pour gagner la première place dans le coeur de quelqu'un

Les querelles destinées à sauvegarder l'identité des partenaires doivent, nous l'avons dit, être engagées dès le départ. Et elles ne devraient jamais cesser. Seuls les couples qui ne parviendront pas à une entente véritable ont des relations calmes, bien élevées, dans la période qui précède les fiançailles et le mariage, cherchant à tout prix à se faire « une bonne impression », craignant de révéler leur véritable personnalité. Nous considérons comme malhonnête cette tactique qui consiste à se mettre en valeur au maximum d'une façon fausse. L'ultime but de ce comportement pacifiste est, bien sûr, d'éviter un contact authentique, de peur que sa vraie personnalité ne réponde pas aux critères d'amour romantique du début.

La plupart des gens qui ont recours à ces tactiques malhonnêtes ne sont pas malades ou même méchants. Ils manquent d'assurance et sont parfois désespérés. Ils savent que la meilleure protection contre la solitude consiste à gagner une place centrale dans le coeur de quelqu'un. Mais ils se l'assurent par des tactiques malhonnêtes et sont poussés par des ambitions irrationnelles. Ils veulent être tout pour l'autre car c'est le seul moyen pour eux de se sentir en sécurité dans un monde d'indifférence.

Occuper une place centrale dans le coeur de quelqu'un signifie être proche de lui; partager les meilleurs moments comme les hauts et les bas de son existence quotidienne; accéder au monde secret de ses sentiments, de ses désirs, de ses peurs; se préoccuper de son développement personnel, de ses triomphes et de ses frustrations; s'identifier avec ses façons d'être et de croître; partager avec lui ses propres inquiétudes à propos de soi-même, de la vie, de son développement, de ses succès et de ses échecs; donner et recevoir du plaisir et favoriser chez l'autre un sentiment de bien-être; jouir de la sécurité d'un port privé dans un océan de problèmes.

Les gens non seulement veulent occuper une place importante dans le coeur de l'autre, mais ils en veulent des preuves. Cela correspond à un véritable besoin. Sans ces preuves, un individu devient une non-personne dont l'équilibre risque d'être menacé par une absence de renforcement de soi. Sauf pour les solitaires endurcis, les hypocrites et les psychotiques, il est intolérable d'avouer qu'on n'appartient à personne.

Cependant, avant d'occuper la place centrale dans l'univers de l'autre, encore faut-il y pénétrer. Et l'on y découvre alors d'autres personnes déjà installées, avec lesquelles il faut s'accommoder, qu'il faudra peut-être partiellement déloger ou dont il faudra réduire l'importance. Ce qui ne va pas sans mal et peut même échouer. Comme nous le voyons dans l'exemple suivant:

Louis Cantin, chef de publicité de quarante-trois ans, divorcé, connaissait depuis trois semaines seulement Sophie Lavoie, également divorcée, quand il apparut, bouleversé, à l'une de nos séances de formation au combat loyal. Voici son récit:

« Je tiens à me remarier. Et que, cette fois-ci, ce soit réussi. J'y ai presque été poussé ce dernier week-end. Sophie tient à ce que notre liaison soit ignorée de tous, en particulier de l'amie qui partage son appartement, avec qui je suis sorti quelque temps. Mais celle-ci m'a téléphoné pour me dire qu'elle avait découvert notre secret. Lorsque Sophie, qui avait promis de passer le week-end avec moi, arriva, je lui en fis part, me déclarant heureux de ce que nous n'ayons plus besoin de nous cacher. «Nous nous aimons, c'est merveilleux. Il n'y a pas de quoi avoir honte!» Mais Sophie, très frappée, l'air très perturbé, finit par balbutier (elle ne se fâche jamais): «Si je ne peux pas te faire confiance pour une si petite chose, comment puis-je te confier ma vie? Je t'aimais, tu as tout gâché.» Et elle m'a planté là. J'étais désespéré. Il fallait me trouver quelqu'un d'autre... Recommencer le jeu idiot de la poursuite amoureuse... Mais, de toute façon, quelle vie aurais-je eu avec elle, si elle était ainsi? Elle me téléphona alors.

Sophie (toute radoucie): Chéri, je suis désolée. Cela n'avait pas une telle importance.

Louis (troublé): Comment pouvons-nous nous entendre si tu prends la fuite à chaque désaccord?

Sophie: Je ne me suis pas sauvée. J'avais besoin d'être seule.

Louis: Comment pouvais-je le savoir? Je croyais que tu m'avais quitté!

Sophie: J'ai beaucoup réfléchi. Je veux te voir. Viens me chercher. (À 16 h 15, il va la chercher.)

Sophie: Je dois être rentrée à 18 heures.

Louis (ahuri): Je croyais que nous passions le week-end ensemble!

Sophie: Je n'étais pas sûre que tu voudrais de moi. J'ai accepté une invitation à dîner de mon beau-frère.

Louis, fort contrarié, l'amène chez lui. Alcool, baisers, caresses... Elle a, comme toujours, le pouvoir de l'exciter... Mais, cette fois-ci, elle refuse d'aller plus loin:

Sophie: Non, mon chéri. Après, je voudrais rester, et puis je vais dîner chez ma soeur. Sais-tu quoi? Je reviendrai dès que possible, et je passerai la nuit avec toi.

À 22 heures, coup de téléphone de Sophie, très gaie. Elle est toujours à table. Elle est fatiguée. Mais si, elle viendra; mais plus tard... Bien sûr qu'elle l'aime...

«Qu'elle aille au diable!» se dit Louis. À 23 h 30, Sophie n'étant pas apparue, il se couche. Dimanche matin, il invite une voisine à sortir. De retour chez lui, à 15 heures, le tétéphone sonne. C'est Sophie, inquiète de ne pas avoir pu le joindre de la journée. Louis lui reproche son instabilité. Sophie promet de ne plus recommencer. Elle ira avec lui à une réception donnée par des voisins à lui.

Sophie arrive. Caresses. C'est elle, cette fois, qui veut pousser plus loin; lui qui refuse, fier de garder son contrôle. De toute la durée de la réception, Sophie reste collée à Louis, lui chuchotant: « Je t'aime. Je veux t'appartenir. » Mais en sortant de chez leurs amis, elle déclare devoir partir, certaines obligations l'appelant, et refuse que Louis l'accompagne. Soupçons de Louis. Peut-être sort-elle avec quelqu'un d'autre? Avant de le quitter, Sophie lui murmure: « Je veux être à toi. Te donner des bébés. Te rendre heureux. Épouse-moi. »

Louis: Mais cela ne fait que trois semaines que nous nous connaissons!

Elle s'en va, fâchée.

Lundi. Sophie appelle Louis en fin d'après-midi.

Sophie: Pourquoi ne m'as-tu pas appelée, aujourd'hui?

Louis: Vraiment, ma chérie, je ne sais plus où j'en suis avec toi...

Sophie: Mais c'est simple. Je veux être ta femme.

Louis: Alors pourquoi te sauves-tu sans cesse?

Sophie: J'ai des obligations.

Apprenant que Louis ne se sent pas bien, Sophie accourt, lui fait à manger, le dorlote. Il s'excite. Ils commencent à faire l'amour, mais Sophie refuse qu'il ait recours à un préservatif. Il refuse à son tour de céder. Elle se rhabille.

Sophie (tristement): Tu ne me veux vraiment pas telle que je suis.

Louis: Je ne te veux pas enceinte, ça non!

Sophie: Mais puisque nous allons nous marier.

Louis: Je te l'ai dit et redit. Je ne suis pas mûr pour le mariage.

Sophie: Tu ne me connais pas assez bien?

Louis (glacial): Je ne te connais que trop bien!

Nous avons là un cas typique de difficultés rencontrées par deux êtres qui cherchent à prendre une place importante dans la vie l'un de l'autre. Voilà un couple où chacun est fortement attiré par l'autre, assoiffé d'intimité véritable, désireux d'être marié. En ces trois semaines, ils croyaient avoir pris un si bon départ qu'ils avaient non seulement entrepris une liaison mais parlé mariage !

Pourquoi cela a-t-il mal tourné? Ces deux-là, comme beaucoup d'autres, ne se donnaient pas l'occasion de se connaître réellement, dans des situations de la vie de tous les jours, face à la réalité — ce qui leur aurait permis d'amasser une information véritable sur l'autre, d'avoir les éléments permettant de prédire si leur vie à deux serait durable. Ils s'étaient au contraire cantonnés dans le champ de la seule relation amoureuse, érotique, facteur de rétrécissement, d'aveuglement, et ils se contentaient de rêver, de souhaiter que tout irait bien.

Tous deux participèrent, pendant un week-end, à une rencontre de groupe du type «marathon». Ils se présentèrent séparément, puis ensemble. Ils furent confrontés et s'affrontèrent, honnêtement. Et ils partirent, chacun de son côté, pour ne plus se revoir. Il sauta très rapidement aux yeux de tous qu'ils n'étaient pas faits l'un pour l'autre. L'expérience du «marathon» les aida simplement à achever le «sevrage».

Que se passait-il? Les cadres dans lesquels chacun faisait entrer son amour ne coïncidaient pas. Et pas davantage l'image que chacun se faisait du «nous». Elle attendait d'un homme qu'il soit discret, plein de tact, sûr de lui. Son image du «nous» était centrée sur des activités indépendantes, autonomes. Pour lui, une femme devait avant tout être loyale; il fallait pouvoir compter sur elle, tout partager avec elle. Et bien sûr, elle devait être aguichante.

Elle l'était, certes, mais on ne pouvait pas compter sur elle. Elle était pleine d'imprévus. Elle changeait constamment ses plans. C'était sa façon à elle de mettre à l'épreuve son calme et son assurance.

Il n'y avait qu'en matière de sexe et sur le plan financier que les images formées par chacun d'eux se recouvraient. Ce qui était insuffisant.

Il aurait mieux valu que ces deux personnes ne se rencontrent jamais, mais bien des solitaires ont du mal à franchir le tout premier pas («bonjour») conduisant vers l'intimité avec autrui.

Comme ce jeune homme de vingt-cinq ans, beau garçon, «réussissant» dans la vie, qui ne pouvait même pas inviter à danser une jeune fille qui lui plaisait. Il n'osait même pas lui adresser la parole à moins qu'elle ne fasse le premier pas, ce qui se produisait rarement. Les fois où cela arriva, il prit peur.

Dr Bach: Cela te plaît de ne pas avoir de petite amie?

Lui: Bien sûr que non!

Dr Bach: Que fais-tu pour changer ta situation?

Lui: Je vis dans l'imaginaire, mais je n'en parle jamais.

Lorsque ce jeune homme intelligent et hétérosexuel prit part à un séminaire sur la formation au combat, il apparut qu'il préférait se masturber et nourrir ses fantasmes érotiques en faisant appel aux lectures et aux films pornographiques plutôt que d'affronter une véritable partenaire. Il craignait un rejet, qui renforcerait l'image négative qu'il avait de lui-même.

Lorsqu'un individu a établi des liens intimes avec quelqu'un, qu'il a gagné la place centrale dans son coeur, il se pose d'autres questions: «Comment me voit-il? Qu'a-t-il l'intention de faire de moi? Vers quoi nous dirigeons-nous?»

Les bienfaits du dialogue intérieur

Encore là, de nombreux partenaires fuient ces questions. Ils sont peut-être rebelles aux conflits. Ou tout simplement, ils ne se connaissent pas. Il savent peut-être que leur relation peut prendre plusieurs directions, mais ils ne savent pas laquelle ils préfèrent. Un bon dialogue intérieur peut aider ces partenaires indécis à préciser leurs désirs.

L'exemple suivant de Carole, une jeune fille de vingt-deux ans qui avait un ami sans qu'aucun des deux ne soit engagé plus avant, montre qu'il n'est pas stupide du tout de se parler à soi-même:

Carole: Je m'interroge souvent sur la profondeur de notre relation.

Dr Bach: Ton petit côté conventionnel souhaite le mariage?

Carole: Oui. Et cela a aussi quelque chose à voir avec le sexe. Si je me marie maintenant, j'aurai une meilleure vie sexuelle parce qu'elle sera sanctionnée par la société et que j'aurai un partenaire régulier. Je n'aurai plus à me cacher.

Dr Bach : Quelqu'un s'oppose-t-il à ton côté conventionnel ?

Carole : Oui, mon côté indépendant qui me dit : « Pourquoi te marier si vite ? Un jour peut-être, mais pas maintenant ! Tu es libre de faire ce que tu veux, d'apprendre à vivre d'une façon autonome, de t'amuser. Tu peux sortir avec qui tu veux sans t'engager. »

Dr Bach (s'adressant au côté indépendant de la participante) : Mademoiselle Indépendance voudrait-elle maintenant donner son avis sur l'argument de Mademoiselle Conformisme ?

Carole : Oui ; je dirais que les rapports intimes n'ont pas besoin de se dérouler dans le cadre du mariage pour être beaux, bons et significatifs.

Dr Bach : Mademoiselle Conformisme a-t-elle quelque chose à dire sur le sujet ?

Carole : Je pense que le sexe est une manifestation d'amour entre mari et femme, qui dépasse le simple niveau de la sexualité. De plus, le mariage est plus qu'un morceau de papier, c'est aussi une sanction sociale. Je n'habite plus chez mes parents où je ressentais une certaine pression. Si mon ami vient chez moi, il peut rester, prendre son petit-déjeuner avec moi ; nous pouvons faire l'amour, prendre une douche ensemble sans que personne le sache.

Dr Bach : En d'autres mots, en tant que célibataire, tu n'affiches pas ton amant. Tu ne le feras que lorsque tu porteras le titre de « Madame ». Je m'adresse maintenant à ton moi tout entier : as-tu éprouvé des sentiments différents selon que tu adoptais le point de vue de Mademoiselle Indépendance ou de Mademoiselle Conformisme ?

Carole : C'est difficile à dire.

Dr Bach : Dans quel rôle étais-tu le plus sûre de toi ? Lequel te ressemblait le plus ?

Carole : Je pense que je dois accepter un compromis : les relations sexuelles maintenant et le mariage plus tard.

Dr Bach : Ton débat intérieur se divise donc en trois parties : le conformisme, l'indépendance et le compromis. Vas-tu insister auprès de ton ami pour qu'il s'engage à t'épouser plus tard ?

Carole : Non ! Le mariage n'existe que dans mon imagination. Mais je veux savoir où j'en suis avec lui. Je crois que même Mademoiselle Indépendance n'aime pas l'incertitude. Je veux savoir ce que je suis pour lui, où nous allons. Parce que si cette relation ne mène nulle part, pourquoi ne pas avoir beaucoup d'amis et jouir d'une réelle liberté?

Dr Bach: C'est cela pour toi la vrai liberté?

Carole: C'est la véritable indépendance pour moi. Lorsque des hommes me font la cour, je me dis que je veux être fidèle à Robert. Mais mon côté indépendant me chuchote: «Pourquoi donc? S'est-il engagé à l'être lui?» Si je ne suis pas sérieuse, Mademoiselle Conformisme se met en colère et me traite de tous les noms!

Dr Bach: Quels noms? Laissons-la parler.

Carole: Elle me dit que je suis folle de laisser les hommes profiter de moi pour leur propre plaisir. Elle me traite de «putain»!
(Pause.)

Dr Bach: Veux-tu confronter tes idées avec celles de Robert?

Carole: Non, pas maintenant. Je crois que ce problème me concerne seule. Je dois réfléchir sur ce que désire ma personne totale; sur quelles bases s'établiront mes relations avec les hommes.

Dr Bach: Ce dialogue intérieur t'aidera. Il te permettra de voir où tu vas et ce qu'implique chaque décision. Il serait peut-être utile que tu écoutes la bande magnétique de ce débat intérieur. Observe les changements d'information, les hésitations, les moments d'assurance et les changements dans le débit de tes paroles, selon que ton côté indépendant ou conformiste te parle.
(Ils écoutent la bande.)

Dr Bach: Lequel de tes deux côtés te semble avoir plus d'assurance, être plus adulte? Lequel est le plus faible?

Carole: Mon côté indépendant semble avoir des arguments plus frappants que mon côté conventionnel, mais il semble y avoir plus de deux côtés en jeu. Mon côté indépendant désire des relations étroites et significatives avec les hommes, dans le cadre du mariage ou non. Mais une troisième voix se fait entendre et dit: «Quelle est la différence? Tu peux sortir et regarder les autres hommes.» Je n'avais encore jamais entendu cette voix en moi. C'est mon petit côté dévoyé qui dit que si Mademoiselle Indépendance ne veut pas être responsable et établir des liens intimes avec un seul homme, alors je peux m'amuser avec tous les hommes!

Dr Bach : Une nouvelle voix se fait entendre que tu appelles « la putain » en toi. A-t-elle une chance de prendre le dessus ?

Carole : Non. Je crois qu'elle s'associe à mon côté indépendant et à mon côté conventionnel pour me convaincre de chercher où j'en suis avec mon ami.

Dr Bach : As-tu décidé d'en parler avec ton ami pour savoir où vous alliez tous deux ?

Carole (qui se détend pour la première fois) : Oui. Je veux lui en parler afin de savoir ce qu'il pense de moi et quels sont ses projets d'avenir pour notre relation.

Dr Bach : D'accord. En d'autres termes, tu as appris, au cours de ce débat, que tu devais étudier la question avec ton ami la prochaine fois que tu le verras. Comment t'y prendras-tu ?

Carole : Je ne sais pas encore, mais je compte lui demander en gros : « Quel type de relation avons-nous ? » Cela se fera sans doute d'une manière plus indirecte. Je lui dirai peut-être ce que je ressens pour lui d'une façon assez franche pour l'amener à dire lui-même où il en est.

Dr Bach : Le lui demanderas-tu ?

Carole : Eh bien, je remettais toujours à plus tard cette discussion sous prétexte que je ne le connaissais pas depuis longtemps. Je craignais de lui faire peur en lui montrant que je l'aimais et que je me sentais très proche de lui. Maintenant, je n'ai plus de raison de temporiser. Je veux savoir où j'en suis avec lui !

Dr Bach : Tu veux savoir où te mène cette relation, alors tu acceptes de prendre le risque de l'effrayer ?

Carole : Oui, c'est un risque. J'hésite un peu. Je sais que je veux le faire, mais serai-je capable de lui soumettre le problème ?

Les querelles avant le mariage

Une fois les premiers liens affectifs tissés entre deux êtres, il reste à décider du chemin à parcourir. À chaque tournant, une question se pose que beaucoup préfèrent ignorer.

Chacun connaît ce sentiment de « frousse » qui se manifeste lorsqu'on est sur le point de prendre des engagements sérieux à l'égard d'un partenaire. Ce malaise atteint son point culminant au moment où la société est appelée à assister à cet engagement : nous voulons parler de la cérémonie du mariage. Après la période d'intimité où tout se passait sans témoins (même le fait de remplir ses papiers légaux), voilà le spectacle qui commence! Et tous ces invités se demandent: «Que sera ce couple? Tiendra-t-il le coup? Vont-ils s'intégrer à notre cercle?» Comment s'étonner si, dès avant le mariage, les tensions ainsi engendrées provoquent déjà des bagarres. Ces batailles «préliminaires» à l'engagement définitif peuvent débuter dans un calme relatif; à propos de la liste des invités, par exemple, ou de l'endroit où aura lieu la cérémonie... Supposons que le fiancé, «oubliant» qu'il avait promis de garder secret le lieu de leur voyage de noces, en informe sa mère. La fiancée pourrait voir là la première «trahison» sérieuse de son fiancé, qui ébranle sa confiance en lui. Elle le surveillera dorénavant avec une vigilance accrue. Tout en s'interrogeant sur elle-même. (Comment lui ira sa robe? et sa coiffure?) Et pendant ce temps, tous sont censés nager dans le bonheur!

Puis vient le mariage. La réception. L'heure du départ approche, mais le marié s'attarde au buffet.

Le beau-père: Ne devriez-vous pas être déjà partis?

Le marié: C'est notre affaire...

Pendant ce temps, la mère de la mariée s'attarde à lui donner ses derniers conseils. Elle se décide enfin à s'arracher du jeune couple. Les voici enfin seuls... et tout nerveux.

Lui: Ne seras-tu jamais capable de remettre ta mère en place?

Elle: Ne te fâche pas, mon chéri.

Il serait agréable d'éviter toutes ces tensions. Peu réaliste aussi. Et des attentes irréalistes, les nouveaux mariés en transportent une quantité énorme dans leurs bagages affectifs.

La lune de miel est le bon moment pour commencer à se détacher, et à détacher le partenaire, de tout le cortège des rêves, pour pénétrer dans la réalité.

Chapitre 17

Combattre pour une vie sentimentale réaliste

Les voici donc mariés. À moins d'être des pacifistes à tout prix, ou d'appliquer encore une étiquette victorienne, ils auront déjà eu des querelles d'amoureux. Avec de la chance, ou un apprentissage, ces querelles deviendront avant peu — six mois, un an — plus sérieuses. S'ils ne savent pas combattre, ce n'est qu'au bout de plusieurs années que cela se produira, mais ils ne perdent rien pour attendre : leurs disputes seront alors bien plus dures, bien plus destructrices. Ces querelles d'amoureux, que l'on peut aussi appeler luttes pour la réalité, n'ont rien de pathologique. Elles sont humaines, normales et nécessaires.

Un amoureux, nous le savons, attribue à son partenaire les caractéristiques les plus aimables. Cette élaboration d'images plaisantes semble particulièrement essentielle à tous ceux qui ont subi le « lavage de cerveau » de la tradition romantique. Mais le dynamisme mis en jeu dans l'attraction réciproque de deux êtres est fort différent de celui qui intervient pour les maintenir ensemble. Il faut maintenant pouvoir compter sur l'autre « pour de bon ». C'est là que les disputes aident les couples à se débarrasser de leurs notions fantaisistes, voire fantastiques. Pour le meilleur comme pour le pire, l'ajustement de deux cadres de référence différents n'est pas une descente, en douceur, du « jardin d'Éden ». C'est une bataille, dont l'enjeu est une réalité acceptable. Le problème est le suivant : lequel des deux partenaires imposera sa vision de la réalité, de ce qui est acceptable?

Comment adapter deux manières d'aimer

Il est tout à fait exact, au fur et à mesure que les deux amoureux font mieux connaissance, que «la familiarité engendre le mépris» puisqu'elle détruit les illusions romanesques. Mais voilà, cet état d'ennui stérile n'est en rien obligatoire. C'est une erreur totale que de dire avec ceux de la tradition romantique : «Gardez vos distances! Préservez l'image de votre amour!» Cette vision utopique, ces comportements du type «Après vous, ma chère» ne peuvent durer. Ou alors, au prix de feintes, du mépris de l'autre, au cours d'une vie monotone.

Tôt ou tard, il faut en venir à la mise à l'épreuve de la relation intime au contact de la réalité. À ce stade, chacun cherche à sauvegarder, parmi les rêves du temps de la conquête amoureuse, ceux qu'il est en droit de voir se réaliser. Ni plus, ni moins, s'il est raisonnable. Il est dangereux de prolonger outre mesure le temps de l'utopie. L'accumulation dans la «cartouchière» d'images fantastiques, année après année, finira un jour par produire une explosion.

Supposons qu'une femme trop ambitieuse s'obstine à voir en son très ordinaire mari un «gérant de la finance». Imaginons qu'il cherche lui aussi à soutenir cette image. Ses capacités réelles ne le lui permettant pas, l'échec sera bientôt manifeste. Elle lui en voudra, lui reprochera peut-être d'avoir «pactisé» avec son attente déraisonnable à elle. Il lui reprochera, en retour, de ne «pas croire en lui».

Ou bien, supposons qu'une femme, cherchant à séduire son mari, s'habille de façon provocante, ne danse qu'avec d'autres hommes dans les réceptions. Ceci lui semble légitime puisque c'est lui, finalement, qui la ramènera chez elle, lui dont elle partage le lit. Un tel comportement peut être un stimulant sexuel, en effet. Malheureusement, ce couple, comme celui de l'exemple précédent, n'a jamais abordé la question de front. Au lieu d'un mari amoureux, la femme aura sur les bras un mari jaloux et soupçonneux.

La transition entre les images élaborées au temps de la «conquête» et les réalités quotidiennes peut être pénible. Voyons ainsi le cas de Bruno Gagné et d'Hélène Chevalier. Lui, il se sentait dupé : après trois ans de mariage, sa femme ne se comportait plus comme aux premiers jours de leur amour.

Bruno (avec exaspération) : Quand, moi, je la veux, je ne peux l'avoir. Il faut donc que je la prenne quand elle le veut.

Hélène (sûre de son bon droit) : Et alors? C'est ainsi qu'aiment les femmes. On ne peut les forcer. Il faut que cela vienne de l'intérieur. N'est-ce pas, docteur Bach?

Dr Bach : L'amour a de multiples facettes. Vous deux, vous avez du mal à ajuster vos deux styles. (À Hélène :) Inutile de vous défendre à l'aide de généralités. Qu'avez-vous encore à dire?

(Bruno est alors invité à s'asseoir en face de sa femme. Tous deux ont des fauteuils pivotants, mobiles.)

Dr Bach : Discutez ensemble, maintenant, sans me mêler à votre discussion, pendant un certain temps. Je vous écoute.

Bruno (excédé) : Oh! docteur. Nous en avons déjà tant discuté! Le disque est usé!

Hélène : C'est vrai. Nous n'avons plus rien à nous dire de neuf. J'en ai assez.

Bruno (commençant à s'énerver, se rapproche d'Hélène) : Je te l'ai dit mille fois! Cela me contrarie d'être toujours celui qui doit venir à toi. Quand je pense combien tu étais affectueuse, les deux premières années! Tu ne viens plus jamais à moi.

Hélène : Rarement, c'est vrai. Il m'est difficile de faire les avances. Mais je réponds toujours aux tiennes. (Silence. Bruno a l'air boudeur, fâché.)

Dr Bach : Que ressentez-vous, l'un à l'égard de l'autre, en ce moment même?

Bruno : Du découragement. C'est encore l'impasse. (Long silence.)

Hélène : Je ne te comprends pas. Notre union est heureuse. Mais tu es toujours mécontent de tout : de moi, des enfants, de ton travail, de ton revenu! Bien sûr que j'étais affectueuse avant notre mariage, séduisante aussi, peut-être. C'est que je me sentais ainsi, sans feinte. Je te voulais comme mari, et c'est encore vrai. Mais tu étais bien différent, toi aussi. Enthousiaste, stimulant... Pas comme maintenant.

Bruno (avec chaleur) : J'étais ainsi parce que tu m'aimais ! J'aime qu'on m'aime !

Dr Bach : Je vois. Vous répétez tous deux, comme un disque qui déraille : « Où sont les beaux jours des fiançailles ? » Eh bien, ils sont passés. Vous devriez en être au stade de la mise à l'épreuve de la réalité. Mais vous vous y refusez. D'où la crise.

Hélène : Mais nous ne traversons pas de crise ! Voilà qui serait affreux !

Dr Bach : Mais si. Car un changement est imminent, en mieux ou en pire. Vous vous êtes tous deux accrochés trop longtemps à vos rêves...

Hélène (au Dr Bach) : Le mot « crise » paraît impressionnant ! (À Bruno :) Notre mariage ne va pas si mal, n'est-ce pas, mon chéri ?

Bruno : Le docteur Bach veut dire qu'il faut que quelque chose change. N'est-ce pas ?

Dr Bach : Oui. Une crise est un état de déséquilibre. Cet équilibre doit être rétabli au prix de changements radicaux. Le problème est de les canaliser dans une voie positive. Dans le mariage, on ne revient jamais en arrière. Il est inutile de vous attarder sur la période romantique de votre amour, de vouloir vous conformer à ce que, croyez-vous, votre conjoint attend de vous. La question réelle est de savoir où vous désirez aller maintenant. Que pouvez-vous l'un pour l'autre ?

Hélène (à Bruno, avec anxiété) : Mais je ne peux tout de même pas réagir chaque fois que tu le désires ! Je suis comme je suis. Si cela ne te convient pas... (Elle cherche à sourire. Ses lèvres tremblent.)

Dr Bach : Tout cela vous tient profondément à coeur. Et à votre mari aussi. (Bruno s'était rapproché d'Hélène, essayant de la consoler.) (À Hélène :) Cela vous contrarie-t-il quand Bruno se plaint « Je dois la prendre quand elle veut bien » ?

Hélène : Et comment ! Il me fait passer pour une mégère ! Je ne peux quand même pas me façonner, sur mesure, aux goûts de mon mari ! (Se tournant vers Bruno :) Voudrais-tu que je te joue la comédie, faire semblant d'être une autre, juste pour te faire plaisir?

Bruno: Cela ne me gênerait en rien que tu essaies un peu de me faire plaisir!

Hélène: J'ai essayé cela aussi! Mais c'est exténuant de jouer la comédie! Et cela ne marche pas. Je ne veux plus le faire.

Bruno (avec anxiété): Ne veux-tu pas me faire plaisir? Est-ce à moi seul de changer?

Hélène: Bien sûr que je voudrais te faire plaisir. Mais si je ne me sens pas «bien dans ma peau»... Tu es si dur avec toi-même... Autant être d'accord avec moi-même.

Dr Bach: C'est bon! Pendant le temps qui précède les fiançailles, jouer la comédie semble être un mal nécessaire. Mais maintenant, c'est fini. C'est de cela que vous devez discuter, d'ici notre prochaine rencontre. Vous avez inventé des images pour justifier l'attraction physique qui vous a poussés l'un vers l'autre. Maintenant, il vous faut vraiment faire connaissance, vous montrer tels que vous êtes...

Hélène (s'éloignant légèrement de Bruno): Mais cela me fait peur! Peut-être découvrirons-nous que nous sommes trop différents! Nous sommes différents d'ailleurs. Tenez cette histoire de sexe... Il n'est pas dans ma nature de me jeter au cou d'un homme, même quand je l'aime autant que cet espèce de balourd-là, dans son fauteuil.

Dr Bach (à Bruno): Dites-lui quelque chose. (Mine interrogative de Bruno.) Que vous êtes un homme qui sait vivre. Que vous pouvez cesser de remettre le même disque, la même complainte...

(Bruno répète en riant.)

Dr Bach: Vous commencez seulement à être intimes! L'intimité commence quand le romantisme quitte la scène, quand on évalue ses différences, avec réalisme. Ce sont ces différences qui comptent, qui sont stimulantes, qui vous lancent un défi! La fusion de deux êtres est un problème d'adultes. Vous verrez comme tout change quand vous aborderez ouvertement ce qui vous sépare. C'est cela qui vous rapprochera, justement. Car, en tenant compte de ce qui, en l'autre, est différent, vous lui manifestez du respect, ce qui, en retour, attire son respect.

Du romantisme à l'intimité

Bruno et Hélène, comme d'autres couples, furent stupéfaits d'apprendre qu'ils pouvaient sortir de ce qu'ils croyaient une impasse. Bien des couples intelligents partagent ce pessimisme : ils croient qu'on ne peut changer des vieilles habitudes, en surestimant la difficulté. Alors que bien des habitudes peuvent être secouées aussi facilement que la feuille d'automne tombe de l'arbre !

Les partenaires, trop souvent, sont plus attachés aux images qu'ils ont formées mentalement qu'à leur véritable personne ou à celle de l'autre. Ils préfèrent se battre pour préserver ces images plutôt que de se modifier. Et ils en veulent au partenaire qui « gâche tout ». Certains passent leur vie à punir leur partenaire d'avoir brisé le rêve.

Pour les partenaires habitués à s'affronter, il n'est pas nécessaire de mettre à l'épreuve l'image de soi de l'autre, ni son amour. Cela vient tout seul, comme un sous-produit de ce face à face continuel. Ils savent toujours où ils en sont.

Les autres, ceux qui éprouvent le besoin de mettre à l'épreuve l'amour de l'autre, utilisent tous les procédés possibles pour fabriquer, pour préserver leurs images :

1) La tromperie délibérée. Ils gardent toujours leur « habits du dimanche ».

2) La tromperie inconsciente. Ils y croient eux-mêmes.

3) La divination : l'autre doit découvrir par lui-même ce qu'on aime.

4) Les insinuations, plutôt que les demandes directes.

5) Les preuves : « J'aime vraiment voir comment tu te débrouilles avec les enfants. »

6) La validation sélective. Observer secrètement tout ce qui, chez le partenaire, concorde avec le cadre qu'on lui a préparé.

7) La mise en scène. Manipuler le partenaire pour le faire entrer dans le cadre.

8) Ordonner à l'autre de se comporter de façon « aimable ».

Il est tout à fait humain de préférer que l'autre renforce l'image idéalisée que l'on a de lui plutôt que l'image négative. Lorsqu'un partenaire se présente sous son jour réel au sein d'une relation intime, la désillusion qu'il cause à l'autre peut lui valoir des contre-attaques brutales du type: « Pas étonnant que tu aies été congédiée. »

La plupart des gens connaissent trop bien leur image négative pour vouloir qu'on la leur rappelle constamment. Nous incitons nos participants à répondre en disant : « Arrête de me rappeler mes défauts et de jouer au juge. Je ne t'ai pas épousé pour cela et je n'ai nul besoin de tes critiques. »

Plutôt que de s'aider et se réconforter mutuellement lorsqu'ils pénètrent dans la réalité qui suit la lune de miel, les partenaires perdent espoir et s'embourbent dans des querelles interminables et épuisantes. Voici une dispute entre un mari qui croyait que sa femme serait toujours aussi complaisante qu'une geisha et une femme qui croyait que son mari serait toujours aussi libéral dans ses dépenses qu'au temps de leurs sorties préconjugales.

Lui : Tu as de nouveau mis mon compte à découvert.

Elle : Pourquoi ne me dis-tu pas précisément la somme à ne pas dépasser ?

Lui : Tu le sais très bien lorsque tu dépenses trop. Mais tu t'en fous.

Elle : Tu me tiens dans l'ignorance pour pouvoir m'attraper ensuite. Je ne suis pas ton comptable. C'est toi qui tiens les comptes !

Lui : Laisse-moi rire. De toute façon, tu ne ferais pas ce que je te demanderais.

Elle : Pourquoi ne me mets-tu pas à l'essai ?

Lui : Cela ne sert à rien avec toi.

Elle : Voilà que ça recommence !

Écoutons ce dialogue, entre une jeune femme et son mari. Celui-ci avait réussi à lui cacher, avant le mariage, qu'il était encore « dans les jupes de sa mère ».

Elle : Tu passes trop de temps avec ta mère.

Lui : Tu recommences ?

Elle : C'est toi qui recommences, en courant tout le temps chez elle; tu vas chercher refuge chez elle, comme un enfant.

Lui : Cesse de me psychanalyser !

Elle : Tu refuses de voir les choses en face.

Lui : Je suis fatigué de tes reproches.

Elle : Moi aussi, j'en ai assez...

Une telle querelle, de celles qui sont dues à la « dépression » faisant suite à la lune de miel, ne doit pas être confondue avec les « querelles pour des riens », toujours vivantes, suivant le cours des événements, celles que nous encourageons. Alors qu'ici, il s'agit de ces combats rituels, sans issue, entre individus pour qui les conflits sont une habitude, qui rejouent toujours la même partie, dont chaque coup est prévu. Si les gens apprenaient à moins craindre le rejet et commençaient à se parler franchement au lieu d'être aussi déterminés à être gentils, ils établiraient peut-être de véritables liens intimes entre eux plutôt que de s'engager dans le manège des scènes conjugales.

Si les rêves formés au cours de l'idylle sont tellement difficiles à abandonner, c'est aussi parce qu'ils sont à sens unique; chacun, plongé dans sa propre vision fantastique, espère que le partenaire s'y conformera. Cet espoir a la vie dure. Directement ou indirectement, l'un tentera d'inciter l'autre à se comporter conformément à son rêve. Mais comme nous l'avons démontré, il ne sert à rien de lutter contre des moulins à vent.

Sept façons de construire une image du « nous »

Que peut faire le partenaire, en pareil cas?

1) Il peut se modifier, pour être en accord avec le projet de l'autre.

2) Il peut démontrer à l'autre que ses images sont peu réalistes en se comportant délibérément de façon « dissonante ».

3) Il peut amener le partenaire à changer de point de vue.

4) Il peut, lui, changer de point de vue, adoptant celui du partenaire.

5) Il peut changer de partenaire.

6) Il peut, oubliant les différents points de vue, vivre au jour le jour.

7) Il peut s'associer à son partenaire pour élaborer ensemble un projet acceptable, flexible, adapté au présent; tenant compte des principaux événements prévisibles et laisser la plus grande partie du projet libre, ouverte aux négociations.

Cette dernière approche est la plus pratique, la plus créative, la plus délicate aussi.

Une dernière explication de cette persistance du «rêve» préconjugal : Il fait partie d'un héritage culturel. Dans nos sociétés, il existe une telle pression auprès des femmes pour qu'elles se trouvent un «bon mari» que les jeunes filles acceptent de se montrer accommodantes, se transforment, tel un caméléon, et sortent tous leurs artifices.

Inutile d'analyser le passé

Cette perspective semblait à Lucille Dufour et à François Côté drôlement compliquée. Lorsqu'ils participèrent pour la première fois à une séance d'entraînement au combat loyal, ils racontèrent l'entrevue que François avait eue avec le psychanalyste de Lucille avant qu'ils ne décident de se marier en dépit de l'avis du médecin.

Lucille : Mon psychanalyste m'a dit que tu étais encore dans les jupes de ta mère. Il m'a dit que peu importe qui tu épouserais, tu lui en voudrais toujours de t'avoir séparé de ta mère. Puis il m'a dit : «Ce n'est pas à moi de vous dicter votre conduite. Si vous voulez l'épouser, allez-y. Vous pourrez toujours divorcer.»

François : Je sais. Il m'a dit la même chose. «Vous êtes un célibataire professionnel. Vous avez trente-huit ans et vous n'êtes pas encore marié. Je pense que vous êtes malade. À moins que vous veniez me voir quatre fois par semaine pendant trois ans, je crois que votre fixation maternelle brisera toutes vos relations conjugales, en particulier avec Lucille. Cela fait quatre ans qu'elle suit un traitement psychanalytique et je commence seulement à la délivrer de sa fixation paternelle, qu'elle a transférée sur moi bien sûr. Puis l'analyste s'agita et me dit : «Lucille est sur le point d'abandonner ses rêves paternels et d'envisager la vie d'une façon plus réaliste. Puis voilà que vous arrivez. Sans le savoir, vous êtes en train de lui rendre l'espoir qu'à l'âge de vingt-neuf ans, elle peut encore avoir un père : vous ! C'est ridicule ! Vous êtes encore dans les jupons de votre mère et vous êtes censé jouer un rôle de père !» (Se tournant vers Lucille.) À ce moment, le psychanalyste se mit à railler notre relation. «Vous imaginez cela ? Vous encouragez l'attirance que Lucille ressent pour vous et qui est basée sur son envie inconsciente d'un père. Elle espère vous séparer de votre mère. Or, vous êtes incapable de donner puisque vous êtes encore occupé à téter votre mère comme un chiot qui n'a pas encore les yeux ouverts sur la réalité. Lucille vous intéresse parce que vous désirez remplacer les deux seins usés de votre mère par deux seins plus productifs et plus « compréhensifs ». Mais Lucille n'est pas intéressée à devenir votre nourrice. Elle en est d'ailleurs incapable. Elle s'attend à ce que vous preniez soin d'elle. Vos buts sont diamétralement opposés et c'est sans espoir, sauf si vous suivez un traitement psychanalytique intense qui vous permettra d'établir une relation réaliste. » (François s'arrêta et s'adressa directement à Lucille) Je me suis violemment opposé à ton analyste, cela va de soi. Je lui ai dit que je m'étais détaché de ma mère il y a longtemps. Je lui ai souligné que j'avais vécu en célibataire pendant plusieurs années. Je lui ai clairement laissé entendre que j'étais prêt à t'épouser et à fonder une famille. (Il la regarda intensément.) Je sais tout sur le complexe d'Oedipe. Ta psychanalyse t'a coûté une fortune! Cela devrait suffire pour nous deux! J'ai fini par dire à l'analyste qu'il était très calé en théorie mais très peu en compréhension humaine. « Vous avez parfaitement le droit de ne pas être d'accord avec mon diagnostic » m'a-t-il répondu. « Ce n'est pas à moi de vous dire comment organiser votre vie. Si vous tenez à vous marier, allez-y. Vous pouvez toujours me rappeler plus tard. »

Lucille: Je me souviens du jour où tu es revenu de chez l'analyste. Tu m'as demandée en mariage et j'ai accepté malgré son opinion.

Un membre du groupe: Votre situation est-elle aussi mauvaise que l'analyste l'avait prédit?

Lucille: Oui et non. Non, parce que nous ne voulons pas divorcer. Oui, parce que nous nous disputons trop souvent. Voilà pourquoi nous sommes venus consulter le docteur Bach.

François: Oui. Nous passons des jours merveilleux ensemble, puis, tous les quatre ou cinq jours, nous faisons un véritable gâchis qui dure un jour ou deux. Puis, nous nous réconcilions et goûtons notre tranquillité jusqu'à la querelle suivante. Pour dire vrai, ces « montagnes russes » émotives m'épuisent. J'essaie de voir ce qui cloche et je crois que Lucille manque vraiment de maturité. Elle est aussi craintive qu'une enfant. Elle manque de confiance en elle-même.

Dr Bach: En avez-vous assez de vos montagnes russes?

Lucille (coupant la parole à François): Oui, Dr Bach, c'est exactement ce que je pense. Il en a assez. Au fond de lui, il ne veut pas être marié, du moins pas avec moi.

François (protestant en riant) : C'est absurde ! Pourquoi serais-je ici avec toi alors ?

Lucille : Tout ce que je fais t'irrite tellement...

François (souriant) : Pas tout, mon amour.

Lucille : Bien sûr que non. Tu m'aimes au lit. Tu aimes notre façon de faire l'amour. Mais nous ne pouvons pas passer notre vie au lit. Tu me critiques à propos de toutes sortes de petits détails idiots : ma façon de conduire, ma coiffure, ma façon d'apprêter les restes. Tu critiques lorsque je ne pratique pas mon piano. Lorsque je joue, tu critiques ma façon de jouer. (Elle fond en larmes et se tourne vers le conseiller et les quatre autres couples.) Tout au fond de lui, il n'est pas content de m'avoir épousée !

Cet exemple illustre bien les nombreuses erreurs que commettent les partenaires lorsqu'ils « traduisent » un événement banal pour y chercher ce qui est significatif. Ils cherchent à deviner les motivations de l'autre, vont à la pêche aux motifs inconscients. C'est là un jeu professionnel auquel s'adonnent de nombreux psychiatres démodés, persuadés que les partenaires pourraient améliorer leur relation s'ils connaissaient le « pourquoi » de leurs actes.

Trouver ensemble de nouvelles façons

En fait, cette recherche des causes plongeant dans le passé est d'un faible secours. Mieux vaut se concentrer sur le « nous », s'exercer à de nouveaux comportements, à trouver de nouvelles solutions aux problèmes du couple, à vivre ensemble. C'est là la nouvelle orientation en psychothérapie qui peut améliorer considérablement la vie de la plupart des gens; l'expérience clinique amassée au cours des vingt dernières années nous le prouve.

L'important, dans cette optique, est de recueillir toute l'information possible sur le déséquilibre de la relation et de tenter d'y remédier. À ce moment-là, on peut chercher, à travers les petites contrariétés banales, à savoir « où on en est ».

L'analyste de Lucille et de François interpréterait sans doute leurs déboires conjugaux comme des dérivés inévitables de leurs motivations et de leurs fixations inconscientes. Il attribuerait sans aucun doute leurs problèmes à des événements lointains de leur enfance. Le couple tomba dans le même piège. Lucille attribuait les critiques inutiles de François à son désir profond de divorcer tandis que François y allait aussi de ses spéculations psychiatriques. Il déduisit du fait que Lucille était si bouleversée par ses « exigences raisonnables » qu'elle souffrait d'un complexe d'infériorité. Il laissa entendre qu'elle perdait son assurance au moindre désagrément. Toutes ces interprétations des quoi et des pourquoi ne donnent aucun indice utile sur la manière d'améliorer une relation.

Cherchons plutôt en quoi la querelle entre Lucille et François nous renseigne sur l'état de leur relation et sur les moyens de l'améliorer. Après quelques séances de formation, les deux conjoints furent plus aptes à tirer des leçons de leurs querelles et commencèrent à faire des progrès :

Un membre du groupe : Je crois que vos critiques à propos de sa peur de conduire sur l'autoroute, du temps qu'elle met à s'habiller et de ses aptitudes musicales prouvent que vous n'acceptez pas ses faiblesses. Vous refusez de la protéger et de prendre soin d'elle.

François (étonné) : Non, non; j'aime protéger Lucille lorsqu'elle en a réellement besoin. (Se tournant vers Lucille :) Tu te souviens lorsque tu as eu des ennuis avec le propriétaire ? Raconte-leur ma chérie...

Lucille : Oui, pour les questions financières, François est toujours là et cela me sécurise beaucoup.

Dr Bach (s'adressant à François) : Alors, vous acceptez qu'elle dépende de vous dans certains domaines, mais pas dans d'autres. Ainsi, cela vous ennuie qu'elle montre ses points faibles... sa difficulté à conduire, à s'habiller, à jouer du piano. Ce sont des choses qu'elle doit apprendre à faire seule et qui vous rendent impatient.

Lucille : Exactement ! Cela l'ennuie terriblement et il me critique sans arrêt. Il s'agit toujours de choses auxquelles il ne prend pas vraiment part comme la cuisine, le ménage et autres choses du genre. C'est dans ces cas qu'il me tape sur les nerfs !

Dr Bach : François, êtes-vous d'accord avec cela ?

François : Je crois que oui. Je suis assez ignoble. (Se tournant

224

vers Lucille :) Mais pour toi, tout est un problème, tout est difficile et cela m'irrite ! Et lorsque je te le dis, c'est la dispute !

Un membre du groupe : Vous ne l'acceptez pas comme elle est. Vous voulez la changer.

François : Devrais-je accepter son incompétence alors que c'est cela même qui m'irrite ? Je croyais que nous devions nous parler franchement ! Je me sentirais hypocrite et ridicule si je prétendais aimer son côté infantile et son insécurité. Ce n'est pas le cas, je les déteste !

(Long Silence)

Lucille : Si au moins tu me laissais tranquille lorsque je fais des choses que je dois faire seule de toute façon, cela irait beaucoup mieux. Tu pourrais cesser tes critiques puisque de toute manière, tu ne peux rien y changer. Je m'améliorerai tranquillement. Lorsque cela va bien, pourquoi viens-tu mettre ton nez dans mes affaires ? Tu devrais apprendre à te taire et à me laisser faire seule !

François : Chaque fois que tu fais une de ces choses, tu te plains parce que tu trouves cela difficile.

Un membre du groupe (à François) : Elle vous demande de l'aider.

Dr Bach : Mais pourquoi ? (À Lucille :) Ne demandez pas de l'aide à François dans des domaines où il est incapable de vous en donner. Comment peut-il honnêtement vous dorloter lorsque vous vous comportez d'une façon qui lui déplaît ? François semble un peu allergique à votre faiblesse apparente. Dans les domaines où il ne peut rien pour vous, pourquoi lui demander son aide ? (À Lucille et à François :) Et si vous cessiez de raconter à François tous vos petits problèmes de conduite, ne serait-ce pas déjà un pas dans la bonne direction ?

François : Elle m'accusera de ne pas m'intéresser à elle.

Un membre du groupe : Je suis sûre que votre femme s'en tirera beaucoup mieux si vous ne lui manifestez pas un intérêt hypocrite. Lorsqu'une personne apprend à faire quelque chose, les critiques ne lui sont d'aucune utilité.

Lucille (à François) : Je suppose que je dois m'habituer à deux choses: d'abord, au fait que je peux me passer de ton aide dans les domaines où mes faiblesses t'ennuient tellement que tu es incapable de m'aider sans être hypocrite. Et Dieu sait que je ne veux plus de ces jeux hypocrites! Ensuite, pour la première fois, je vois que ta tolérance, ta compréhension et ton aptitude à m'accepter comme je suis ne sont pas infinies...

Lors d'une autre séance, un membre du groupe demanda à François et à Lucille s'ils se querellaient encore.

Lucille: Nous n'avons pas eu de grosses disputes dernièrement, des accrochages seulement. Je crois que nous commençons à apprendre à exprimer nos griefs à mesure.

François: Notre vie est beaucoup plus paisible maintenant. Je ressens parfois un peu de nostalgie. Autrefois, je surveillais tout ce que Lucille faisait et elle me racontait tout. Maintenant, elle fait beaucoup de choses de son côté et à sa façon. Elle y prend plus de plaisir, mais je me sens un peu abandonné.

Dr Bach (à François): Vous sentez-vous moins aimé?

François (à Lucille): Et toi? Est-ce que tu m'aimes moins?

Lucille: Je t'aime encore plus, idiot! Je t'aime d'une façon plus réaliste avec tes qualités et tes défauts.

François (au Dr Bach): Vous voyez ce que vous avez fait? Je suis «idiot» parce que je ne la dorlote plus. Et je ne suis plus son protecteur.

Dr Bach: Il me semble que votre protectorat, qui diminuait votre femme, s'est transformé en merveilleuse association. Elle vous aime plus qu'avant. Vous ne souffrez plus de querelles destructives. Et tout ce que vous avez dû abandonner en échange de cette paix, c'est votre rôle de chien de garde qui ne comptait pas parmi vos plus belles qualités de toute façon.

Adieu image ! Bonjour réalité !

Il arrive à des êtres fort intelligents d'être incapables d'élaborer une image réaliste de leur couple. Et de n'en prendre conscience qu'après vingt ans de mariage.

Prenons le cas du Dr Claude Lessard, un psychiatre ayant brillamment réussi, et de sa femme Anne-Marie. C'est seulement lorsque leur fille de dix-neuf ans ramena un été à la maison un camarade de faculté qu'ils prirent conscience de la nécessité de reprendre en main leur propre vie conjugale. Ils avaient sous les yeux un jeune couple amoureux, exprimant en toute liberté et avec

226

réalisme ses opinions, ses exigences réciproques. Comportement contrastant de façon frappante avec celui, tout de retenue, qui avait été le leur, au temps de leurs fiançailles. Comment pouvaient-ils vivre encore sous les fausses impressions datant de cette époque?

Le mari, qui, à l'occasion, recherchait une intimité factice auprès de «call girls», reprochait amèrement à sa femme de ne «jamais» recevoir, «jamais» vouloir partir en croisière avec lui, «jamais» montrer d'enthousiasme à tenir son rang social à ses côtés. En d'autres termes, de ne jamais se conformer à l'image du «nous» qu'il avait forgée au temps de leurs fiançailles. Car ce psychiatre, aussi étrange que cela puisse paraître, voyait sa femme sous la fausse image d'une mondaine, d'une sportive, d'une grande voyageuse. D'une femme économe et reconnaissante, aussi. C'était l'image qu'elle lui avait présentée d'elle-même quelque vingt ans auparavant, afin de l'«attraper»!

Plutôt que de chercher à tirer encore profit de ce mensonge, l'épouse, en larmes, eut le courage d'affronter la situation. Leur véritable vie conjugale commença le jour où elle lança à la figure de son mari: «C'est vrai, je ne suis, je ne serai jamais, celle que tu crois! Mais il y a bien d'autres choses que je peux t'apporter!»

Dans un cas assez semblable, la femme d'un médecin avait laissé celui-ci pendant douze ans jouer les Pygmalion. Elle le flattait avec ironie: «Je sais tout ce que j'ai à apprendre de toi.» Puis, poussant plus loin la plaisanterie, jouait les vamps en société. Il jouait à son tour les séducteurs, au vu et au su des maris mécontents. Jusqu'au jour où sa femme le surprit dans une cuisine en train de faire des avances à une autre femme. Alors elle lui fit une scène, portant un coup mortel à l'image que le mari avait de lui-même. Ici encore, un examen plus approfondi révéla au couple que lui ne tenait pas plus à jouer les professeurs qu'elle les élèves. Mais ils vivaient toujours les rôles datant de l'époque de la cour amoureuse.

Le sens personnel des conflits financiers

Les fantasmes nourris par chacun des partenaires se révèlent parfois irréconciliables. C'est souvent à propos de problèmes financiers que se manifeste cette divergence d'optique. Lorsqu'on vit à deux, on est portés à satisfaire plus facilement ses besoins, voire ses caprices, encouragés par la croyance romantique selon laquelle, à deux, on est plus forts que tout seul. Ce qui, sur le plan financier, est le plus souvent inexact. Or, l'atteinte à la liberté de dépenser d'un individu est génératrice d'anxiété. Qui l'emportera ? Le mari qui désire un bateau, ou la femme qui souhaite un manteau de fourrure ?

Chacun tentera de persuader l'autre qu'il envisage cet achat dans leur intérêt commun. Mais tout ce qui touche à la possession d'objets est pénétré de fantasmes datant de l'époque des rêves sentimentaux, la réalité y pénètre difficilement.

L'entraîneur d'une équipe de football rêvait depuis fort longtemps de s'acheter une jeep et de partir explorer des régions sauvages. Il se voyait volontiers en explorateur et, alors qu'il faisait la cour à sa future femme, il lui avait souvent présenté cette image fantaisiste. Elle l'avait alors encouragé avec enthousiasme, espérant secrètement avoir alors sa propre voiture, ce qu'il jugeait déraisonnable.

Une fois marié, il n'eut plus en tête que de réaliser son rêve. Il fallut se battre pour chaque achat, y compris celui du mobilier, lui voulant faire passer la jeep en priorité. Il perdait chaque fois la bataille; et pourtant, année après année, il se rendait au Salon de l'Automobile, regardant les derniers modèles de jeeps, bavardant avec les hôtesses qui, comme sa femme au temps de leurs fiancailles, comprenaient son rêve. Puis, une année, il n'y tint plus. Il acheta la jeep, et, en plus, tout un matériel fort coûteux. Sa femme entra dans une colère noire. Elle exigea qu'il rende au moins l'équipement complémentaire, acceptant de garder la jeep (elle ne pouvait tout de même pas complètement renier la promesse faite jadis). Mais il refusa de rendre quoi que ce soit, éprouvant le sentiment d'être trahi. Il découvrait maintenant qu'elle n'acceptait pas l'image de l'explorateur; alors que, pour lui, l'enthousiasme qu'elle avait semblé manifester pour son rêve faisait partie de l'image qu'il avait de leur couple. Ils finirent par divorcer. Bien sûr, leurs désaccords portaient aussi sur d'autres domaines. Mais c'était un rêve qui les avait réunis, et c'est la fin d'un rêve qui les sépara.

Les couples élaborent généralement, de façon progressive,

plus ou moins consciente, un mode de vie où fusionnent leurs goûts respectifs, permettant à chacun de dire : « Ca, c'est nous. »

Des disputes quant au mode de vie se produisent quand un des partenaires ne veut tenir compte que de ses goûts nouveaux, agissant sans consulter l'autre; qu'il s'agisse de l'achat d'un type de voiture donné ou du temps consacré à voir des amis. Dans le mariage, pour créer quelque chose, il faut être deux.

C'est ce que découvrirent Harold Langelier et Jocelyne Dumont lorsqu'ils virent leur mariage menacé par leur récente prospérité. Jocelyne avait trimé dur pour permettre à Harold de finir ses études. Puis Harold était entré comme biochimiste dans un important laboratoire de recherche et ils s'étaient serré la ceinture pendant quelques années. Dès qu'ils avaient épargné un peu d'argent, Harold l'avait investi en majeure partie dans un club de ventes pyramidales qui s'était avéré malhonnête et il avait tout perdu. Jocelyne s'en était réjouie secrètement dans l'espoir que cette expérience décourage son mari de prendre des risques financiers.

Au lieu de cela, il commença de jouer à la Bourse. Le temps qu'il passait auparavant à parcourir les magazines scientifiques, il le consacrait maintenant à étudier les tableaux de profits de ses firmes favorites. Il s'intéressait aussi aux courses et allait à l'occasion jouer au casino. Jocelyne protestait mais Harold lui montrait que ses gains étaient supérieurs à ses pertes. De plus, lui disait-il, il aimait prendre ce type de risques, et il avait bien le droit de s'amuser après tant d'années de dur labeur.

Jocelyne n'était pas contente de la tournure que prenaient les événements, mais elle n'avait pas fini de se faire du souci. Un samedi, elle dit à son mari : « Si tu m'emmènes à la plage, je ferai l'amour avec toi toute la fin de semaine. N'est-ce pas plus amusant que le jeu ? » Il fut d'accord, mais à la dernière minute il insista pour qu'ils aillent au casino de sorte qu'il puisse et jouer et faire l'amour. Jocelyne, qui se savait jolie, fut choquée de voir qu'elle devait rivaliser avec des tables de jeux. Peu après cette fin de semaine, elle trouva, en rentrant à la maison, son mari en train de jouer au rami avec les enfants.

Elle explosa. Harold se défendit en disant que c'était le seul plaisir qu'il se permettait et qu'il le méritait. « Mais tu es en train de nous détruire » lui cria-t-elle. « Je ne vois pas en quoi » lui répondit-il en haussant les épaules.

Au cours des séances de formation au combat loyal, Harold découvrit que Jocelyne ne pouvait l'aimer que lorsqu'il redevenait ce qu'il avait été avant de se mettre à jouer. Leur mode de vie s'était stabilisé depuis des années, et elle avait raison de croire qu'Harold n'en changerait pas les règles d'une façon unilatérale. Même s'il s'intéresse encore à la Bourse, il a trouvé un exutoire pour sa passion du jeu en jouant au poker avec ses amis à la maison.

Évolution du couple et développement personnel

Il ne faut pas croire, toutefois, que l'intimité soit incompatible avec un développement personnel. Bien au contraire, et l'affrontement agressif est un stimulant idéal de ce développement, moyen idéal aussi d'amener le partenaire à l'accepter.

À peu de choses près, ce genre de disputes commence souvent ainsi :

Elle : Je trouve que nous nous éloignons l'un de l'autre.

Lui : Penses-tu ! En quoi ?

Elle : Par exemple, j'en ai par-dessus la tête de passer mon temps à jouer au bridge.

Lui : Mais tu adores ça !

Elle : Plus maintenant. J'ai mieux à faire.

Ce genre de crise doit être pris au sérieux. Le partenaire en crise de « développement » pourrait, bien sûr, s'adapter au partenaire bridgeur et continuer à jouer. Ce serait désastreux, car il ne ferait qu'emmagasiner des sentiments hostiles. Le partenaire désirant le changement doit proposer quelque chose en échange, à débattre avec son conjoint. Ces insatisfactions conduisant à une confrontation, n'importe quoi peut les déclencher; parfois la simple lecture d'un livre. Comme le découvrit un soir Joseph Parent, physicien distingué. Sa femme Maria et lui étaient couchés quand elle lui fit part des nouvelles activités qui l'éloignaient de la maison, dans la journée.

Joseph : Cela m'est égal que tu t'occupes aussi. Pourvu que cela ne te distraie pas de l'essentiel : moi, la maison, les enfants.

Maria : Ce que tu appelles « me distraire », moi j'appelle ça

« commencer à vivre ». Je vaux bien mieux maintenant que lorsque je me consacrais à ta seule « gloire ». Tu étais mon seul horizon !

Joseph (stupéfait) : Et alors ? Où est le mal ? Tu semblais adorer ça et tu sais bien que je ne t'aurais pas épousée autrement. J'ai besoin que ma femme soit avec moi, à cent pour cent. (Se fâchant :) Et je n'accepterai pas qu'il en soit autrement !

Maria (douce mais ferme) : Allons, cesse de te rendre malheureux quand il n'y a pas de quoi. Je suis en train de « grandir », voilà tout.

Joseph (de plus en plus indigné) : En te détournant de ton mari ! J'appellerais plutôt cela une régression égoïste !

Maria : Que souhaites-tu, au fond ?

Joseph : Je sais ce que je veux.

Maria (ironique) : Tu voudrais que je sois ton esclave, et que je me réjouisse, en plus, d'être la femme du brillant, du remarquable professeur. De toi !

Joseph (incrédule) : Serais-tu jalouse de mon succès ? Tu en profites pourtant ?

Maria : Je suis heureuse de ton succès. Mais à moi, il ne me suffit pas.

Joseph : Pourquoi ? Tu t'étais toujours intéressée à tout ce que je faisais avant notre mariage. Et jusqu'à l'année dernière encore. Pendant que nous y sommes, tu t'intéressais davantage, aussi, à nos rapports sexuels, dans le temps.

Maria : Qu'est-ce qui ne va pas de ce côté-là ? T'ai-je jamais refusé... ?

Joseph : Directement, non. Indirectement, oui.

Maria : Comment ? Qu'attends-tu de moi ?

Joseph (se jetant à l'eau) : Autant te le dire franchement. La plupart du temps nos rapports physiques sont sans intérêt. On sent que, pour toi, le coeur n'y est pas.

Maria (étonnée) : Ça alors... Que puis-je faire d'autre ? Je suis là avec toi...

Joseph : De corps, pas d'esprit. Tu me laisses simplement faire, et je me sens idiot. Si seulement tu redevenais ce que tu étais. Je détesterais avoir à te tromper !

Maria : Mais voyons ! J'adore faire l'amour avec toi. Mais maintenant cela a pris une signification différente. Avant, je me décarcassais, je jouais le grand jeu pour te plaire. Je pensais n'avoir rien d'autre à t'offrir. Je manquais tellement de confiance en moi. Je suis contente, en tout cas, que tu aies aimé cela...

Joseph: Tu as triché pour que je t'épouse!

Maria: Si tu tiens à appeler cela «tricher»! Tout ce que je sais, c'est que je t'aimais, et que je t'aime encore. Mais on ne peut garder ce rythme toute sa vie! Je l'avoue, d'autres choses m'occupent l'esprit.

Joseph: Quoi donc?

Maria: Eh bien, figure-toi que je me préoccupe de ma propre identité. J'en ai assez d'être la-femme-du-grand-personnage.

Joseph (absolument furieux): J'y suis, maintenant! C'est ce sacré bouquin que tu traînes dernièrement,*La Femme mystifiée*, où cette bonne femme frustrée raconte aux autres qu'elles doivent trouver leur «identité». Je vais te le dire, moi, où elle est ton identité: ici, avec moi, dans notre foyer. Ce livre nous fait du mal!

Maria: Ce n'est pas mon avis. Mais si c'est ce que tu penses, la faute t'en revient. Partout c'est toi qui comptes, toi qui es important. Je ne fais que traîner dans ton sillage...

Joseph: Mais je te fais participer à tout ce qui me concerne!

Maria: Oui. Comme public. Bien sûr que cela me plaît. Mais cela ne me suffit pas. Voilà pourquoi je commence à avoir mes propres activités en dehors, sans ton aide. J'étudie, je me fais une place au soleil. C'est dur. Mais c'est magnifique! Voilà ce qui m'occupe l'esprit, en ce moment. Et je ne t'en aimerais que davantage si tu pouvais me comprendre et me faire confiance: c'est pour nous deux que je le fais.

Une dispute de «développement» comme celle-ci peut continuer, à travers différentes phases, pendant des années avant que n'intervienne un accord. Ce ne sera pas toujours agréable. Mais ces querelles causeront bien moins d'amertume que ne le feraient le silence et le secret.

Chapitre 18

Le sexe utilisé comme arme

Objet de dispute, arme de combat, le sexe apparaît continuellement dans les querelles entre époux. Nous avons déjà montré les effets désastreux de certains comportements à cet égard : la simulation, le refus de relations sexuelles, la provocation, l'indifférence, la monotonie, la mort du sexe même, par manque de stimulation. Le sexe est-il inhérent à toute forme de dispute ? C'est ce que l'on croit généralement, impression renforcée par les problèmes toujours croissants du choix et les conflits qu'entraîne la nouvelle liberté sexuelle. Une approche thérapeutique réaliste est capable de libérer bien des couples qui utilisaient le sexe comme stratégie de combat. Ils deviennent alors capables d'y prendre plaisir comme à une activité agréable en soi. Tout en apprenant à combattre pour mieux aimer.

La frigidité, l'impuissance — problèmes psychologiques classiques — sont des formes déguisées d'hostilité, de rejet de l'autre. Dès que les partenaires ont appris à exprimer leur hostilité de façon directe, par des querelles constructives ayant lieu dans la salle de séjour et non dans la chambre à coucher, leurs problèmes sexuels tendent à disparaître. Renonçant à utiliser le sexe comme une arme, ils découvrent que la haine ne doit pas nécessairement contaminer l'amour, qu'il n'y a pas lieu de faire intervenir le sexe à propos de problèmes qui lui sont totalement étrangers. Une seule exception : l'utilisation du sexe dans la stratégie de la réconciliation. Ce que nous recommandons vivement.

Reconnaissons-le, les couples sont, au départ, conditionnés de telle façon qu'il leur est difficile de modifier leur ligne de pensée.

Notre conseil : c'est à eux, et à eux seuls, d'êtres juges de leurs préférences en matière sexuelle. Nous leur suggérons, ensuite, de se faire part de leurs difficultés et de découvrir ensemble, à travers des querelles purement sexuelles cette fois, ce qui les satisfait tous deux. Cet accord sexuel est spécifique au couple. On ne l'apprend pas dans les manuels. Il ne peut être catalogué par les psychiatres. Les partenaires y parviennent en ajustant leurs différences.

Sept mythes sur les relations sexuelles dans le couple

Mais avant de s'ajuster, les couples devront s'être débarrassés des sept principaux mythes responsables de la plupart des désillusions.

« Sexe et amour vont de pair »

Le premier de ces mythes : croire que le sexe et l'amour vont de pair. Or, l'intimité véritable admet des relations sexuelles satisfaisantes sans amour, l'amour sans le sexe et, bien entendu, l'amour avec le sexe. Tout le monde n'est pas capable de tirer satisfaction de ces trois états. Mais nombreux sont ceux qui en font l'expérience aux différentes phases d'une relation de longue durée.

Les relations sexuelles sans amour ne font généralement pas partie d'une relation intime. Les hommes, comme les femmes, sont capables de prendre du plaisir avec pratiquement n'importe quel partenaire attirant d'un point de vue physique, social et économique, pourvu que ce dernier y soit disposé. De telles relations peuvent engendrer des passions momentanées; elles peuvent également déboucher sur une véritable intimité. Il n'est pas de notre propos de porter des jugements moraux. Notons simplement que, de nos jours, le sexe n'est plus la récompense accordée après que l'homme ait longuement fait sa cour. L'attraction sexuelle, en fait, est parfois la clé qui ouvre la porte à une intimité plus profonde, la porte même que tant d'êtres gardent soigneusement fermée.

L'amour sans le sexe est un état que l'on rencontre au cours de nombreuses heures passées ensemble par deux partenaires engagés dans une relation affective.

Pour certains, cet état d'interaction émotive non sexuelle peut se prolonger des semaines, des mois, ou des années. Car — les couples mariés depuis longtemps le savent — le sexe peut devenir une routine ennuyeuse.

On a pu voir des mariages fort réussis où les partenaires ne portaient qu'un intérêt limité, voire inexistant, aux relations sexuelles. D'autre part, il existe des amitiés où le sexe n'intervient pas, et qui atteignent un degré d'intimité que pourraient envier bien des êtres liés physiquement et divorcés affectivement.

L'amour allant de pair avec le sexe, voilà la condition idéale, dans une intimité authentique, entre deux êtres égaux. Mais c'est aussi la situation qui se prête le mieux à la contamination par les problèmes qui n'ont rien de sexuel. Une bonne entente physique favorise une bonne entente du couple en général. Mais les deux faits peuvent être indépendants. Et, de toute façon, aujourd'hui, l'entente physique n'est plus suffisante. Jadis, le sexe à lui seul pouvait créer un lien permanent entre deux êtres — au temps de la suprématie de l'homme sur la femme. De nos jours, une relation intime dépasse la satisfaction érotique, englobant le besoin psychologique que chaque partenaire a de l'autre. C'est en raison de cette expansion même de la notion d'intimité que le côté proprement sexuel de la relation en vient à être empoisonné par des éléments étrangers. Il est des partenaires dont les rapports sexuels sont hautement satisfaisants et qui n'ont rien à se dire, une fois sortis de la chambre à coucher. En revanche, des amants médiocres peuvent éprouver une profonde affection, avoir une excellente compréhension l'un de l'autre. Bref, l'intimité véritable comprend mais transcende l'amour physique.

Une des armes les plus cruelles, les plus désespérées aussi que l'on puisse employer à l'égard du partenaire est le refus trop fréquent des relations sexuelles. Le sexe ne devrait jamais être un instrument de chantage. Lorsqu'on l'utilise comme source de plaisir par lui-même, il ne vient pas contaminer d'autres problèmes. Il sert, au contraire, à garder en permanence le contact avec l'autre.

« Le changement est le piment de la vie sexuelle »
Un deuxième mythe a la vie dure : celui selon lequel le changement serait le piment de la vie sexuelle. Des partenaires de longue date se plaignent souvent, il est vrai, de ce que leur vie sexuelle soit devenue pure routine monotone. Mais, d'un autre côté, une

longue habitude, dans un climat de confiance, peut provoquer des réponses sexuelles intenses, épanouies, bien plus que ne le feraient des innovations, qu'elles portent sur les techniques ou sur les partenaires. La variété dans le domaine sexuel est certes stimulante... pour l'imagination. Les expériences nouvelles, il-légitimes, peuvent, en effet, paraître satisfaisantes, excitantes, temporairement du moins. Mais il en découle de telles complications d'ordre pratique qui font l'effet d'une douche froide!

Les experts en la matière — play-boys, filles « affranchies » — découvrent qu'au bout d'un certain temps les aventures perdent de leur sel. On ne trouve plus le jeu si drôle. Quand vient la satiété, quand l'habitude devient manie, le plaisir fait place à la souffrance. On découvre alors que le changement porté à la hauteur d'une institution a ses limites. Et la plupart de ses adeptes finissent par se retrouver à la recherche d'une forme d'intimité où la sexualité ne serait plus qu'un des aspects, pas obligatoirement l'essentiel, de la vie à deux.

Au début, les aventures amoureuses introduisent un rythme nouveau, stimulent la vie sexuelle. Tant que les amoureux s'en tiennent strictement au domaine physique, elles gardent leur intérêt. Mais ce n'est presque jamais le cas. Des amants qui s'accordent bien voudront rendre plus profonde leur intimité, s'engager plus à fond. Leur partenaire dans le plaisir devient leur partenaire tout court. L'amant devient bientôt un second mari. Et la liaison commence à poser les mêmes problèmes que ceux du mariage...

À cela près que, en dehors du mariage, on tend à se montrer plus exigeant encore! L'aventure extra-conjugale doit être plus excitante que l'amour légitime. Sinon, pourquoi se compliquer la vie? Les adeptes des relations extra-conjugales nous confient aussi que celles-ci ne sont pas nécessairement supérieures aux autres. Peut-être en raison de l'anxiété, de la culpabilité qui s'y mêlent. On ne sera pas surpris d'apprendre qu'avec une maîtresse aussi, il sera bon de se disputer pour bien s'entendre. Ce qui revient à lui faire la cour, comme jadis à sa femme, mais, cette fois, un simulacre de cour, clandestine, hérissée d'obstacles.

« Oh! comme cela me plaît, ici », s'exclame la maîtresse, pénétrant dans l'auberge choisie comme lieu de rendez-vous. Alors qu'au fond elle déteste ce clinquant sordide. Tant de laideur, n'est-ce pas payer trop cher l'aventure et son effet euphorisant ?

Les infidélités — réelles, soupçonnées ou menaçantes — sont une des armes couramment brandies dans les affrontements entre conjoints. Les «démons infidèles» tout comme les «anges de fidélité» font du problème sexuel un de leurs sujets de dispute favoris et savent l'utiliser pour torturer leur partenaire.

Les «anges» accablent d'autant mieux l'infidèle qu'ils ont pour eux l'opinion publique. Leur stratégie favorite consiste à encourager secrètement le penchant de leur partenaire. («Dis-moi, il te fait drôlement de l'effet, Philippe. Je l'ai bien remarqué.») L'ayant ainsi indirectement poussée dans la voie de la trahison, il ne leur restera plus qu'à la prendre sur le fait et à recueillir sa confession. Ils pourront ensuite, à perpétuité, faire des scènes au «coupable», à chaque fois qu'ils jugeront bon de l'humilier; à l'occasion de conflits totalement étrangers, d'ailleurs, à l'entente physique du couple.

Nombreuses sont les raisons que peut avoir un «démon» pour éveiller la jalousie de son partenaire. Peut-être soupçonne-t-il «l'ange» d'avoir, lui aussi, en secret, des penchants à l'infidélité? Ou peut-être veut-il le réveiller: «Tu es trop sûr de moi!»

«Le désir sexuel doit être égal chez les deux partenaires»

Troisième grand mythe: le désir sexuel devrait se manifester de façon égale chez les deux partenaires. Alors qu'en réalité, une cause de dispute fréquente est l'exigence de l'un des partenaires, demandant à l'autre de plus souvent se donner «plus à fond». Souhait peu réaliste. Le désir sexuel vient de l'intérieur tout autant que de l'extérieur. Il ne se commande pas. Pour l'homme comme pour la femme, la sexualité est une expression de soi. Qui dépend donc de la façon dont on se sent «dans sa peau», tout autant que de ce que l'on éprouve pour le partenaire.

Il arrive que, lorsque la femme est le plus réceptive, l'homme recule. Et vice versa. Certaines de ces différences peuvent être ajustées, surtout lorsqu'elles servent à exprimer l'hostilité ou la peur d'un contact trop étroit. Bien souvent aussi, ce sont de simples disparités pouvant fort bien être tolérées.

Chaque partenaire réagit à sa manière aux différentes phases du rapprochement amoureux, parvient à la jouissance par des moyens qui lui sont spécifiques (choix du moment, types de caresses, etc.), et qui concordent rarement avec ceux de son conjoint . Il faudra accepter cette différence. Une bonne solution consiste à dire : « Je ferai ce que tu désires maintenant, et, plus tard, toi tu feras ce qui me fait plaisir. » Ce qui demande bonne volonté et habileté. Au lieu de quoi, de nombreux couples, en cette circonstance, mettent en action des manoeuvres de rejet de l'autre (orgasme retardé, éjaculation précoce, disparition du désir, refus des jeux préliminaires et, en général, refus de ce qu'ils savent faire plaisir à l'autre).

« L'exigence de l'orgasme simultané »

Quatrième grand mythe : l'accord sexuel des partenaires exigerait qu'ils parviennent simultanément à l'orgasme, chacun amenant l'autre à « rendre les armes » complètement. Un certificat de virilité ou de féminité ne leur est décerné que s'ils se donnent « à fond » et si l'homme parvient, à chaque fois, à satisfaire pleinement sa partenaire. Ce modèle peu réaliste d'une saine sexualité fournit au couple tout un arsenal de munitions, et aux psychanalystes de nombreux clients. Que se passera-t-il en effet, si cette attente de l'orgasme simultané à tout prix est déçue? Le couple commence à se poser des questions. À qui la faute? Peut-être n'est-il pas suffisamment viril? Légèrement impuissant, peut-être? Maladroit ou dépourvu d'expérience? Serait-ce un manque d'égards pour elle? Ou un signe d'homosexualité latente? Peut-être est-ce elle qui est frigide? Comment une femme résisterait-elle à la tactique de l'abandon incomplet quand elle en connaît l'effet castrateur sur un époux qu'elle désire punir de quelque méfait?

Une erreur immense consisterait à utiliser l'orgasme simultané comme un test d'amour. Tous ces problèmes sont de faux problèmes. Des recherches récentes ont révélé que l'orgasme est une réaction hautement complexe et spécialisée qui varie considérablement d'un individu à l'autre et à certains égards, encore plus d'un sexe à l'autre. Pourquoi ne pas accepter de prendre un plaisir sexuel fort agréable, même s'il est unilatéral, tandis que le partenaire — lui-même moins passionné à ce moment précis — se contente de rendre ce plaisir possible?

Le mythe de l'orgasme simultané est refusé dans les milieux scientifiques. Mais, dans le public, il a créé de véritables névroses, faisant éclore la race des « guetteurs d'orgasmes ». Autant une prise de conscience pleine de tact de l'autre, de ses réactions, est un facteur de stimulation érotique, autant une observation anxieuse est nocive. Elle inhibe le partenaire, le pousse à simuler. D'autant plus que l'époux-guetteur tend à accumuler ces « tests » pour pouvoir, plus tard, accuser l'autre d'incapacité sexuelle.

Espèce assez voisine des précédentes : « les collectionneurs d'orgasme » qui comptent, comparent, donnent des notes. Les plus souvent, par jalousie de l'autre.

Quels sont les faits réels, en ce qui concerne l'orgasme ? Après les premières phases d'attraction, d'éveil du désir progressif, réciproque, la réaction sexuelle tend à suivre son cours de façon autonome. Le partenaire sur le point d'arriver à la jouissance utilisera alors l'autre, agressivement, pour y parvenir, l'encourageant à se comporter de la façon la plus adaptée à cette fin.

Peu importe par quelle voie, génitale, manuelle, orale, est obtenue la libération de la tension sexuelle, l'orgasme lui-même n'est pas indispensable : la relation sexuelle peut être hautement satisfaisante par elle-même, comme jeu, lutte érotique.

Au moment où vient la jouissance, chacun devient égocentrique, entièrement absorbé par ses propres sensations. Idéalement, l'autre devrait alors fournir, sans réserve, son soutien. À condition toutefois qu'il sache comment, son partenaire le lui ayant clairement fait comprendre.

L'agressivité est inhérente aux rapports sexuels réussis. La colère, même, est normale dans la mesure où chacun, centré sur lui-même, a besoin d'être fermement dirigé pour satisfaire l'autre. Fort heureusement, ce type de colère joue plus comme un stimulant que comme un inhibiteur.

L'épanouissement sexuel suppose un jeu constant d'éléments tels que l'agression et la tendresse, la fermeté et l'abandon, l'exigence et le don. Il est tout à fait possible, au cours de ce va-et-vient émotif, d'inverser les rôles traditionnels (mâle, agressif et femelle conquise), ceci à plusieurs reprises au cours d'un rapprochement amoureux.

La raison pour laquelle le mythe de l'orgasme simultané est loin d'être pertinent est maintenant évidente. Un partenaire qui est profondément absorbé par l'approche de son propre orgasme n'est pas en état d'adopter la conduite sexuelle idéale pour son partenaire avec toute son intelligence et sa créativité, particulièrement si l'autre est aussi absorbé par le sien et n'est pas totalement prêt à collaborer.

Après vingt-cinq ans d'expérience psychologique, nous pouvons l'affirmer : l'orgasme simultané, pour la plupart des couples, est plus ou moins accidentel. Bien plus satisfaisant, en fin de compte, car moins susceptible de gâcher le plaisir de l'autre, s'avère l'orgasme par relais : la jouissance d'un partenaire déclenchant celle de l'autre. Le plaisir sexuel des deux partenaires risque moins d'être gâché de cette façon. Le pouvoir de priver l'autre de sa jouissance est une arme des plus destructrices dans la bataille des sexes. Ne pas y recourir peut considérablement aider les couples à décontaminer leurs bagarres à propos du sexe.

« Hommes et femmes ont des rôles sexuels spécifiques »

Le cinquième mythe soutient que les hommes et les femmes ont à jouer des rôles spécifiques, rigides, dans les relations sexuelles. De nos jours, on est conditionné — ne serait-ce que par les publicitaires en quête de deux marchés — par les notions de « virilité » et de « féminité ».

Notre entraînement au combat loyal ne cherche pas à produire des êtres asexués. Mais nous encourageons la tendance naturelle à la réversibilité des rôles. Car les stéréotypes sexuels ne sont que barrières supplémentaires entre partenaires (« Tu ne peux pas comprendre, tu es un homme ») ou des freins (« Une femme ne fait jamais le premier pas »). On les utilise pour humilier l'autre (« Ce n'est pas viril ! »). La crainte de ne pas se conformer à ces rôles est génératrice de nombreuses névroses, soit par autocritique, soit du fait de l'accusation portée par le partenaire.

Beaucoup de femmes s'inquiètent de savoir comment elles pourraient avoir des orgasmes plus complets afin d'être vraiment féminines tandis que les hommes cherchent à prouver leur puissance sexuelle afin d'être réellement virils. Tant l'homme que la femme tendent à se conformer à leurs rôles sexuels de façon idéale ils projettent l'un sur l'autre leur peur de ne pas être à la hauteur. Les accusations qu'ils se portent font de la sexualité une arme stratégique. Nous enseignons à nos participants à protester chaque fois que leur partenaire a recours aux stéréotypes sexuels pendant le combat, mais il est remarquable de voir le nombre de partenaires qui sont prêts à servir de boucs émissaires dans le jeu des rôles sexuels.

Un avertissement, cependant : cette réversibilité a ses limites, toutes en faveur de la femme, incidemment. Contrairement aux croyances répandues, la femme a une capacité sexuelle supérieure à celle de l'homme le plus « actif ». D'où aussi sa plus grande tendance à nourrir des fantasmes de changement. Jusqu'à tout récemment nous n'entendions guère parler de ces fantasmes féminins dans notre culture. Mais si les femmes décidaient un jour d'introduire la variété dans leur vie sexuelle, elles révolutionneraient notre culture en inversant la double norme. En attendant, on peut au moins souligner qu'aucun homme ne pourrait combler une femme sexuellement mûre. Le danger existe donc toujours qu'une femme attachée à un seul homme puisse lui donner un sentiment d'insuffisance, le « castrer »... ou l'épuiser.

Du fait de sa conformation physique, la femme peut feindre plus facilement que l'homme. Mais les différences essentielles, d'ordre psychologique, viennent de ce qu'elle donne la vie. Ce qui explique peut-être que, chez elle, le besoin d'une décharge purement physique soit moins urgent. D'où la possibilité, pour les femmes, d'utiliser le sexe à des fins stratégiques non sexuelles.

Par exemple de se servir de leur ascendant physique pour faire de l'homme leur prisonnier, réduit à endurer leurs reproches.

Voici un exemple typique, tiré d'un psychodrame. Lieu de la scène, la chambre à coucher.

Lui : Avec toi tout contre moi, ne formant plus qu'un seul être, je me sens plus vivant, plus homme que jamais...

Elle : Alors, pourquoi as-tu dîné chez ta mère, hier soir ?

Cette femme, comme tant d'autres, se sert du moment où son partenaire éprouve un profond désir sexuel pour lui exposer un grief tout à fait hors de propos, sachant que son mari sera tout oreilles. Alors que la plupart des femmes se servent du sexe comme arme avant l'amour, celle-ci a frappé après. Les femmes feraient bien de ne pas abuser, les victoires remportées étant de courte durée et inspirant du ressentiment au partenaire. Les « victoires » qui n'ont rien à voir avec le sexe en lui-même sont habituellement de courte durée. Elles n'inspirent que du ressentiment et entraînent de nouvelles querelles inutiles. Voilà comment un « vainqueur » à court terme dans le combat conjugal peut devenir « perdant » à long terme.

« Les jeux sexuels sont un sport innocent »

Selon le mythe no 6, les jeux sexuels seraient un sport inno-cent. Nous ne parlons pas ici des comportements de jeu, tels que poursuivre et être poursuivi, mais de certains rituels purement hostiles (comme l'attribution rigide d'un rôle sexuel); des jeux aux-quels se livrent ceux qui ont peur des véritables liens affectifs. En apparence, ces jeux peuvent favoriser des rapports stables et agréables pour les deux partenaires, mais en réalité ils suscitent une colère croissante chez eux et empêchent l'établissement d'une in-timité spontanée, transparente et réaliste.

Nous avons déjà envisagé ailleurs le problème de la possibilité des refus qu'un partenaire oppose à une demande donnée de l'autre. En ce qui concerne les relations sexuelles, la tactique du refus — très répandue, d'ailleurs — peut devenir un des jeux les plus cruels qui soient. Contrairement à ce que l'on croit générale-ment, les deux sexes — et non seulement les femmes — emploient cette tactique qui consiste à ignorer ou rejeter une avance du partenaire. Rejet qui peut prendre toutes les formes, depuis le refus perpétuel de relations sexuelles jusqu'à une acceptation passive, purement mécanique, tout aussi insultante pour le partenaire. Technique d'autant plus dangereuse qu'elle est souvent utilisée par un des conjoints pour tester son propre pouvoir de séduction. (« Combien de fois puis-je dire « non », et le voir revenir à la charge? ») Dans ce but, ils commencent, avant de refuser, par encourager les avances de l'autre. Certains aiment éprouver la « compréhension » de leur partenaire au moyen de ce jeu, mais nous le déconseillons fortement.

« L'adaptation sexuelle se fait d'elle-même »

Le septième mythe prétend que l'adaptation sexuelle est un processus naturel, qui survient de lui-même. Rien n'est plus faux. Il faut être prêt à combattre pour une bonne entente physique. Et les émotions négatives jouent un rôle dans ce processus élaboré par deux êtres qui s'aiment, à la recherche de l'ajustement qui convient le mieux à chacun d'entre eux.

Ici comme ailleurs, certains préfèrent se priver que lutter, ou se contenter de relations « pour la forme », par peur d'une rencontre authentique. Mais la plupart des gens non seulement ont beaucoup d'énergie sexuelle, mais sont vraiment désireux de combattre pour améliorer leur vie sexuelle.

Pourquoi les querelles purement sexuelles mentionnées au début de ce chapitre sont-elles nécessaires ?

Naturellement, une fois les émotions du désir déclenchées, il est normal d'entrer en action afin de satisfaire ses besoins sexuels. À ce stade toutefois, ni l'homme ni la femme ne peuvent se fier à leurs réactions naturelles car ce sont habituellement l'inquiétude et l'insécurité qui les guettent. Car satisfaire ses besoins, maîtriser ses doutes sur soi-même, amener l'autre à coopérer, répondre aux attentes sexuelles nées au temps de la cour amoureuse, tout cela s'apprend par essais et erreurs. Seule l'agressivité nécessaire et l'expression explicite de ses propres préférences peuvent favoriser cet ajustement en évitant d'y introduire des éléments parasites.

Chapitre 19

Les querelles avant, pendant et après l'amour

Il est bien plus facile qu'on ne le croit d'éliminer des querelles sexuelles les problèmes qui leur sont étrangers.

Prenons par exemple ce mari d'humeur tendre à qui sa femme répond : « Non. Tu as été trop désagréable. Je ne peux pas oublier ça, je ne suis pas une machine, moi ! » Il sera peut-être tenté de céder sur le problème qui les a séparés, ou de s'excuser alors qu'il n'a pas à le faire. Ou bien, jouant les offensés, il tentera, pour la faire changer d'avis, de donner des remords à sa femme.

Méthodes non seulement déloyales mais dangereuses. Le mari risque de ne plus pouvoir, désormais, engager la discussion à propos d'autres problèmes, non sexuels. Il faudrait qu'il ait le courage de se relever — ce qui n'est pas toujours facile — et de proposer : « Allons dans le salon vider notre querelle. Tu veux bien ? »

Les couples avisés savent, dans leurs moments tendres, rejeter à plus tard tout problème étranger à leur entente physique — sous condition tacite qu'ils en chercheront plus tard, loyalement, la solution.

Ils aprennent aussi à ne plus faire appel à la tactique — aussi peu constructive que cruelle — du refus sexuel (plus en faveur auprès des hommes que des femmes, soit dit en passant). Une femme ne devrait jamais se refuser à son mari. Dans le cas, fort commun, où elle serait « fatiguée », elle peut très bien accepter les relations physiques tant que son mari n'exige pas, de façon déraisonnable, qu'elle se donne « à fond ». Ou qu'elle se sente justement aussi passionnée que lui.

Quoi de plus légitime, en effet, pour un mari, que de déclarer : « J'ai faim. Donne-moi à manger. Toi, tu n'en as pas envie, mais ce n'est pas une raison pour me faire jeûner ? » De telles approches ne sont peut-être pas conformes au traditionnel amour romantique, mais bien plus favorables à une bonne entente qu'un air tristement résigné ou le « tant pis ! » d'un mari déçu, qui transforme la demande en une obligation.

L'art de se pelotonner

Les rapports sexuels ne peuvent évidemment pas avoir lieu à chaque fois que l'un des partenaires en ressent le désir. Cette privation est bien plus facilement supportée quand chacun a reçu une certaine dose quotidienne de chaleur, d'affection. Que de fois nous entendons cette plainte : « Mon mari (ou ma femme) ne se montre tendre que dans ce but ! » Une solution à ce problème, qui mérite d'être pris au sérieux : apprendre, au lit, à se pelotonner l'un contre l'autre. Habitude qui crée des liens rassurants, chasse les doutes quant à la tendresse de l'autre, tout particulièrement payante dans les années moins passionnées de l'âge mûr.

Des essais, des tâtonnements, des protestations verbales ou non sont nécessaires avant de trouver la position satisfaisante pour les deux partenaires. Ceux qui savent naturellement se pelotonner trouvent facilement une position qui procure un maximum de confort et de chaleur. Les couples y trouvent des postures complémentaires, certains face-à-dos, d'autres face-à-face, enlacés ou simplement dos à dos. Une source de conflit peut apparaître lorsqu'un des partenaires a une tendance naturelle à se blottir dans les bras de l'autre, qui ne se sent pas à l'aise dans cette position.

« C'est toujours moi qui fais les premiers pas »

Une des sources de conflit le plus souvent rencontrées parmi les couples qui viennent nous consulter est le problème de savoir qui poursuit qui. Les hommes, tout comme les femmes, se plaignent à ce sujet : « C'est toujours moi qui fais les premiers pas... », « Tu ne m'attires jamais contre toi ». Si on leur fait remarquer que peu importe qui commence, pourvu qu'ils se rencontrent, on s'attire la réponse : « Mais ce n'est pas juste ! », qui traduit une image peu réaliste de la relation sexuelle envisagée de façon romantique, comme un échange de cadeaux. Pour les couples qui désirent vraiment changer leur type d'approche habituel, afin que ce ne soit pas toujours le même qui « offre », le même qui « reçoit », une modification des attitudes est possible mais délicate, car elle met en question un équilibre déjà fragile. Il leur faut donc agir en toute connaissance de cause.

Car un équilibre entre les stimulations offertes ou reçues est possible. Un chien — que personne ne se sente blessé par cet exemple — sait fort bien, lorsqu'il joue avec son maître, combien de temps faire durer la poursuite et quand laisser son maître enfin rattraper l'os ou le jouet avec lequel il s'était sauvé : juste assez longtemps pour que la poursuite soit drôle, que son maître ne s'en désintéresse ni ne s'en fatigue.

Partenaire trop doux ou trop agressif

Autre sujet légitime de controverse : comment parvenir à une fusion entre les goûts des partenaires en matière de plaisir sexuel, satisfaire leur besoin de se libérer de l'agressivité. Certaines femmes se plaignent d'avoir un mari trop passif — souhaitant, quant à elles, des rapports physiques plus agressifs où elles ne craindraient pas d'être « bousculées », voire même de souffrir un peu. Alors que les maris d'autres épouses se plaignent justement que celles-ci ne supportent d'être traitées qu'avec les plus grands ménagements.

La plupart des couples apprennent à combiner, du moins à l'occasion, le sexe et l'agressivité. Mais à notre époque hédoniste, il est plus facile de libérer son énergie sexuelle que son agressivité, la plupart des gens ayant été conditionnés à la refouler.

De nos jours, toute forme d'agression est considérée comme tabou. Comment, dans ce cas, expliquer que des comportements du type : pincer, mordre, plaquer l'autre sur le dos, dire des gros mots jouent leur rôle dans l'éveil du plaisir ?

Les sexologues ne s'intéressent en général qu'aux formes extrêmes de sadomasochisme. À notre avis, des partenaires normaux devraient être encouragés dans la pratique, soigneusement dosée, d'attaques sexuelles. Mais elles doivent être utilisées avec précautions, en parfaite coordination avec le partenaire afin de ne pas le refroidir ou le blesser.

Nous avons mis sur pied une échelle en sept points, permettant aux femmes de se situer quant à l'agressivité désirée, supportée. Voici les différentes « attaques » possibles :

1) Toute en douceur : je n'aime en aucun cas qu'on se comporte avec moi de façon agressive.

2) Essentiellement douce : j'aime, occasionnellement, une certaine agressivité, très passagère.

3) Douce-agressive : j'aime un mélange, selon l'humeur du moment. Mais jamais comme en 6 ou 7 (plus bas).

4) Agressive-douce : j'aime, en matière de sexe, qu'on me traite avec fermeté. Mais sans autre forme d'agression.

5) Agressive : j'aime que l'on me traite de façon très ferme et très agressive, mais je ne supporte pas que l'on me fasse mal ni qu'on me menace.

6) Agressive avec menace de violence : j'aime qu'on me menace physiquement.

7) Violemment agressive : j'aime une certaine douleur physique pendant les rapports sexuels : qu'on me pince, morde, gifle. Cela m'excite.

Il est intéressant de faire deviner au mari quel est le degré de l'échelle où se situe sa femme.

On découvre en général une différence de un ou deux degrés entre la préférence réelle et la préférence attribuée par le partenaire, ces erreurs d'appréciation étant commises par les hommes comme par les femmes.

Les femmes, en général, attribuent aux hommes un désir d'agressivité supérieur à ce qu'ils déclarent éprouver, quant à eux. Et, dans leur insécurité, elles cherchent à s'accommoder à cette préférence masculine réelle ou supposée. Faisant taire leurs propres préférences, elles jouent la comédie, afin que leur mari se sente « plus viril ». De même, les femmes peuvent se servir de leur ascendant pour se faire confirmer leur féminité, leur propre valeur. Erreur qui peut être fatale, comme le démontre l'exemple tragique de plusieurs actrices ou chanteuses adulées qui se sont suicidées.

À mesure que les partenaires apprennent à combiner le sexe et l'agressivité, leur satisfaction sexuelle augmente tandis que décroît leur besoin de blesser l'autre verbalement ou physiquement. En travaillant auprès de célibataires et de divorcés ayant une vie sexuelle très diversifiée, nous avons découvert que le degré d'agressivité nécessaire à chacun dépend de son partenaire du moment.

L'ajustement entre deux partenaires sur le plan de l'agressivité sexuelle est spécifique au couple. Tel homme se montrera plus agressif avec telle partenaire qu'avec telle autre. Il en est de même pour les femmes.

Nombreux sont les hommes et les femmes qui nourrissent des fantasmes d'agressivité sexuels; entre autres, des fantasmes de viol dont la source remonte à l'enfance (la fessée reçue du père par la fille; le petit garçon plaqué dos au mur par son père au cours d'une bagarre « pour rire »). Les producteurs de films et de revues pornographiques exploitent ces fantasmes qui à la base sont loin d'être des « cas » psychologiques.

Quand un « non » veut dire « oui »

Le viol conjugal, même accepté, n'est pas recommandable, sauf pour certains couples où l'homme est fortement stimulé par cette idée et où la femme dit trop souvent « non » quand elle pense « oui ».

Certaines femmes croient qu'il est mal de séduire un homme, puis de se refuser à lui pour se rendre ensuite; d'autres sont gênées d'admettre que c'est là leur façon préférée de se laisser séduire. Mais les hommes ne devraient pas simplement présumer que leur partenaire n'a pas toujours envie d'être violée; et qu'un « non » est en réalité un « oui » lorsqu'ils la poursuivent d'une manière insistante, habile et très passionnée.

Nous ne le dirons jamais assez: c'est un jeu dangereux. Il faut toujours être à l'affût des réactions du partenaire: la femme a-t-elle toujours besoin d'être amenée à « se rendre »? Le mari sait-il comment se comporter en présence « d'invitations » présentées sous la forme d'une résistance opiniâtre?

Quoi qu'il en soit de ces précautions, il est essentiel de déterminer le degré d'agression non seulement toléré mais désiré. Des partenaires mal assortis s'exposent à voir la fréquence de leurs rapports intimes diminuer et à être trompés. Ils peuvent déterminer ensemble le degré d'agressivité sexuelle qu'ils préfèrent et accroître ainsi leur plaisir érotique.

Car, presque aussi cruel que d'infliger une douleur physique au partenaire est le refus de le satisfaire par crainte de lui faire mal.

Les disputes à propos d'une grossesse

D'autres difficultés encore peuvent venir entraver l'entente physique d'un couple. L'une des principales est la question de la grossesse.

Admettons que tous deux, mari et femme, désirent un bébé. Cela peut donner au mari l'impression d'avoir des devoirs à remplir à chaque fois qu'il s'approche de sa femme. Et si, de plus, il doit le faire à des dates précises, il dira à sa femme : « Je ne peux m'exécuter sur commande », sachant en lui-même qu'il en est incapable.

Une femme intelligente devrait avoir conscience que d'avoir un bébé, c'est son rôle. Il lui suffira peut-être de se montrer plus adroite dans l'art de séduire. Si cela refroidit son mari d'être programmé sentimentalement, c'est à elle d'user de son charme pour l'attirer le plus souvent possible, sans veiller aux cycles ni tenir compte de la méthode des températures.

Mais les disputes les plus fréquentes surviennent quand l'un des deux ne veut pas d'enfant... et que l'autre en désire. L'ardeur de ce mari s'est refroidie parce que sa femme insistait pour prendre des pilules contraceptives :

Lui : J'aimerais que nous ayons un autre enfant.

Elle : Nous en avons assez de deux. J'ai hâte que Robert et Marguerite aillent à l'école parce que je veux y retourner moi-même. Je n'aime pas me sentir les mains liées.

Lui : Que tu es égoïste !

Elle : Tu as parfaitement raison : je suis égoïste !

Voilà un bel exemple de querelle sexuelle contaminée. Ce couple aura des problèmes sexuels tant qu'il ne réglera pas ce conflit qui n'a rien à voir avec le sexe.

Dans un cas différent, le mari, qui soupçonne sa femme de vouloir un autre enfant, la surveille pour voir si elle prend bien, comme elle le prétend, sa pilule quotidienne. Il s'aperçoit que la boîte est pleine :

Lui : Je vois que tu ne prends pas tes pilules.

Elle : Ce n'est pas le bon moment du mois.

(Il lit à haute voix les directives sur la boîte.)

Elle : Je les prends parce que tu détestes les préservatifs. Mais je les ai en horreur. Elles me font engraisser, me rendent nerveuse et on dit qu'elles pourraient être dangereuses.

Lui : Je me sens égoïste. Je croyais que nous avions déjà résolu ce problème.

Elle : C'est toi qui as commencé en fouillant dans mes pilules.

Il n'est jamais bon de jouer les détectives. S'ils ont encore un problème à débattre (le mari doit-il recommencer à employer des préservatifs ? Sa femme devrait-elle porter un diaphragme ?), la discussion doit porter sur les avantages de chaque méthode, de l'avis de chaque partenaire.

Les conflits à propos d'une grossesse comportent toujours le danger de voir l'un des partenaires tromper l'autre, tricher. La femme peut imposer à l'homme un enfant non désiré dans l'espoir de le pousser au mariage.

Tricheries sexuelles

Nous sommes là aux prises avec le délicat problème de la tricherie en matière sexuelle, qu'elle soit réelle ou simplement soupçonnée. Malheureusement, il existe une grande variété de moyens de tromper l'autre, et un nombre remarquablement élevé de partenaires y ont recours au moins une fois dans leur vie.

Un grand nombre d'hommes qui soupçonnent leur femme d'infidélité se font pratiquer une vasectomie dans le but de la prendre éventuellement sur le fait ou pour pouvoir sans risques la tromper. Et de nombreux maris sont convaincus que leur femme les trompe, parce qu'elle a subi une hystérectomie.

La forme la plus courante de tricherie consiste, pour le partenaire A, à faire semblant d'être satisfait par les techniques préférées de B, techniques que B croit propres à faire parvenir A à la jouissance.

Comme pour tant d'autres choses, c'est dans les premiers temps, avant ou pendant la lune de miel, qu'on commence à tricher. Les nouveaux partenaires, dans leur anxiété de plaire, ne savent souvent pas ce qu'ils désirent eux-mêmes. Et s'ils le savent, ils n'osent le dire, bien souvent. Ils craignent de révéler leur ignorance,leur inexpérience, ou au contraire de se montrer trop audacieux, trop avertis, de choquer l'autre ou de le décontenancer.

La peur d'un rejet, le désir d'éprouver son pouvoir de séduction ou de plaire à un nouvel amour sont des motifs puissants qui incitent à la tromperie. Cette tendance à tricher, que l'insécurité rend assez naturelle, peut être le point de départ de graves problèmes. Le plaisir obtenu de cette façon ne dure pas. Plus vite les amants sauront montrer franchement ce qu'ils aiment, moins ils courront le risque de refus, d'infidélité, de problèmes graves.

Feindre l'orgasme

L'orgasme simulé est la forme la plus courante de tromperie sexuelle. Comédie d'autant plus facile à jouer, pour la femme, que l'homme ne demande qu'à la croire et à esquiver les difficultés. Pour l'homme, la simulation est plus difficile — selon le vieil adage: *Le pénis ne ment pas.* Il peut toutefois tromper sa partenaire en feignant une passion qu'il n'éprouve pas, se livrer à des mouvements plus vigoureux qu'il n'est justifié de le faire, tenter de faire passer son manque d'intérêt ou ses défaillances pour de la fatigue ou la crainte de rendre enceinte sa partenaire. Toutefois, cette différence entre les rôles sexuels a tendance à s'amenuiser à mesure que des millions de personnes se familiarisent, grâce aux ouvrages sur la sexualité, avec les signes plus diffus mais néanmoins évidents de l'orgasme féminin. Une femme qui a toujours un orgasme au moment même où l'homme éjacule simule à coup sûr.

Il n'est que trop facile de rejeter sur l'autre la responsabilité de l'échec, surtout si ce dernier éprouve des sentiments d'infériorité, d'insécurité. Un rien suffit. Un bâillement, un mouvement de contrariété, et l'autre se sent accusé : « Tu es un amant minable ! »

Beaucoup de personnes, et en particulier les femmes presque frigides qui ne peuvent parvenir à l'orgasme que dans les conditions idéales, ont recours à la collusion. Voici une querelle qui eut lieu entre Arthur, stagiaire en administration de vingt-quatre ans et son amie Caroline, âgée de vingt-deux ans, alors qu'ils se trouvaient au lit :

Caroline (la voix haineuse) : Tu ne penses toujours qu'à toi !
Arthur (d'une voix endormie) : Et pourquoi pas ? Tu ne t'y es jamais objectée avant. Aussi bien qu'un de nous deux en profite, n'est-ce pas ?
Caroline (frustrée) : Eh bien, j'aime faire l'amour moi aussi... Mais j'ai seulement besoin d'un peu d'attention.
Arthur (en baîllant) : Mais je prends soin de toi... Je te fais l'amour chaque fois que tu le désires.
Caroline (en colère) : Mais tu es maladroit !

Cette querelle fit l'objet de la discussion suivante au cours d'une séance de formation au combat loyal :

Caroline : Il était tellement en colère ! Maintenant il ne m'appelle plus et c'est de ma faute. Les premières fois, j'ai feint de jouir. Mais maintenant j'en ai assez et je suis incapable de continuer à faire semblant parce que j'ai commencé à boire. Je me suis saoûlée, il s'est mis en colère et il m'a quittée, de sorte que nous n'avons rien réglé.
Un membre du groupe : Pourquoi ne lui avez-vous pas dit : « Je n'aime pas la façon dont tu fais l'amour; cela ne m'excite pas. Essayons quelque chose d'autre ? »
Caroline : S'il est trop imbécile pour se rendre compte que je fais semblant, pourquoi m'en soucier ?
Dr Bach : Vous surestimez sa capacité de saisir la situation. Il n'est jamais facile de comprendre quelque chose qui nous apparaît comme négatif et menaçant. Les gens refusent de voir les problèmes dont ils sont la cause, et à plus forte raison, au sein d'une liaison amoureuse. Vous êtes peut-être une bonne actrice au lit, mais vous ne pouvez attendre de lui qu'il mette de côté son désir de faire l'amour et qu'il devine ce qui se passe en vous.
Caroline : Je sais que j'ai fait semblant, mais j'avais peur qu'il ne veuille plus de moi et se mette en colère; et je suis drôlement attirée vers lui. Alors j'ai pactisé, comme vous dites ici. Je n'y peux rien. Lorsque j'aime quelqu'un, je pactise avec lui, je suppose !
Dr Bach : D'accord, mais vous risquez de le perdre à long terme, et à court terme, vous vous leurrez et vous le leurrez lui.

Perdre vos amis, les tromper, est-ce là la vie amoureuse que vous désirez ?

Une « coopération sexuelle » exagérée, faisant taire les sentiments réellement éprouvés, n'est pas le meilleur moyen, bien au contraire, de parvenir à une véritable intimité.

Penser qu'il suffit d'être considéré comme un « vrai homme », comme une « femme désirable » pour éprouver soi-même le sentiment de sa propre valeur, voilà une erreur qu'un adulte ne devrait pas commettre. La valeur personnelle ne s'acquiert pas par transfert de l'image positive qu'un autre a de vous, sauf pendant la période relativement brève où l'adolescent construit son identité.

Une fois cette période passée, vous ne pouvez transférer sur vous le sentiment que l'autre a de votre valeur. Et pourtant, c'est là le désir secret de nombreux intimes : se rehausser à leurs propres yeux, surtout au cours des rapports amoureux, en s'identifiant à l'image positive que l'autre leur renvoie.

De même, faciliter le plaisir de l'autre ne peut suffire à donner à un amant doutant de lui le sentiment d'être vraiment ce qu'il voudrait être. Plutôt que d'affronter leur vrai problème, le manque de confiance générale en soi, de nombreux êtres vont de partenaire en partenaire, à la recherche de celui qui, en se montrant satisfait sur le plan sexuel, les rehaussera à leurs propres yeux.

Le lit n'est pas réservé aux seuls rapports intimes, en voilà un autre exemple. Les partenaires qui se servent du sexe pour valider leur identité détiennent une arme plus destructrice que ceux qui jouissent du sexe pour le sexe.

La simulation, en matière de sexe, n'est pas seulement une perte d'énergie, une source de tension. Pire encore, elle apprend à vivre en faussaire, dans un climat de « bonne volonté », de « tact » entièrement basé sur la contrefaçon. Tout cela, au nom des égards que l'on a pour les sentiments des autres. De plus, le plus habile des tricheurs est, à la longue, presque toujours deviné par son partenaire. Et le tricheur lui-même peut en avoir assez de porter tout seul son fardeau. Ou tout simplement — parce que cela lui est devenu égal, ou pour mettre l'autre en colère —, il peut décider de tout dire. Peut-être parce qu'il se sent sûr de l'autre, peut-être parce que, après tout, il peut se passer de l'orgasme.

Quand toute une vie a été basée sur la tromperie, comment le couple peut-il survivre à la découverte de la vérité?

Parfois, cette vérité éclate avant que le mal ne soit trop grand. Mme Esther Fortier, âgée de vingt-neuf ans, mère de deux enfants, n'avait jamais connu d'orgasme. Elle l'avait toujours simulé, ce que son mari, Hervé, ignorait totalement. Cette comédie finit par lasser Esther qui devint indifférente aux rapports sexuels. Bien qu'aimant profondément son mari, elle lui déclara: « Ça ne me fait plus du tout plaisir. »

On trouva un responsable, l'aîné des enfants, âgé de quatre ans, qui avait l'habitude de pénétrer sans crier gare dans la chambre des parents. Et à qui, lui comme elle ne pouvaient se résoudre à interdire leur porte. Tous deux, sur ce point, étaient marqués par l'éducation de parents névrosés.

Pourtant Hervé, malgré son désir d'être un bon père, commençait à éprouver une certaine rancune à l'égard de ses deux petits garçons.

Il ne fallut pas longtemps à ce couple, après avoir commencé à suivre nos sessions de formation à la dispute constructive, pour retrouver une vie sexuelle beaucoup plus satisfaisante. Le problème de la préservation de leur intimité fut résolu de la façon la plus simple: en mettant une serrure à la porte de leur chambre à coucher.

Mais surtout, ils avaient commencé à aborder les problèmes qui les préoccupaient vraiment. Ils s'avouèrent mutuellement être tracassés, elle par ses seins trop petits, lui par la taille insuffisante, croyait-il, de son sexe. Et ils se rassurèrent mutuellement: « Je n'aime pas les formes opulentes », dit-il. Et elle: « Ce qui compte, c'est la façon dont tu te comportes. »

Ce couple améliora sa relation en se rassurant mutuellement sans qu'il fût besoin d'analyser plus profondément la situation.

D'autres conflits surgissent parce qu'il est plus facile pour la femme de faire semblant que pour l'homme. Comme l'homme ne peut cacher ni son érection ni son absence d'érection, la femme possède un pouvoir plus grand de pactiser avec son partenaire; elle peut toujours lui donner l'impression qu'il est un merveilleux amant et porter son fardeau en secret. L'homme est donc plus sujet à être trompé. Sachant cela, il hésite davantage à s'engager dans une aventure amoureuse. Pour la même raison, l'homme vulnérable tend à éprouver de la reconnaissance envers les femmes qui lui donnent une réelle impression de virilité en se montrant habiles à l'exciter.

Hostilité ou incompréhension

Il se produit de façon courante, dans la vie physique d'un couple, une situation embarrassante qui, bien que n'impliquant pas de tromperie, est interprétée parfois comme une manifestation d'hostilité : alors que le couple est sur le point de parvenir au point culminant de la jouissance, l'homme, soudain, n'est plus en état d'érection. Ou bien c'est la femme, alors que son partenaire arrive à l'orgasme, qui se désintéresse de la situation. Que s'est-il produit ? Parfois une surcharge émotionnelle, suivie d'un « court-circuit ». Parfois, peut-être, y a-t-il là le signe d'une compétition sexuelle (« Je ne le laisserai pas (ou : ne la laisserai pas) prendre plus de plaisir que moi »).

Un homme peut éprouver de l'hostilité envers une partenaire qui ne manifeste pas assez d'excitation. Ou la femme peut en vouloir à son amant de ne pas prêter l'attention voulue à ses indications. L'hostilité est en effet possible dans ce genre de situation. Mais, le plus souvent, l'explication est simple: un excès de boisson, la fatigue en sont responsables. Ou bien, ce soir-là, ils n'étaient pas « sur la même longueur d'onde ». Ce qui n'est pas grave, à condition que cela ne se reproduise pas trop souvent, et surtout, si le problème ne reste pas en suspens, non explicitement reconnu, à empoisonner la relation du couple. Heureusement, de vrais intimes ne trichent pas au-delà de ce qu'il est nécessaire pour être heureux tous deux. Et ils se pardonnent leur tromperie quand elle est avouée avec délicatesse au tout début de leur intimité. Toutefois, la transition entre la simulation et une vie amoureuse bâtie sur la franchise représente une des crises importantes de l'intimité et repose essentiellement sur le courage qu'auront les partenaires pour discuter ouvertement afin de réussir une vie sexuelle authentique.

Une assurance contre la monotonie

L'acquisition en commun d'un répertoire dépassant ce qu'il préfère, ce qu'elle préfère, pour devenir ce que nous préférons, crée un lien puissant et stimulant entre les époux. À mesure que leur répertoire s'agrandit, ils y ajoutent des éléments qui les excitent tous deux. Ce répertoire commun les rapproche, augmente leur confiance en eux et facilite l'orgasme chez les deux partenaires, même s'il n'est pas simultané. Les réactions de chacun aux gestes qui excitent ou refroidissent leur désir accroissent le plaisir de l'autre. Mais au bout d'un certain temps, l'expérimentation cède le pas aux habitudes confortables, ayant fait leurs preuves. Maintenant, ils peuvent se détendre et jouir de leurs relations sexuelles à moins qu'ils ne préfèrent une vie intime plus diversifiée, ce qui n'est pas le cas pour la plupart des gens, hommes et femmes.

Comment peut-on maintenir des relations sexuelles stimulantes sans courir le risque inhérent à l'imprévu? Ceci est possible, à travers des querelles sexuelles très légitimes. Aussi satisfaisants, aussi confortables soient-ils, les rituels doivent êtres constamment soumis aux révisions, aux améliorations. La négociation doit toujours être possible. Nous le disons à ces femmes qui craignent, en faisant des critiques pendant l'acte sexuel, de donner à leur partenaire un sentiment d'infériorité : elles font là preuve d'égards pour lui; mais si, par cette complaisance, elles prouvent être attachées à une certaine image de la virilité, l'homme ne se sentira-t-il pas plus mal encore lorsqu'il découvrira la vérité?

Autre assurance contre la monotonie : dépasser le cadre de la chambre à coucher. La plupart des couples n'ont pas d'objections contre le lit comme scène de leurs rencontres amoureuses. C'est certainement l'endroit le plus pratique. Nous ne les contredirons pas. Mais le lit n'est pas obligatoirement le lieu idéal, le seul, pour les échanges de marques d'affection. Si l'on désire que se conjuguent harmonieusement la sexualité et la tendresse, il est bon de saisir au vol le moindre frémissement de chaleur, d'intérêt du partenaire, pour y répondre. Et cela où qu'on soit. Sur le divan du salon, au jardin, peu importe à condition que l'intimité du couple soit respectée. C'est là une expérience stimulante, particulièrement pour les couples plus âgés.

La valeur des rituels sexuels entre partenaires permanents vient de ce qu'ils savent à quoi s'attendre et ne peuvent se mentir. Ils en viennent alors au point où même la plus attirante des aventures nouvelles les laissera parfaitement froids.

Nous encourageons cependant les disputes visant à obtenir un plaisir plus grand, en réaction contre la monotonie. Accepter de se comporter d'une certaine façon pour faire plaisir au partenaire peut être un geste d'amour et de bonne volonté très important. Le refus de faire tel geste repose souvent sur des motifs plus profonds que la simple esthétique. En voici un exemple :

Le mari vient de reprocher à sa femme de lui refuser l'essai de nouvelles positions amoureuses :

Elle : Vraiment, mon chéri, nous en avons déjà parlé et reparlé...

Lui : Justement. Je t'ai dit si souvent que j'aimerais expérimenter les différentes positions dont ils parlent dans ces livres que j'ai achetés. Les as-tu seulement lus ?

Elle : J'ai essayé, honnêtement ! Mais ça me dégoûte. J'ai déjà assez de mal, de la façon habituelle !

Lui : Mais ne vois-tu pas, justement, que je voudrais t'aider à te libérer ?

Elle (contrariée) : Maintenant, tu me bouscules ! Tu sais combien il m'est difficile d'éprouver quelque chose. Cela m'est bien égal, au fond, mais tu y tiens tellement...

Lui : Bien sûr. Je désire t'apporter quelque chose. N'aimes-tu pas le plaisir ?

Elle : Pas si cela signifie que je doive me livrer à des excentricités. Ce n'est pas mon genre. Si c'est là ce qu'il te faut, va donc te chercher une de ces filles comme on ne montre dans ces *Playboy* que tu aimes tant regarder ! Moi, je ne suis pas une putain !

Ici, les exigences du mari étaient trop grandes pour sa partenaire qui, dans sa recherche désespérée d'une soupape de sûreté, accepta de faire appel à une « aide » extérieure.

Quant aux querelles après l'amour, nous l'avons déjà dit ailleurs, elles traduisent le besoin de retrouver la distance optimale. Car l'expérience de cet abandon total qu'est l'orgasme peut, pour certains, être effrayante — pour celui qui s'abandonne comme pour celui qui en est le témoin. Une femme qui se montre d'humeur querelleuse après l'amour témoigne parfois ainsi de sa crainte d'une trop grande dépendance sexuelle qui la rendrait vulnérable.

La stratégie de «refroidissement» peut aussi s'avérer nécessaire pour sortir les amants de l'état de symbiose dans lequel ils étaient plongés et leur permettre de retrouver leur intimité émotive, non sexuelle, cette fois.

L'art de maintenir une vie sexuelle dynamique — comme décrit ici — apporte aux couples de hautes satisfactions, dans toute leur vie conjugale. Et un inégalable sentiment de sécurité. Ce qui représente un tour de force à une époque où, plus que jamais, l'institution du mariage se trouve menacée par les tentations de l'aventure extra-conjugale.

Chapitre 20

L'art de se quereller et l'infédilité conjugale

Être ou ne pas être monogame? Dans notre culture contemporaine, c'est là, pour la plupart des gens mariés, une décision de plus en plus difficile à prendre. La tendance à l'infidélité augmente sans cesse. Les statistiques de feu Alfred C. Kinsey, qui se rapportent à la désormais lointaine année 1940, révélaient déjà un nombre remarquablement élevé d'époux infidèles. Depuis, la pilule anticonceptionnelle et l'atmosphère de permissivité croissante qui règne en matière de sexualité augmentent considérablement le « vagabondage » sexuel. Quels sont les motifs qui incitent un partenaire à mener une vie sexuelle exclusive ou variée, tel n'est pas l'objet de notre propos. Pas plus que les complexes implications morales et juridiques de ces comportements. Nous nous intéressons plutôt aux effets de l'infidélité sur la vie des partenaires.

Quand tous deux sont authentiquement fidèles, il leur faut, s'ils veulent contrôler des tendances refoulées à rechercher le changement, affronter la redoutable tâche de parvenir à une entente offrant à chacun d'entre eux un complet épanouissement sexuel. Sinon, viendront les récriminations, les reproches faits au conjoint, rendu responsable des insuffisances de la vie sexuelle du couple. La tentation se manifestera tôt ou tard de tromper l'autre, ou du moins de l'en menacer — en quelque occasion.

Une vie sexuelle riche et satisfaisante est donc hautement souhaitable, dans la monogamie. Et il faut savoir se battre pour l'obtenir. Malheureusement, le conjoint fidèle est menacé par l'instrument même qui devait lui garantir la stabilité. En effet, trop de partenaires, en apposant leur signature en bas du contrat de mariage, se figurent entrer dans un système de possession exclusive et réciproque vis-à-vis du « seul et unique ».

L'expérience clinique prouve, cependant, que l'acte de mariage, acte unique, dicté par la société, est un contrat pour la presse, accordant à un couple un bail à perpétuité. Alors que le mariage, à notre avis, devrait être basé sur des mises à l'épreuve, des négociations continuelles entre partenaires.

Cinq styles de mariage moderne sur le plan sexuel

De nos jours, cinq styles principaux de vie conjugale prévalent :

1. La fidélité exclusive. — Excluant toute recherche de variété ou d'autonomie sur le plan sexuel et fortement appuyé par la tradition et les stéréotypes courants. C'est le mode de vie préféré des jeunes mariés.

2. La liberté sexuelle. — Pour les couples vivant sur ce modèle, ce qui compte avant tout, c'est la qualité de l'engagement, de l'affection qui les unit, et non ce que le conjoint peut faire par ailleurs. « Les autres » ne les intéressent pas vraiment et ne peuvent menacer le « nous » qui les associe.

3. La « double norme ». — Ici, la femme se conforme au modèle fidèle, le mari étant autorisé à s'« amuser », à conditon de le faire avec discrétion. Cette tolérance des activités extra-conjugales tend à disparaître, cependant, à la première indication d'un affaiblissement de l'engagement dans le mariage.

4. La « norme unique ». — Dans ce modèle plutôt rare, les expériences extra-conjugales peuvent devenir une source de distraction ritualisée (comment se comporte-t-il (elle) au lit ?). Ici les conjoints s'unissent aux dépens des partenaires extérieurs, utilisés comme distractions passagères n'entamant en rien l'unité du couple.

5. L'« édification du nid ». — De nombreux couples s'intéressent avant tout à l'édification d'une famille, à la construction d'un nid. Ils se montrent en général indulgents en ce qui concerne les aventures extra-conjugales tant qu'elles n'interfèrent pas avec la « nidification ». Dans le cas contraire, de vigoureuses bagarres éclateront.

La « double norme » inversée

Un style de vie conjugale qui était fort rare le devient de moins en moins, en particulier parmi les femmes défendant agressivement leurs droits. C'est la « double norme inversée ». Car, trop de gens l'ignorent, la femme est tout à fait capable, d'un point de vue physiologique, de s'adonner à la variété du point de vue sexuel, les recherches modernes nous le confirment. Elle a aussi la réputation d'être « sexy » et quelque peu « volage » tandis que l'homme est plus fidèle. Les femmes qui mènent une double vie ne le disent pas habituellement. Sauf dans nos marathons où il est plus difficile de faire semblant. Ces femmes se justifient en disant : « Mes aventures extra-conjugales m'aident à compenser l'absence d'intimité réelle qui existe entre mon mari et moi. Elles sauvent notre mariage. » Voici la femme d'un avocat de trente-deux ans qui trompa son mari pendant des années jusqu'à ce qu'elle soit prête à le quitter, si cela s'avérait nécessaire :

Elle : Je n'ai jamais dit à mon mari que j'avais des orgasmes répétés.

Dr Bach : Pourquoi pas ?

Elle : Parce qu'il jouirait puis il s'endormirait et je resterais excitée sexuellement. Habituellement, les fins de semaine et après les soirées, il veut faire l'amour, mais s'il doit jouer au tennis le lendemain, il s'en abstient. Il jouerait trop mal, étant trop détendu.

Dr Bach : Votre mari n'était-il pas un homme affectueux et tendre ?

Elle : Oui, il était affectueux tant qu'aucun événement sportif ne se déroulait, qu'il s'agisse du tennis, du basket-ball, du football, des courses, des quilles ou de la lutte.

Lorsque deux événements sportifs se déroulaient en même temps, il écoutait la radio et la télé simultanément ! Il pouvait même tenir une conversation à propos d'une troisième joute sportive en même temps !

Dr Bach : C'est remarquable !

Elle : Oui, mais toute activité sexuelle était interdite pendant les événements sportifs. Et je ne me sens pas autant d'intérêt pour le sport.

Dr Bach : N'aviez-vous pas fixé vos conditions lorsque vous aviez des relations sexuelles satisfaisantes avec votre mari ?

Elle : Non, parce que je ne pouvais pas lui faire confiance. Je craignais qu'il rie de moi ou qu'il me gâche mon plaisir.

Dr Bach : N'avez-vous jamais engagé une bonne dispute à ce sujet ?

Elle : Non, nous ne nous querellions jamais. Je suis devenue prudente et j'ai masqué mes sentiments. Puis, je suis tombée amoureuse d'un autre homme, et nous avons eu une liaison. Il était merveilleux.

Dr Bach : Mais au prix de l'angoisse, de la confusion...

Elle : Si c'était à recommencer, je n'hésiterais pas...

Lorsque sa liaison se termina et que les deux époux décidèrent de participer à nos séances, il apparut que la femme ne s'était pas sentie libre de vivre sa sexualité comme elle l'entendait sans rendre son mari impuissant. Chaque fois qu'elle montrait un peu d'ardeur, il perdait son érection. Il était un de ces partenaires qui deviennent jaloux et hostiles lorsque l'autre manifeste un plaisir plus grand. Ce couple croyait aussi que seuls les orgasmes simultanés sont satisfaisants. Graduellement, le mari apprit à combler sa femme d'abord et tous deux finirent par parvenir à l'orgasme tour à tour.

Un conjoint possessif, jaloux, doutant de soi, conduit l'autre membre du couple, bien souvent, à lui simuler un attachement exclusif. La possessivité, pourrait-on dire, est une invitation à être trompé.

Le silence : tromperie ou tact

À notre avis, la sincérité totale que nous jugeons essentielle aux scènes de ménage constructives doit être tempérée d'un tact infini en cas d'infidélité physique. Peu de couples, nous l'avons constaté, sont capables de supporter une franchise totale dans ce domaine délicat. Cacher son infidélité peut donc être une preuve d'amour et épargner au partenaire un espionnage dégradant ou une attitude d'inquisiteur.

Pour tous ceux qui « ne veulent pas savoir », tout en sachant, seul le silence évite d'avoir à sanctionner une trahison. (« Je ne veux pas qu'il sache que je sais. ») On ne devrait pas chercher à convaincre ces fidèles qui préfèrent ne pas voir les choses de trop près.

Ce problème délicat se manifesta de façon particulière au cours d'une session « marathon » de psychothérapie conjugale réunissant sept couples. Pour la majorité d'entre eux, l'un ou l'autre des partenaires était engagé dans une liaison extra-conjugale. Lorsqu'un mari, courageusement, se mit lui-même sur la sellette, les époux fidèles du groupe l'attaquèrent avec âpreté alors qu'aucun « infidèle » ne venait à sa défense, de crainte de s'identifier à lui. Ce fut la propre épouse du coupable, en larmes, qui vint lui prêter main-forte.

« Laissez-le donc tranquille ! s'écria-t-elle. Moi, il faut que je vive avec lui ! Je veux vivre avec lui. C'est mon mari ! Je l'aime. » Puis se tournant vers lui : « Va donc rejoindre tes putains ! Mais que je n'en entende plus jamais parler ! » Puis, au docteur Bach : « Au diable votre principe de l'honnêteté ! Il est très destructeur ! C'est un prétexte pour se donner des airs. Mais il ne vaut rien... »

Cette épouse avait finalement réussi à faire comprendre à son mari qu'elle trouvait sa conduite infantile et destructrice, qu'elle n'était ni indifférente, ni tolérante, mais qu'elle trouvait plus déplaisant encore de surveiller son mari et refusait de le perdre. Quant au mari, malgré un penchant pour le changement, il était attaché à sa famille et au mariage. Les aventures occasionnelles renforçaient, selon lui, le lien intime qu'il partageait avec sa femme. Ces deux partenaires apprirent à négocier leurs désaccords et décidèrent de vivre selon la règle de la plus totale discrétion et d'un tact infini.

Comment les partenaires fidèles rendent la monnaie à leurs partenaires volages

Il existe, pour les partenaires du type fidèle unis à des adeptes de la variété, un certain nombre de compensations. Le partenaire engagé dans des activités sexuelles extra-conjugales sera moins porté à faire pression sur l'autre et à exiger des progrès dans ce domaine. Fait plus important encore, le partenaire fidèle tient entre ses mains l'arme redoutable de la bonne conscience.

L'union d'un partenaire fidèle et d'un adepte de la variété fournit un cadre idéal pour les hostilités sadomasochistes qui caractérisent le combat déloyal. L'amant fidèle s'érige en persécuteur, en juge et juré. Il se complaît dans l'exercice de son autorité et de sa domination. En punissant, il devient parfois sadique. Puis, dans son rôle de victime, il peut se sentir masochiste, rejeté et s'apitoyer sur lui-même. Il réalise parfois son désir inconscient de perdre son amant aux mains d'un concurrent plus doué. Ses prétendues souffrances peuvent être tout aussi stimulantes pour lui que les aventures du «coureur». Il prend plaisir à remettre le même disque : «Regarde ce que tu m'as fait!»

Une autre forme de compensation consiste, pour le «fidèle» offensé, à satisfaire de façon imaginaire ses propres fantasmes d'infidélité en s'identifiant au partenaire amateur de changement. Ce que lui n'ose pas faire, c'est l'autre qui l'exécute. Et son grand moment de triomphe, il le savoure enfin, quand le «coureur» revient au bercail. C'est en fin de compte le conjoint fidèle qui gagne la partie et l'aventure extra-conjugale aura parfois servi à sortir le mariage d'une impasse.

Quand rien ne peut plus être sauvé, l'existence de l'«autre» femme (ou de l'autre homme) clarifiera la situation, signant nettement la faillite du couple. Avant que ne se pose la question de la compétition sur le plan sexuel, deux êtres étaient malheureux. Deux d'entre eux, dorénavant, ont une chance d'être heureux. Quant au troisième, le «fidèle», il a au moins un espoir de recommencer une vie meilleure. Ces sortes de situations triangulaires conduisent à ce que l'on peut appeler des «divorces constructifs».

La masturbation dans le mariage : infidélité en imagination

La solution décrite plus haut est bien préférable à celle qu'utilisent, en secret, les infidèles par l'imagination. Ceux-ci ont couramment recours à la masturbation, parce qu'ils ne veulent pas se donner la peine d'exciter le désir de l'autre. Il est relativement aisé d'en faire une habitude sans blesser l'autre, qui n'est pas au courant (dans les rares cas où il l'est, la masturbation peut devenir une forme de chantage). Une autre raison qui justifie la popularité de la masturbation, c'est qu'elle permet au partenaire qui la pratique de rester fidèle d'une manière ostensible. Elle ne viole aucune convention et soulève moins de conflits qu'une aventure extra-conjugale. Cette pratique est peu recommandable dans le cadre du mariage; elle libère une énergie sexuelle qui serait mieux employée à tenter de stimuler un partenaire difficile à émouvoir.

Nos participants nous demandent souvent s'ils devraient créer des difficultés en perturbant le statu quo d'un mariage stable dont l'un des partenaires pratique la masturbation. Nous leur faisons remarquer que les difficultés sont déjà là puisque la vie sexuelle des partenaires est déséquilibrée. Et de toute façon, mieux vaut s'ouvrir à l'autre de ses problèmes que de recourir à des manoeuvres souterraines.

La collusion avec un partenaire infidèle

Une autre pratique, fort répandue, consiste à pactiser avec l'infidélité. Attitude d'autant plus dangereuse que cette tolérance se présente comme une forme de compréhension et, souvent, comme une des manifestations de l'amour, alors que le conjoint fidèle, en réalité, forme avec son partenaire une alliance malsaine encourageant ses tendances les plus « noires ».

Nous avons déjà donné plus haut une illustration de cette collusion. En voici une autre :

Sonia Rouleau, ancien mannequin, savait en l'épousant que son séduisant mari, photographe de mode très apprécié, avait énormément de succès auprès des femmes, et que ses problèmes sexuels l'incitaient à s'« amuser » à droite et à gauche.

Elle espérait l'assagir. Le mariage peut en effet avoir cet effet sur certains don Juan; pour d'autres, il a l'effet contraire.

Sonia utilisa la tactique suivante : se donner à Clément chaque fois qu'il en avait envie. Et elle accepta même — en apparence, du moins — ses infidélités, espérant qu'il se lasserait plus vite ainsi.

Voici comment son cas fut résolu à l'aide de nos sessions de combat conjugal. Les Rouleau étaient alors mariés depuis trois ans, avaient trois enfants et nageaient en pleine prospérité.

Sonia (timidement) : Le sexe, c'est mon point faible. J'envie les femmes pour qui ça vient facilement.

Dr Bach : Comment ressentez-vous vos rapports sexuels ?

Sonia : Oh ! vous savez, je cherche à faire plaisir à mon mari, c'est tout.

Dr Bach : Le « devoir conjugal » ?

Sonia (elle hésite) : Peut-être... Pas vraiment, parce que j'aime lui faire plaisir, même si ce ne peut être le cas pour moi.

Dr Bach : Le sait-il ? En avez-vous discuté ?

Sonia (soupirant) : Je n'ai pas besoin de dire quoi que ce soit. Il le sait bien, croyez-moi ; il a assez d'expérience pour cela ! D'ailleurs cela se voit ; j'ai du mal à me concentrer. Il faut qu'un certain nombre de conditions soient réunies, que tout aille bien. Il faut que les enfants soient profondément endormis. Que je sois de bonne humeur, etc. Vous connaissez sûrement la chanson.

Dr Bach : Je crois que vous vous rabaissez en refusant d'en discuter avec lui. Essayez d'aborder le problème d'un autre point de vue, quand il se présentera au cours d'une prochaine séance.

Sonia : Oui. J'en ai vraiment assez de cette vie !

Dr Bach : Que vous entretenez tous deux ! Plus vous vous sentez blessée par son attitude à lui, plus vous battez en retraite, ce qui n'arrange rien. Pourquoi ne pas chercher à briser ce cercle vicieux ?

Mais quand le groupe, plus tard, accusa Sonia d'avoir « pactisé » jusque-là, elle leur en voulut :

Sonia : Pas du tout ! C'était par amour ! Vous ne comprendrez jamais ce qu'une femme aimante ferait pour garder son mari !

Dr Bach : Elle acceptera de pactiser justement, de faire quelque chose qu'elle désapprouve. Ce qui n'est pas de l'amour.

Sonia finit par reconnaître qu'elle « pactisait », en effet, par anxiété. Elle avait trop peur qu'il l'abandonne.

Sonia : Je ne savais pas où aller. Je ne voulais pas retourner chez mes parents. Et toi (s'adressant à Clément qui écoute avec intensité), tu savais bien que tu pouvais faire ce que tu voulais hors de la maison ; que j'étais si attachée à mon foyer que tout ce que je te demandais, c'était d'être un bon père pour tes enfants. Tu m'avais dans ta poche !

Clément (indigné) : Je n'ai jamais pensé cela ! Je ne pratique pas le chantage affectif. (Au groupe :) Je ne la critique pas, je l'aime.

Un membre du groupe : Vous ne la méritez pas ! Vous êtes cruel. Et vous la frappez trois fois : quand vous la trompez, quand vous le lui laissez savoir, et quand vous nous laissez tous, avec le monde entier, le savoir !

Sonia (pleurant) : C'est vrai ! Amuse-toi avec tes stupides gamines, mais que ce ne soit pas à mes dépens !

(Murmures d'approbation dans le groupe. Tous la soutiennent.)

Clément (les affrontant seul, avec gravité) : Maintenant, ça suffit, vous autres ! J'en ai assez de cette farce ! Le personnage méprisable, ce n'est pas moi, c'est elle ! (S'adressant à Sonia :) Tu as reçu mes maîtresses ; tu t'es même liée d'amitié avec certaines d'entre elles ! Je ne croirai jamais que c'était parce que tu étais une pauvre petite fille prisonnière. Bon sang, n'importe quel type, ici, voudrait de toi, et pas seulement pour faire l'amour ! Je ne peux pas arriver à croire que tu manques à ce point de confiance en toi ! Je pensais sérieusement que tu avais la force, la tolérance dont j'ai besoin. Mais je découvre que tu n'es qu'un être passif, conformiste. Tu ne m'aimes pas vraiment, du moins pas tel que je suis !

Après un moment de confusion, dû à une participation trop active du groupe, passionné par cet échange, le dialogue reprit :

Sonia (elle s'adresse au groupe, en criant) : Laissez-le tranquille. Je l'aime ! (À Clément :) Mais à partir de maintenant, je n'accepterai plus tes « penchants ». Si tu ne peux vraiment faire autrement, tâche au moins qu'on ne le sache pas. Ni moi, ni personne !

Clément : Mais ce serait malhonnête !

Sonia : Et qui paie le prix de ton honnêteté ? Si quelqu'un doit éprouver les désagréments de la mauvaise conscience, de l'atteinte à son « intégrité », que ce soit toi, pas moi !

Il fallut un an à Clément pour accepter le point de vue de Sonia. Mais il se rapprocha de plus en plus d'elle et nous rapporta, plus tard, que ses activités extra-conjugales avaient considérablement diminué. Et qu'elles cesseraient vraisemblablement tout à fait. C'était la « permission » de Sonia qui lui donnait un sentiment de supériorité par rapport à tous les hommes qui, eux, devaient agir en cachette. Maintenant qu'il en était de même pour lui, cela perdait tout son charme. « Si seulement Sonia m'avait retenu !

conclut-il. La plupart de ces aventures n'en valaient même pas la peine.»

L'intimité prévient l'infidélité

Le nombre de partenaires qui avouent de leur plein gré leurs infidélités est très remarquable. Il pourra s'agir d'une franche confession. Ou bien d'une trace de rouge à lèvres non essuyée, d'une conversation au téléphone trop facilement surprise. Un jeune mari inventa un jour et confessa une infidélité dans le seul but de savoir comment se comporterait sa femme s'il prenait un beau jour des libertés avec le contrat de mariage. Ce que ce mari recherchait, en réalité, c'était un frein. C'est ce besoin inconscient de contrôle qui explique l'incroyable maladresse de certains époux infidèles. On ne peut qu'insister sur ce point : les observations recueillies n'indiquent nullement que les conjoints ayant des aventures extra-conjugales sont névrosés ou insatisfaits, ni que le mariage est en péril. Il n'est pas prouvé non plus que ces intérêts extérieurs au foyer affaiblissent obligatoirement ce qui demeure le lien primordial : le lien conjugal.

En réalité, pour des êtres partageant une véritable intimité, l'infidélité perd vite de son charme. Bien sûr, les époux infidèles découvriront peut-être que le « clavier » de leurs réponses sexuelles était plus étendu qu'il n'y paraissait, que d'avoir trouvé le « bon partenaire » ouvre de nouvelles perspectives de jouissance sexuelle. Mais, auprès de ce partenaire flambant neuf, ils éprouvent aussi une tension émotive que le plaisir ne suffit pas à compenser. À dire vrai, ce genre d'escapades permet souvent au conjoint égaré d'apprécier à sa juste valeur le capital affectif et sexuel dont il jouit chez lui.

En fin de compte, et tant pis pour notre industrie hôtelière, on peut dire que les adultes véritablement mûrs du point de vue sexuel ne prennent qu'un mince plaisir à l'adultère. Ce rôle ne paie pas. Voilà pourquoi tant de maîtresses voient des hommes mariés les quitter en fin de compte. Les hommes clameront qu'ils n'ont pas pu quitter leur femme « à cause des enfants ». S'ils étaient vraiment honnêtes, la plupart d'entre eux reconnaîtraient que ces liens si puissants qui les retiennent, ce ne sont pas tant les enfants que les tendres habitudes prises auprès de leur « seul et unique » amour.

Chapitre 21

Disputes avec et à propos des enfants

Les querelles triangulaires, faisant intervenir le père, la mère et l'enfant, sont infiniment plus complexes que les disputes entre époux. La différence n'est pas simplement quantitative, ce sont les buts mêmes de la dispute qui deviennent plus ambitieux. Certains parents commettent la grave erreur de se servir de leurs enfants comme d'une arme. Quant aux enfants, c'est leur identité même qu'ils défendent, quand ils luttent contre leurs parents.

Les conflits peuvent être très traumatisants pour les enfants. Mais ils peuvent aussi les aider à grandir. Nous enseignons aux parents comment utiliser l'agressivité comme technique constructive d'éducation. Apprendre de bonne heure à combattre n'est pas seulement favorable au développement de la personnalité des jeunes, c'est aussi un savoir qu'ils transmettront plus tard à leurs propres enfants.

Une véritable intimité, cela va sans dire, ne peut exister qu'entre égaux, jamais entre parents et enfants. Ce que bien des parents semblent ignorer. Des moments de bienheureuse intimité peuvent être vécus tant que l'enfant est petit et dépendant, les parents déversant amour et protection, l'enfant manifestant à quel point il a besoin d'eux. Mais, obligatoirement, ces moments se feront de plus en plus rares car il appartient à l'enfant de surmonter cette dépendance en luttant agressivement contre ses parents; de nos jours, surtout, où tant de pères et tant de mères se montrent trop protecteurs.

C'est généralement avec malaise, avec indignation même, que la société envisage les conflits entre parents et enfants. Pourtant la lutte est un élément vital de croissance : lutte pour grandir, lutte pour apprendre et faire des expériences.

Enseigner aux enfants à utiliser leur agressivité

Quoi de plus important, pour un enfant, que d'apprendre à devenir indépendant ? Il lui faudra pour cela tenir tête à sa famille, à tout son entourage, jusqu'à ce qu'il ait acquis un sentiment suffisant de sa propre valeur, devenant ainsi un adulte, prêt à se battre pour se faire une place parmi les autres adultes. C'est le rôle naturel de l'enfant que de combattre les grandes personnes afin qu'on tienne compte de lui, qu'on lui accorde son dû.

Chez le bébé normal, l'agressivité apparaît immédiatement. Il pleure en cas de frustration. Avant peu, il prendra les jouets des autres, les frappera à l'occasion. Les mères, souvent, établissent des règles définissant les cas où l'enfant est autorisé à « rendre » les coups. Système peu réaliste, visant souvent à rendre l'enfant soumis à l'agression des adultes, ou alternant entre une discipline trop sévère et la tolérance.

C'est en se heurtant aux autres, en les combattant, que l'enfant apprend à se différencier d'eux, à prendre concience plus clairement de sa position. Processus d'individualisation, allant de pair avec l'acquisition du langage. Il ne faut pas voir dans ces luttes quelque chose de destructeur. Elles apprennent à tenir compte de l'autre et à être conscient de soi, comme d'un individu à part entière.

Que se passe-t-il quand la famille, la société empêchent un enfant, tant qu'il n'a pas atteint l'âge du collège, de s'opposer à eux ? Nous avons pu le constater auprès de petites filles du niveau du jardin d'enfants : c'est sur leurs poupées qu'elles déchargeaient leur agressivité, sur des objets inanimés incapables de les aider dans leur processus de différenciation et de croissance. Les enfants sont encouragés à canaliser leur agressivité vers les cibles symboliques, sous forme de jeu seulement, l'agression interpersonnelle étant taboue. Notons cependant la notion positive de *fair-play* dans le sport, approche réaliste de l'utilisation de l'agression.

Bien entendu, nous n'encourageons pas nos recrues à autoriser la violence chez leurs enfants. Mais nous pensons que, dans notre culture occidentale, ils peuvent se montrer moins délicats à l'égard de ce problème, et nous leur enseignons comment l'aborder de façon constructive. L'interdiction de toute manifestation de violence par les parents, ainsi que les punitions tendent à favoriser, en compensation, l'apprentissage de « gros mots », d'expressions hostiles, ou bien des explosions de colère et des symptômes malsains. Et l'enfant, au lieu d'associer l'agressivité avec la créativité, n'y verra que le privilège des adultes ou des armées.

Notre culture, par le biais de la télévision, du cinéma, n'apprend à libérer l'agressivité qu'en tuant des êtres humains qualifiés d'« ennemis ».

Peu d'adultes se rendent compte des dégâts qu'entraîne, sur le plan psychologique, l'utilisation des enfants comme armes stratégiques, au cours de leurs propres conflits.

Comment la surprotection inhibe le développement de l'enfant

Il n'est que trop simple pour les parents d'exploiter la dépendance naturelle de l'enfant qui tend à lui faire éprouver comme rassurante la surprotection qu'ils lui apportent. Attitude qui empêche le « sevrage », qui retarde la différenciation et l'indépendance. Il existe même, dans des cas extrêmes, des parents fortunés qui maintiennent leurs enfants sous leur dépendance économique, même à l'âge adulte. Ce qui aboutit à une véritable corruption psychologique, avec accoutumance du même type que celle de la drogue : on attend que tous les besoins soient satisfaits par papa-maman. Les enfants trop dorlotés, dont le développement a été entravé, tendent à devenir à la fois dépressifs et révoltés.

Il est des époux qui cherchent à atteindre leur conjoint à travers l'enfant préféré de ce dernier, allant jusqu'à des comportements d'une extrême cruauté. C'est là une des nombreuses raisons pour lesquelles il est dangereux, pour un enfant, d'être le favori de l'un des parents.

Des parents névrosés, manquant de maturité, cherchent à se prouver leur propre valeur à travers les réactions de leurs enfants à leur égard, ou dans la vie en général.

Les parents, parfois, sont particulièrement sévères à l'égard de ceux de leurs enfants qui ne flattent pas leur amour-propre, qui présentent des défauts qu'ils savent posséder eux-mêmes. Ce sont souvent les parents ayant reçu une instruction moins poussée que leurs enfants qui punissent ces derniers lorsqu'ils n'obtiennent pas de bonnes notes. Punition destinée à nier les sentiments d'infériorité éprouvés par le père ou la mère. Et si des adolescents sont de moeurs trop faciles, cela indiquerait peut-être que leurs parents sont immoraux ou frigides.

Il existe une tendance pratiquement universelle, même chez des parents très modérément névrosés, à vouloir empêcher ou du moins freiner la tendance qui porte leurs enfants à s'identifier avec leurs égaux, au fur et à mesure qu'ils grandissent. Une de leurs tactiques favorites consiste à tourner en ridicule les films pour adolescents, tout costume, toute musique, toute forme de danse ou autres habitudes qui leur donnent, à eux, parents, le sentiment d'être dépassés, inutiles. Et l'influence des camarades sera jugée «mauvaise» pour la seule raison qu'elle est plus efficace que la leur.

Comment les enfants deviennent des combattants déloyaux

L'antidote à toutes ces tactiques: apprendre à l'enfant de très bonne heure à combattre efficacement les adultes. Le meilleur endroit pour ce faire est le foyer; et les meilleurs partenaires, les parents. Quant aux sujets de ces querelles, les meilleurs sont ceux que les enfants considèrent comme faisant partie de leur monde personnel.

Les combats entre parents et enfants ne sont pas aussi inégaux qu'on veut bien le croire. Si les parents ont la force pour eux, physiquement comme moralement, les enfants en profitent pour utiliser des armes secrètes et toutes sortes de manoeuvres. D'autre part, ils sont peu portés à compatir avec les souffrances qu'ils infligent aux adultes. La crainte d'une vengeance adulte les tourmente plus que des sentiments de culpabilité.

Leurs moyens d'attaque sont innombrables: se moquer, se sauver, mordre, refuser de manger ou de s'habiller, faire le bébé, simuler la maladie, etc. Ils peuvent compter sur la vulnérabilité des parents aux réactions enfantines. L'enfant peut porter atteinte aux parents dans leur désir d'être aimés, il peut chercher à leur faire honte en se montrant malheureux. Cette dernière arme, redoutable dans notre civilisation centrée sur les enfants, peut complètement désarmer les parents.

Les handicaps de l'enfant, dans le combat, sont mieux connus. Il craint la souffrance physique que peuvent lui infliger ses supérieurs. Le très jeune enfant se voit tout étonné quand ses sentiments de toute-puissance sont démentis par la réalité (quand il n'obtient pas ce qu'il désire). Ces frustrations le dépriment, lui donnent l'impression d'être prisonnier du monde des adultes. Lui ne peut pas corriger ses parents. De plus, son vocabulaire restreint le met en position d'infériorité vis-à-vis de l'ironie, de la logique, des sarcasmes parentaux. Mais par-dessus tout, l'enfant a besoin d'être aimé, de se sentir en sécurité. La crainte d'être privé d'amour ou d'être séparé de ses parents entrave beaucoup sa capacité de les combattre. Alors, l'hostilité accumulée contre parents et maîtres explose en fantasmes violents ou en bagarres avec ses frères et soeurs ou ses camarades.

Dix façons d'utiliser les enfants dans les querelles entre parents

Les parents qui se montrent extrêmement tolérants à l'égard de leurs enfants se plaignent souvent des bagarres excessivement intenses et cruelles qui éclatent entre frères et soeurs. Cela n'est pas étonnant: comme les enfants ne peuvent pas décharger leur agressivité contre leurs parents, ils s'en prennent à leurs frères et soeurs. Les parents qui feignent d'ignorer les capacités et les handicaps des enfants à titre de combattants ignorent aussi souvent les rôles multiples qu'ils peuvent jouer dans les combats familiaux, à savoir:

1. La cible. — C'est ce qui se produit lorsque les adultes déplacent la charge de leurs bagarres, la transférant sur les enfants.

2. Le médiateur. — Par exemple quand le père lui dit : « Dis à maman d'être gentille avec papa. »

3. L'espion. — La mère disant: «Va un peu voir de quelle humeur est papa.»

4. Le messager. — « Va dire à ton père que j'aimerais bien me réconcilier avec lui; mais qu'il croit que l'idée est de toi. »

5. L'avocat du divorce. — La mère déclarant : « Je ne peux plus supporter ton père, mais je reste à cause de toi. » Ce qui peut inciter l'enfant à répondre : « Je vais t'aider à te débarrasser de lui. »

6. L'interprète. — L'enfant déclare : « Papa n'a pas voulu dire cela. Ce qu'il voulait dire, c'est… »

7. Le guide. — « Maman n'a jamais dit ça. Ce qu'elle dit, c'est… »

8. L'arbitre. — L'enfant disant : « Pourquoi ne laisses-tu pas maman s'expliquer ? Laisse-la donc parler. »

9. Cupidon. — C'est à travers l'enfant qu'on trouve le plus facilement le chemin du coeur de la femme.

10. Le public. — Au cours d'une querelle entre les parents.

En période de crise, il est probablement inévitable, peut-être même souhaitable, que les enfants soient appelés à jouer l'un ou l'autre de ces rôles (parfois tous). Les cinq premiers, cependant, nous paraissent très destructifs. Le rôle no 6 peut être positif ou négatif selon la situation. Les rôles 7 à 9 peuvent donner de bons résultats. Mais c'est le rôle no 10 — ce qui ne manque pas de surprendre, de choquer nos clients — qui est le plus souhaitable, le plus important.

Revenons encore sur la stratégie grossièrement déloyale qui consiste à déplacer ses problèmes sur l'enfant pris comme nouvelle cible (rôle no 1).

Nous avons déjà mentionné cette tactique déloyale auparavant, mais en voici un autre exemple:

Le père (dégoûté) : Tu es une mauvaise mère.

La mère (qui n'en croit pas ses oreilles): Tu ne sais pas ce que tu dis.

Le père (insistant) : Allons donc! Tu n'as même rien d'une mère!

La mère (d'un air pincé) : Le Dr Spock dit qu'il est important de s'éloigner de l'enfant. Au moins, Philippe ne sera pas couvé comme tu l'as été.

Le père (accusateur) : Combien de jours as-tu été partie au cours des six derniers mois et combien de nuits ai-je dû prendre le bébé dans mon lit parce qu'il pleurait?

La mère (irritée) : Un garçon de quatre ans n'est pas un bébé. Il connaît mon travail. Il sait que je reviens toujours. Il adore venir me chercher à l'aéroport. Et toutes ces fois où je l'ai emmené avec moi?

Le père (entêté) : Je n'aime pas cela.

La mère (triomphante) : Eh bien voilà? C'est toi qui en veux à ma carrière. Mais je n'ai pas l'intention de l'abandonner car au moins elle m'amuse. Et ici, il n'y a rien de bien amusant!

Cette femme occupait une situation importante, gagnant un salaire substantiel, voyageant beaucoup. Le mari, jaloux de sa réussite, avait choisi, en guise de représailles, de dorloter leur unique enfant. Il pensait ainsi l'éloigner de sa mère et conduire celle-ci à renoncer à sa carrière. Au lieu de quoi, tout se termina par un divorce.

Les enfants : un prétexte pour éviter les relations sexuelles

Nombre de ces querelles qui portent sur des problèmes déplacés, comme la discipline des enfants, servent à masquer les conflits réels à propos de la vie sexuelle du couple ou d'autres sujets beaucoup plus cruciaux. Même lorsqu'il est vraiment question de la discipline des enfants, ceux-ci se font trop souvent des idées fausses sur la vie, sur le mariage, du fait que les parents tiennent à tout prix à leur présenter un "front uni".

Voici une famille qui se dispute parce que les enfants laissent leurs bicyclettes en avant de la maison. La mère voudrait que les enfants rangent leurs vélos dans le garage tandis que le père pense qu'il convient de les appuyer sur le côté de la maison.

Elle : Pourquoi ne me soutiens-tu pas?

Lui : Parce que je ne suis pas d'accord avec toi.

Elle : Veux-tu qu'ils pensent qu'ils peuvent obtenir ce qu'ils désirent en s'adressant à toi après que j'aie dit « non »?

Un mari non averti donnera raison à sa femme alors qu'intérieurement il n'est pas d'accord avec elle. Ce qu'il refusera de faire, par contre, lorsqu'il aura appris à reconnaître les vrais problèmes; il déclarera alors à sa femme : « Là n'est pas la question. Je vais leur dire de reprendre la discussion avec toi. » Une telle attitude évite la contamination du ménage par des sujets étrangers, elle garde les problèmes au niveau du face à face et non du triangle. Surtout, elle montre aux enfants que chacun de leurs parents a ses propres caractéristiques, ses propres bizarreries.

Il est important, par contre, de faire « front uni » en cas de décision importante concernant les enfants, et de même quand cette entente entre les parents est authentique. Ce comportement donne à l'enfant un repère précis par rapport auquel il peut se diriger ou se révolter.

Quoi qu'il en soit, le plus insignifiant des accrochages entre la mère et l'enfant est susceptible de dégénérer en vilaine querelle, faisant intervenir toute la famille. Escalade le plus souvent engendrée par la politique du soutien à tout prix demandé au mari.

Voici Mme Adrien Gagnon qui rentre tard après un après-midi de courses. Elle a chargé ses trois enfants de faire la vaisselle en son absence. À son coup de klaxon, personne n'apparaît pour l'aider à rentrer les provisions. Et le spectacle qui l'attend est celui d'une table non desservie. Là-haut, les enfants regardent la télévision. Étonnée, furieuse, Mme Gagnon ne dit cependant mot. Elle s'attelle elle-même à la tâche. Mais la colère finit par l'emporter : grimpant quatre à quatre les escaliers, elle tombe sur ses trois enfants de douze, dix et sept ans, ferme la télévision, leur fait d'amers reproches, les bouscule.

C'est à ce moment-là que rentre du travail son mari, qui vient d'avoir une sale journée. Personne n'est là pour lui souhaiter la bienvenue qu'il a bien méritée. Au lieu d'attendre tranquillement que la paix soit revenue là-haut, il monte participer à la bagarre, prenant le parti de la « mère-martyre ».

Que fait M. Gagnon lorsqu'il laisser tomber son armement atomique au milieu d'une tempête dans un verre d'eau qui, de toute façon, ne le concerne pas ? Il se conforme au rôle que notre société attend de lui : il essaie de compenser son absence du foyer. Excellent en théorie, impraticable, en fait. Au mieux, M. Gagnon peut jouer le rôle d'un arbitre qui interviendrait au dixième round. Et dont la connaissance des événements précédant sa venue dépend essentiellement de qui criera le plus fort, parmi les combattants.

Nous avons essayé sans succès de faire jouer au père un rôle central dans la routine des décisions quotidiennes. Et nous en sommes venus à penser qu'il est préférable d'en faire un président de société, disponible au cours du week-end, pour discuter avec ses enfants, mettre au point les problèmes non résolus de la semaine. Et de laisser à la mère son importance, dont tous doivent être conscients. Rien ne sert de pleurer le bon vieux temps où les hommes pratiquaient des métiers qui les gardaient, la plupart du temps, près de la maison.

La mère, en particulier, doit se rendre compte que c'est sur le couple qu'elle forme avec son mari que repose la vie familiale; qu'elle se rendra plus digne d'être aimée si elle ne vient pas ennuyer son mari avec des problèmes mineurs concernant les enfants. Nous conseillons aux mères d'encourager des relations authentiques entre le père et les enfants et d'éviter de faire de lui, exclusivement, le préposé à la discipline.

Après les problèmes d'autorité, c'est à propos de leurs difficultés sexuelles que les parents pensent le plus à utiliser leurs enfants comme alibi. Quelle devrait être l'attitude parentale vis-à-vis de ce problème ? Nous conseillons la franchise, dès que l'enfant a atteint au moins trois ans et demi. Il est possible de dire : « Nous voulons être seuls pour nous aimer. C'est quelque chose qui ne regarde que nous. Toi aussi, tu le feras quand tu seras grand. En attendant, quand notre porte est fermée à clé, tu dois accepter que nous voulions être seuls; cela ne signifie pas que nous ne t'aimons pas. »

La plupart des couples sont des plus réticents à adopter cette approche. En partie en raison d'inhibitions post-victoriennes; en partie parce que certains psychiatres pensent que de confronter trop tôt un enfant avec la sexualité peut avoir sur lui un effet trop excitant. Notre expérience clinique, au contraire, nous incite à penser que des enfants de trois ans et demi sont capables de comprendre ce qu'est faire l'amour et de sentir qu'ils sont le produit de cet amour. Le sexe n'est effrayant que lorsque l'enfant est le témoin de mauvaises expériences, accompagnées de colère, de brutalité, d'entrées et de sorties précipitées dans la chambre à coucher.

Nous n'hésitons pas à faire assister un enfant de six ans à une rencontre que nous avons avec ses parents, afin de pouvoir parler avec lui, non de lui. Pas spécialement pour parler de problèmes sexuels, bien entendu. Mais si le sujet vient à être abordé, ce sont les adultes qui se montrent embarrassés, pas les enfants. Ceux-ci ne se préoccupent guère de ce que font leurs parents du moment qu'on les laisse avoir leurs propres activités; au contraire, ils sont ravis que leurs parents soient un peu absorbés l'un par l'autre, ce qui leur laisse la paix.

Aux parents qui nous déclarent avoir des difficultés à faire l'amour quand leurs enfants se trouvent dans les parages, ou sont réveillés, nous faisons remarquer qu'il s'agit là des effets d'un lavage de cerveau propre à notre société. Autrement, les parents qui habitent dans des logements exigus ne feraient jamais l'amour. « Vous n'êtes pas obligés de faire l'amour quand vos enfants sont réveillés, leur faisons-nous remarquer. Mais il est important que vous ne vous leurriez pas vous-mêmes et n'alliez pas prendre les enfants comme prétexte alors que vos difficultés personnelles vous portent à fuir les rapports sexuels. » Dans la majorité des cas, parmi les quelques centaines de couples faisant face à ce problème, les époux révélèrent que la raison réelle tenait au refus de l'un d'eux d'exprimer sa déception face à leurs rapports sexuels.

Ce qui nous préoccupe, dans ce genre de situation, c'est de voir les enfants rendus responsables de toute diminution d'amour entre les parents. L'enfant vu comme obstacle, comme source de frustration, est dans une position dangereuse; les parents tendent à le rejeter, à le considérer comme « mauvais »; et de toute façon un enfant sait fort bien se rendre compte qu'il est de trop. C'est l'attitude mystérieuse des parents et non leur franchise qui amène les enfants à trop s'intéresser à la vie sexuelle des adultes.

Pourquoi les enfants devraient assister aux combats loyaux de leurs parents

La même attitude franche devrait prévaloir en ce qui concerne la présence des enfants en cas de disputes entre les parents. Il n'est pas question de leur faire assister à des scènes brutales leur donnant l'impression, déjà trop répandue, que le mariage est une situation pénible, conflictuelle. Les « vilaines » disputes ne doivent pas avoir lieu en présence des enfants.

Il n'en est pas de même des discussions franches, constructives, suivies de réconciliations. Une dispute loyale peut être un modèle important pour apprendre à résoudre des conflits, à savoir comment manier l'agressivité. Modèle qui viendra contrebalancer ceux qu'offrent la télévision, le cinéma, les bandes de jeunes. Il faudra bien sûr montrer du discernement quant au choix du moment, du sujet, qui rendent acceptable la présence de ces jeunes témoins. Mais, trop souvent, les parents ne veulent se montrer à leurs enfants, de façon peu réaliste, que sous leur meilleur jour. Alors qu'un combat loyal, disputé en présence des enfants, peut renforcer le sentiment d'appartenance familiale et même affirmer — par voie de différenciation — l'identité de l'enfant. De plus, la présence de ces témoins encourage les parents à éviter les coups bas, à se comporter de façon bien plus efficace. En outre, certains parents découvrent que la seule façon d'amener leur conjoint à combattre loyalement consiste à le faire devant les enfants.

Combat direct ou indirect avec un enfant

Au lieu de parler franchement à leurs enfants, au moins dans une certaine mesure, beaucoup de parents engagent une guerre secrète avec eux. Cela se produit presque toujours lorsque l'enfant est âgé d'un an et demi et qu'il tend à devenir quelque peu tyrannique. Voici ce que nous disent les parents :

Le père (d'un ton geignard) : Mon fils me rend fou ! Il ne me laisse jamais la paix. Il me réclame dès que je mets les pieds dans la maison. Il crie lorsque je parle au téléphone. Et ma femme ne m'est d'aucune aide ! Cela me met tellement en colère !

La mère (exaspérée) : Il me rend folle aussi à force de pleurer et de crier. Je sais qu'il le fait parce qu'il ne peut pas parler. Il est plus facile de lui donner tout ce qu'il veut, même si c'est la façon paresseuse. Ne devrais-je pas lui montrer qu'il ne peut pas avoir tout ce qu'il veut ?

Dr Bach : Bien sûr. Pourquoi ne pas lui en parler franchement ?

La mère : Comment communique-t-on avec un enfant d'un

an ? Est-ce que je vais lui dire : « Je ne t'aime pas quand tu cries, tu me frustres. »

Dr Bach : Je ne suis pas le Dr Spock. Mais je pense que vous ne devez pas tromper cette petite personne en lui laissant croire que la vie est facile. Et puis, pendant que vous y êtes, trouvez un moyen de lui faire comprendre qu'il y arrivera quand même et que vous serez là pour l'aider. Dites-lui de cesser de vous tyranniser : il s'apercevra bientôt qu'il peut être heureux sans crier pour obtenir tout ce qu'il désire.

De nos jours, trop de parents sont devenus incapables de résoudre les difficultés qu'ils peuvent avoir avec leurs enfants sans se référer à un livre, comme par exemple, celui — excellent, d'ailleurs — du Dr Spock. Les mères, du fait peut-être de règles d'éducation trop fluctuantes, ne font plus confiance à leur bon sens. Pourtant, ce n'est pas dans les livres que l'on peut apprendre à vivre ensemble, mais en se consultant l'un l'autre, en se disputant, en faisant des expériences. C'est dans les pleurs et les rires qu'on apprend ce qui « accroche » ou non.

Le plaisir de taquiner est trompeur. Si l'enfant avait le courage de dire : « Cesse tes taquineries. Je n'aime pas être taquiné », l'adulte insisterait peut-être davantage en l'accusant d'être un mauvais joueur. (« Tu n'es pas capable de rire un peu ? ») Pour taquiner quelqu'un avec efficacité, il faut connaître ses points faibles, tenus secrets, ce qui confirme la cruauté, la déloyauté de ce comportement.

Ainsi, à Linda, âgée de huit ans, qui n'est pas capable de maintenir son visage dans l'eau en nageant, sa mère dit qu'elle ferait une piètre sirène.

Un de nos clients, âgé de quarante-deux ans, se souvient encore avec amertume de la façon dont son père le taquinait, faisant de ce jeu une véritable distraction familiale.

« Étant enfant, nous raconta cet homme, instituteur qui détestait son métier, je rêvais d'être artiste. Je faisais des croquis, le dimanche. Toute la famille se passait mes dessins et rigolait. Ils trouvaient ça drôle. Et c'était mon père qui commençait. »

Il n'est que certaines formes très subtiles de taquinerie qui, sous certaines conditions, soient acceptables : celles qui visent à aider la « victime » à surmonter certaines anxiétés. Ridiculiser certains comportements destructeurs peut aussi avoir des effets bénéfiques sur les adultes qui sont sur la défensive. Mais en général, nous considérons la taquinerie comme une forme d'agression aliénante plutôt que susceptible de favoriser un rapprochement, surtout lorsqu'elle a un enfant pour cible.

Nous encourageons nos participants à ne pas rire à propos d'expériences qui ne sont pas drôles pour la personne qui les vit.

Tendre un piège pour ensuite punir

Les manifestations d'hostilité ayant mauvaise presse, aujourd'hui, certains parents, pour se libérer, poussent leurs enfants dans la voie d'activités « répréhensibles » (« sortez, amusez-vous bien ») afin de mieux pouvoir les accabler à leur retour, critiquant tout ce qu'ils ont fait.

La plupart des enfants semblent deviner ce besoin chez leurs parents et trouvent plus facile de se conformer à cette attitude de leur part, quitte à faire de même avec leurs propres enfants.

C'est là une forme de recherche du bouc émissaire qui implique à l'occasion des actes inconscients de la part des parents (ou des professeurs) qui, par exemple, donnent à l'enfant trop d'argent de poche afin de pouvoir l'accuser plus tard d'extravagance. Ils utilisent ensuite leur déception pour justifier les punitions injustes qu'ils infligeront à l'enfant sous prétexte qu'« on ne peut pas compter sur lui », qu'il s'est montré « désobéissant » ou qu'il est une vraie « peste ».

Des enfants qui ne sont traités qu'avec une stricte discipline, qui ne reçoivent pas d'encouragements de la part de leurs parents, apprennent vite à leur rendre la pareille et passent maîtres dans l'art de tourmenter les adultes. C'est souvent leur seule façon d'attirer l'attention de leurs parents absorbés par leurs cocktails, la télévision, le journal ou tout simplement leurs conversations « sérieuses ». Voilà comment nombre de jeunes apprennent les avantages psychologiques du tourment. Et ils sont experts dans cet art.

D'autres adultes encore, pour répondre à des besoins non satisfaits, retardent, par des voies détournées, la croissance de leur enfant, le maintenant dans un état infantile. Point n'est besoin, pour cela, de nourrir de noirs desseins. Il s'agira par exemple d'une femme divorcée qui s'accroche à son fils adolescent, le traite comme s'il était encore le bébé dont elle garde la photo dans son sac à main. Selon toute vraisemblance, cette mère ne supporte pas la solitude et redoute le jour où son fils quittera la maison. Quoi qu'il en soit, elle aura fait de son fils un être passif qui, à moins qu'il apprenne à combattre sa mère de façon constructive, défendant son identité, aura plus tard des difficultés dans la vie.

Les enfants exagérément agressifs, «hostiles», agissent souvent ainsi en réaction au comportement de parents névrosés, portés aux «vilaines» querelles.

Les comportements fluctuants — comme dans le cas de mères qui oscillent entre une sévérité qui équivaut à un rejet et un excès d'indulgence, causé par leurs remords — troublent, inquiètent l'enfant. Pour se protéger, il adoptera un comportement agressif, choisira délibérément d'être le «méchant garçon». Au moins, il saura à quoi s'attendre de la part de ses parents!

Un autre procédé, bien trop facile à employer, peut aussi rendre aux enfants la vie impossible. Ce procédé consiste à leur attribuer des pensées, des sentiments, en vertu du principe selon lequel les parents «savent» ce qu'est l'enfant. Ce dernier se voit ainsi frustré du droit d'avoir ses propres sentiments. Comme dans l'exemple suivant:

L'enfant: Maman, j'aimerais aller jouer avec Françoise.

La mère: Tu sais bien que tu n'aimes pas Françoise.

L'enfant: Moi? Mais je voudrais quand même jouer avec elle. Je peux y aller?

La mère: Non. Tu sais bien, la dernière fois que tu es rentrée de chez elle, tu étais à bout de forces.

L'enfant: Moi? Vraiment?

Dans certains cas, pathologiques, les parents peuvent prendre un plaisir sadique à contrôler le «moi» de l'enfant, à fausser le sens de son identité personnelle, lui imposant par exemple une étiquette: «Tu es un méchant enfant.»

La personnalité réelle de l'enfant peut être détruite faute d'être reconnue par une figure significative de son entourage, la mère en particulier. Si cette dernière s'associe aux tendances de l'enfant à l'autodestruction, ce dernier verra sa personnalité anéantie. Il ne connaîtra plus de lui-même qu'un moi faussé. Son véritable moi étant mort, il ne sera personne.

En thérapie familiale, lorsqu'un enfant est victime d'une mère malade et hostile et qu'il ne sait pas comment lui répondre, nous l'aidons à reconnaître et contenir les agressions de sa mère et à les limiter à des proportions raisonnables. Dans un de ces cas, la mère était gravement paranoïaque. Elle vivait dans un monde peuplé de fantômes. Nous apprîmes à l'enfant à tolérer ce monde comme s'il s'agissait d'un bien impersonnel temporaire appartenant à sa mère et qui ne lui nuisait en rien. Un peu comme un collier qu'elle aurait porté au cou. Lorsqu'elle tentait de persuader son enfant de confirmer l'existence de ses fantômes, les autres membres de la famille avaient reçu l'ordre de l'en empêcher.

En résumé, les membres de la famille avaient appris à ne pas se faire les complices de la mère qui vivait dans un monde de rêve sans la rejeter et à participer à sa thérapie en combattant ses tactiques aliénantes. Une personne guidée par ses fantasmes peut faire des progrès lents, mais une lutte efficace peut au moins protéger sa famille de la contagion psychopathologique sans qu'il soit nécessaire de la placer dans une institution spécialisée. Souvent, lorsque des pères et des mères malades voient que leurs enfants n'acceptent pas leur folle idée de la réalité, ils acceptent plus facilement d'abandonner leurs fantasmes.

Sans chercher d'exemples aussi extrêmes, on trouve chez des parents parfaitement normaux cette tendance à attribuer des rôles à leurs enfants, à les classer selon une typologie, tendance qui nuit au développement affectif de l'enfant. Nous pouvons observer ce processus constamment chez les membres de nos groupes de formation qui, à mesure qu'ils deviennent plus intimes, s'attribuent les uns aux autres et attribuent à leur thérapeute le rôle qu'ils préfèrent.

Autre tactique favorite des parents : tenter de faire entrer leurs enfants dans un cadre prédéterminé, en accord avec leur conception de ce que devrait être ou faire la jeunesse. Très caractéristique est l'attitude de la mère qui cherche à assimiler le fils à son père, ce qui donne souvent des résultats semblables à ceux-ci.

Richard Gosselin, conseiller en relations publiques, homme tendre et viril, qui avait eu des relations sexuelles satisfaisantes avec sa première femme et avec un certain nombre d'autres femmes depuis son divorce, éprouva une profonde frustration lorsqu'il connut Marie, une jeune femme qu'il aimait beaucoup. Certains aspects de Marie l'attiraient beaucoup, mais il était impuissant avec elle. Celle-ci finit par se replier sur elle-même et par s'éloigner de lui, bien qu'elle en fût très éprise.

Tout d'abord, Richard se montra réticent à parler de son impuissance car il appartenait à cette classe d'hommes d'affaires prospères et non instruits qui répugnaient à parler de leurs problèmes. Mais après plusieurs consultations, seul ou avec Marie, Richard fit une découverte importante.

« Je sais que Marie et vous pensez que je ne veux pas faire l'amour avec elle parce que j'ai été rejeté quand j'étais enfant » dit-il. « Mais ce n'est pas cela du tout. Tout est de ma faute. J'ai toujours peur de ne pas satisfaire la femme avec qui je fais l'amour. Lorsqu'une femme ne répond pas à mes avances, je crains de ne pas être à la hauteur. Je me suis souvenu que lorsque j'étais adolescent, ma mère insistait beaucoup sur l'importance de satisfaire sa femme. À cette époque, elle ne cessait de critiquer mon père qui était un piètre amant, selon elle.

« Au cours des ans, cette idée devint très importante pour moi. Et lorsque Marie m'a confié l'importance qu'elle attachait à la satisfaction sexuelle, j'ai eu peur et j'ai perdu mon érection. »

Fort heureusement, la plupart des jeunes, normalement sains, sont capables de lutter non seulement contre les manoeuvres clairement névrotiques tendant à les déséquilibrer mais aussi contre les atteintes plus courantes des parents à leur individualité.

Chapitre 22

Quand l'enfant
contre-attaque

Nous connaissons un garçon de quinze ans, habitué par la télévision à associer les vilains rôles aux Nazis, qui, lorsque son père lui fait une demande déraisonnable, tendant à abuser de sa générosité naturelle, lui réplique vivement : « Jawohl, Herr Kommandant ! »

Répartie qui détend l'atmosphère. Qui permet à ce garçon, en manifestant de l'assurance, de faire savoir à son père qu'il se comporte de façon arbitraire. Avertissement, aussi : si le père exagère, le fils désobéira.

Nous admirons sans réserves l'habileté de ce jeune homme, de même que nous admirons tous les jeunes capables de se désolidariser des exigences parentales aliénantes pour leur personnalité en plein développement.

Il existe une forme de désobéissance créative : celle que pratique, par exemple, le jeune garçon qui refuse d'accompagner papa et maman à l'Opéra. Ce n'est pas simplement une musique « démodée » qui est en question. L'adolescent dessine là sur la longue route au bout de laquelle il trouvera son identité.

Quand édicte-t-on vraiment des règles pour leur bien ?

C'est sans plaisir, le plus souvent, que les parents voient leurs enfants leur désobéir. Mais s'ils veulent remplir efficacement leur rôle, il est essentiel pour eux, très délicat aussi, de savoir quand il faut insister, dans l'intérêt même de l'enfant, et quand ils peuvent céder.

Nous essayons de sensibiliser nos participants à ce problème en leur faisant écouter un dialogue purement imaginaire, tournant autour des tâches quotidiennes qu'un père assigne à son fils.

Le père : Je t'aime et je me soucie de ton bien-être.

L'enfant : J'en suis bien heureux. Ça doit être bon d'aimer quelqu'un. D'être parent.

Le père : Eh bien, cela dépend de toi.

L'enfant : Que veux-tu dire ?

Le père : Tu le sais très bien : je t'aime lorsque tu es gentil et que tu me prouves par ta conduite — en mettant de l'ordre dans ta chambre et en étant poli avec les adultes par exemple — que tu as à coeur d'effectuer comme il faut les tâches que je te confie.

L'enfant : Mais je les accomplis seulement pour te faire plaisir et pour ne pas que tu me punisses.

Le père : C'est pour ton bien que je te demande de le faire.

L'enfant : Je ne sais pas. Peut-être as-tu besoin de manifester ton autorité ?

Le père : Là n'est pas la question. J'espère que tu apprécies ce que je fais puisque c'est pour ton bien que je le fais.

L'enfant : C'est bien pour toi, mais n'est-ce pas normal que les parents prennent soin de leurs enfants ?

Le père : Bien... oui. Mais c'est dans votre intérêt que nous le faisons.

L'enfant : Je ne suis pas d'accord. Je pense que c'est surtout pour ton propre bien.

Le père : Que veux-tu dire ? N'es-tu pas bien ici ?

L'enfant : Oui, où irais-je donc ? Mais je n'aime pas la plupart des tâches que tu me confies.

Le père : De quelle autre façon pourrais-tu apprendre ?

L'enfant : Apprendre quoi ? À faire ce que tu veux ?

Le père : Non ! Tu n'y es pas du tout ! Tu es en train de me mettre en colère. Ne sais-tu pas que je t'aime et que je tiens à toi ? C'est pour cette raison que j'accepte la responsabilité de t'élever et de te critiquer.

L'enfant : Je ne le crois pas, mais je suppose que tu m'aimes à ta façon. Je suis « ta chair et ton sang » comme tu dis souvent. Je vois que je peux te rendre la tâche difficile en ne t'aimant pas en retour et en te désobéissant.

Le père: Si je t'inflige ces tâches, c'est pour que tu apprennes à te débrouiller dans la vie. Pourquoi voudrais-tu me rendre la vie difficile?

L'enfant: Voilà un problème qui nous touche tous deux. Pourquoi aurais-tu seul le droit de me rendre la vie difficile?

Le père: Je suis plus âgé que toi et tu devrais me respecter.

L'enfant: C'est ton problème. Je préfère mon âge; mais ne t'inquiète pas, je ne resterai pas toujours à la maison. J'apprécie votre dévouement à mon égard, mais n'exige pas trop de moi car je serai au regret de devoir désobéir.

Les groupes de jeunes tendent à se donner comme chefs ceux d'entre eux qui ont fait preuve de qualités combatives exceptionnelles. Jouissent d'un prestige tout particulier ceux qui se révoltent contre l'autorité, l'ordre établi.

Car c'est à travers ceux de son âge que l'adolescent cherche à affirmer sa propre valeur, à devenir quelqu'un. Quand cette recherche fait intervenir la drogue ou des activités délinquantes, c'est que l'adolescent cherche un substitut à ce qu'il n'a pas trouvé chez lui: un encouragement à devenir adulte.

Lorsqu'un « oui » de l'enfant signifie « non »

Un enfant sain apprend vite à se défendre contre les manoeuvres d'exploitation affective de ses parents: exigences excessives suivies de punitions qui permettent de décharger l'agressivité. Il trouve généralement le moyen de les entretenir dans l'illusion: « D'accord, maman, je le ferai », « Ne t'inquiète pas, papa ». Et dans son for intérieur: « D'accord, puisque tu es là à m'observer, mais dès que tu auras le dos tourné, je n'en ferai rien. » Tous les adultes connaissent la tendance des enfants à recourir à cette formule pour échapper aux demandes des grands.

Il est plus habile, finalement, pour un enfant, d'adopter cette tactique visant à réduire les exigences parentales, que de jouer les héros, de proférer un « non ! » que les parents ne sont pas prêts à accepter. L'enfant, n'ayant jamais pris au sérieux sa propre acceptation, n'ayant rien vraiment promis, ne se sent guère coupable. De là, cette prédilection pour la technique consistant à faire semblant de satisfaire les parents dans l'immédiat, quitte à les décevoir plus tard.

Ce qui a le don d'exaspérer les parents. Pourtant, qu'ils ne se plaignent pas trop. Bien plus grave serait le cas où l'enfant accepterait vraiment de se plier à toutes leurs exigences. Car il s'agirait, selon toute vraisemblance, d'un enfant névrosé, qui ne manquerait pas de se sentir coupable s'il ne parvenait pas à tenir ses promesses, à répondre aux attentes rigides de ses parents. Ce type d'enfants donne plus tard des adultes dépressifs, parfois même totalement incapables d'agir.

Pour devenir un adulte sain, l'enfant doit apprendre aussi bien à refuser de répondre aux demandes adultes déraisonnables qu'à abandonner sa tactique de la pseudo-obéissance, autrement dit, à être assez fort pour savoir comment résister aux pressions parentales.

Il est également tentant, pour un enfant qui se sait « vaincu d'avance », d'éviter la dispute. Plus tard, de tels enfants chercheront à se soustraire à tout ce qui peut les blesser, ils s'identifieront à des groupes culturels passifs, tels les hippies, où ils espéreront enfin avoir leur chance.

Il est sage, pour des parents, de lutter à armes égales avec leurs enfants, afin de ne pas les décourager dans leur combat pour l'indépendance, pour la maturité.

Les stratégies culpabilisantes des enfants

De plus, l'éternel perdant a plus d'un tour dans son sac. Il peut rendre amère la victoire de l'adulte, en lui faisant par exemple éprouver des sentiments de culpabilité, arme redoutable entre toutes. Les enfants qui ont recours à la bouderie, aux larmes, aux manifestations de douleur le savent bien.

En voici un exemple. Lisa, six ans, s'adresse à sa mère :

Lisa : Maman, je descends acheter quelque chose pour Suzie et moi.

La mère : Où donc as-tu pris cet argent ?

Lisa : Je l'avais.

La mère : Tu ne l'avais pas hier, et je ne t'ai rien donné depuis.

Lisa : Je ne me rappelle plus où je l'ai eu.

La mère (avec sévérité): Lisa, d'où vient cet argent? Comment est-il apparu tout d'un coup?

Lisa (avec anxiété): Je ne me rappelle plus!

La mère: Eh bien, tu ferais mieux de te le rappeler! D'ici là, tu ne bougeras pas d'ici!

Lisa, sous la pression maternelle, mais sous la condition expresse que sa mère ne se fâchera pas, finit par avouer: l'argent se trouvait dans le sac à main de sa poupée. La mère, oubliant sa promesse, se met en colère. Lisa, les yeux brûlants, s'enfuit hors de la pièce, se jette sur son lit et commence à sucer son pouce. Stupeur de la mère. Prise de remords («Pauvre chou! C'est ainsi que se comportent les enfants que personne n'aime!»), elle se dirige vers la chambre de sa fille:

La mère: Lisa?

Lisa: Quoi?

La mère: Tu vas bien?

Lisa: Oui.

La mère: Es-tu très fâchée avec moi?

Lisa: Non.

La mère: Que fais-tu, toute seule, là?

Lisa: Je me repose sur mon lit.

La mère: À quoi penses-tu?

Lisa: À rien.

La mère: N'as-tu rien à me dire? Y a-t-il quelque chose qui ne va pas?

Lisa: Non.

La mère: Il faut que tu me dises si tu penses que j'ai été injuste.

Lisa: D'accord.

Troublée, pleine de remords, la mère ne réussit même pas à rencontrer le regard de son enfant.

Nous le constatons, au cours de nos sessions de psychothérapie familiale: la dépendance affective des différents membres de la famille les uns à l'égard des autres est trop souvent ignorée, traitée de façon inadéquate. Les adolescents tout particulièrement, qui ont tant besoin d'être compris, d'être acceptés, sont victimes de cette carence. L'adolescent n'ayant de nos jours aucune «valeur» économique, c'est essentiellement de la façon dont il est traité chez lui que dépendra le sens qu'il aura de sa valeur personnelle.

Quand les parents « sapent » l'image, la personnalité de leurs enfants, ils commettent une action bien plus grave encore que lorsqu'ils agissent ainsi avec leur conjoint. Car l'enfant, lui, est plus faible. On le pousse ainsi à utiliser des tactiques sournoises, ou à « saper » en retour le moral de ses parents.

C'est un fait que les parents ont du mal à accepter : les tourments que leur infligent leurs enfants sont la manifestation d'un comportement positif; ils cherchent à forcer leurs parents à leur manifester de l'affection. Ce dont, paradoxalement, ils ne sont parfaitement sûrs que s'ils voient, de temps à autre, leurs parents en colère. Car le seul amour, la seule affection ne suffisent pas pour l'enfant, à exprimer une acceptation totale de sa personne.

En matière d'éducation, les parents récoltent ce qu'ils ont semé. Comment se manifeste la « mauvaise graine » ? On la rencontre en général sous trois formes différentes :

1. Les révoltés sans cause à défendre. — Rejetés comme enfants, ils prennent plaisir, une fois adolescents, à tourmenter leurs parents.

2. Les enfants gâtés. — Ils ne voient pas pourquoi l'attention dont ils ont été l'objet dans leur enfance cesserait un jour.

3. Les imitateurs. — Après avoir été encouragés à admirer l'un de leurs parents, ils le singent.

Comment régler les « conflits de génération »

C'est en encourageant les jeunes à combattre ouvertement leurs parents, avec réalisme, qu'on évitera le fameux « conflit de générations ».

Les parents sensibilisés à déchiffrer les signaux émis par leurs enfants font parfois des découvertes qui leur ouvrent les yeux. Tel ce père qui s'inquiétait de voir son fils de seize ans aussi peu communicatif. Le père était un « monologuiste » porté à faire de longs sermons à son fils, à le nourrir abondamment de ses conseils. Le fils écoutait patiemment, sans ennui apparent, mais ne posait jamais de questions. Un soir, alors que le père entretenait son fils des problèmes de l'ascension sociale, il eut l'idée de s'interrompre pour lui demander :

Le père : « Sais-tu ce que veut dire cette expression ?

Le fils : « À vrai dire, non.»

Le père (très contrarié) : « Pourquoi donc ne me le demandes-tu pas, alors ?

Le fils : « Parce que tu ne m'en donnes pas l'occasion. »

Le père comprit alors que son fils cherchait à lui dire : « Pourquoi te poserais-je des questions ? Cela ne ferait que t'encourager à te lancer dans un autre de tes sermons ennuyeux. »

Ce garçon, finalement, fut encouragé à lutter pour affirmer ses goûts, sa personnalité, facilitant ainsi la phase du « sevrage » qui n'a pas besoin d'être un arrachement brutal et douloureux du jeune à sa famille.

Sur ce point, bien des adolescents sont déchirés entre des désirs contradictoires. D'un côté la crainte : de l'indépendance, de la liberté sexuelle, de la mise à l'épreuve de leur valeur personnelle dans un monde difficile. Mais, d'autre part, ils aspirent à la liberté. Alors, s'ils se cramponnent au nid, c'est avant tout pour y trouver la sécurité économique.

Période de transition pendant laquelle les parents peuvent se sentir exploités. D'autant plus que les adolescents manifestent, par ailleurs, peu d'intérêt pour la vie familiale. Des conflits éclatent ainsi entre le père et la fille, que la mère, jalouse, prend parfois plaisir à exaspérer.

Raoul Carrier, directeur d'usine fort prospère, reprochait à sa ravissante fille, Lucie, âgée de dix-neuf ans, de ne savoir que « l'exploiter », de se faire entièrement entretenir par lui, ne lui offrant en échange que des soucis, des chagrins. Il s'amusa à dresser un « manifeste » des pensées qu'il attribuait à sa fille, entre autres :

— On ne doit rien aux parents;

— Le meilleur moyen de s'entendre avec eux, c'est de les fuir;

— Ma vie ne regarde que moi;

— D'accord pour faire des promesses. Mais surtout, ne jamais les tenir. Et ne pas coopérer aux activités de la maison.

La mère, quant à elle, avait dressé une liste des actions et des divers comportements de sa fille.

Lorsque les trois membres de cette famille se trouvèrent réunis dans notre bureau, « documents » en main, Lucie protesta :

Lucie : Ce n'est pas vrai ! Ce n'est pas du tout ce que je pense !

La mère, encouragée par le père, se mit alors à lire sa liste, visant à prouver que le comportement de sa fille justifiait bien les accusations paternelles.

Pauline (lisant triomphalement) :

1) Dort jusqu'à 10 heures, parfois même jusqu'à 14 heures;

2) Ne s'habille même pas, reste décoiffée;

3) Ne mange que ce qu'on a préparé pour elle, ou s'ouvre des conserves;

4) Ne se lève que pour répondre au téléphone; généralement, ses interlocuteurs sont des garçons qui nous déplaisent;

5) Laisse les autres — ses parents, sa petite soeur — ranger, nettoyer derrière elle;

6) Sort presque tous les soirs; rentre toujours plus tard que prévu;

7) Refuse de nous tenir compagnie;

8) N'est jamais à l'heure; se fait attendre;

9) A un sale caractère; emploie des gros mots, nous insulte;

10) Ne s'occupe pas de sa petite soeur; ne la surveille même pas;

11) Dépense tout ce qu'elle gagne pour elle seule; ne ferait même pas un cadeau à sa petite soeur.

Un silence triomphant suivit cette lecture. Les parents s'attendaient visiblement à voir le thérapeute critiquer leur fille. Au lieu de quoi :

Dr Bach (à Pauline) : Dites à votre fille ce qu'elle pourrait faire pour vous rendre plus heureux tant qu'elle vit chez vous. J'aimerais vous voir discuter et mettre au point un mode de vie tenant compte de ce que vous pouvez raisonnablement attendre les uns des autres.

Pauline : Je me doutais bien que vous diriez cela. Mais on ne peut rien obtenir d'elle. Elle dira n'importe quoi car elle s'en fiche.

Dr Bach : Cessez donc de lui dire ce qu'elle pense. (À Lucie :) Est-ce vrai ?

Lucie (avec énergie) : Non ! Je ne pense pas du tout cela ! Tout ce que je demande, c'est qu'on me laisse tranquille. Je ne peux pas partager la vie de mes parents comme ils le désirent. Mais je ne suis pas un monstre !

Un accord fut tout de même conclu. En échange du gîte et de la nourriture, Lucie accomplirait certaines tâches ménagères, garderait parfois sa petite soeur le soir. Lucie, mécontente de cet arrangement, menaça d'épouser « n'importe qui » pour quitter la maison.

Mme Carrier, ayant demandé un rendez-vous particulier, vint nous faire ses doléances. Ce fut le même récital : Lucie refusait le moindre rapprochement avec ses parents, toute discussion même; elle les ignorait, traitait la maison comme un hôtel, sortait sans cesse et, le reste du temps, n'accordait pas une minute de sa présence à ses parents. « Nous ne la gênerions pourtant pas si elle voulait rester à lire, à regarder la télévision... nous nous couchons tôt. »

Les parents, devant l'insouciance de leur fille qui passait son temps à ne rien faire, avaient tenté de lui expliquer que, dans la vie, on ne peut passer son temps à s'amuser.

Le résultat de tout ceci : Lucie Carrier quitta bientôt le toit familial et se trouva un travail. En fait, ses parents l'avaient poussée à quitter prématurément la maison. En la traitant comme une petite fille, en ne sachant pas établir un lien entre les deux générations.

Quand ils voulurent enfin tenter de communiquer avec leur fille, il était trop tard. À ce stade, la séparation, seule, est réaliste.

Il est parfaitement vrai qu'il existe un problème de générations; les préoccupations professionnelles, sociales, civiques des parents et le divorce y contribuent largement. De nos jours, chacun trouve plus facilement la solution à ses problèmes parmi ses pairs qu'auprès de la génération précédente ou suivante. Les bouleversements rapides de nos conditions de vie rendent difficile le transfert des connaissances, de l'expérience, des « recettes », de parents à enfants.

L'aliénation affective qui découle souvent, pas nécessairement cependant, de la perte des liens économiques et éducationnels a de sérieuses conséquences sur la santé mentale des nouvelles générations.

De nos jours, les parents occidentaux doivent se rendre à l'évidence : lorsque leurs enfants ont l'âge d'aller au collège ou à l'université, la plupart d'entre eux ont peu à leur offrir. Ils les soutiennent financièrement, d'accord, mais la relation qui existe entre eux prend trop souvent un caractère obligatoire. Et comme toutes les obligations, elle entraîne une animosité intense. Non seulement les jeunes détestent être dépendants des adultes, mais ces derniers aussi répugnent à nourrir et à loger une génération qui ne leur rend pas leur amour et ne leur apporte aucun avantage économique.

Pour parer à ces crises, les parents devraient tenter d'établir avec leurs enfants des liens dépassant le niveau de l'éducation ou les problèmes économiques. Sinon, ils risquent de devenir aussi inutiles que les travailleurs remplacés par des machines. Un lien psychologique de compréhension mutuelle et d'intimité est plus nécessaire que jamais.

Lorsque leurs enfants arrivent à l'adolescence, les parents auraient intérêt à limiter leurs sermons et leurs conseils pour mettre davantage l'accent sur les liens amicaux. C'est alors que les parents devraient donner à leurs jeunes une éducation affective à laquelle l'intimité de la vie familiale se prête bien.

Quand les parents, ce qui, reconnaissons-le, arrive souvent, échouent dans cette tâche, la relève peut être prise par des maîtres, des amis adultes qui réussiront peut-être à combler le fossé des générations. Un conseiller, en une seule entrevue, peut parfois résoudre bien des problèmes. N'étant pas encombré par des souvenirs parasites, il est à même de montrer au jeune que nous vivons dans un monde captivant qui évolue rapidement et que les adultes ont vraiment quelque chose à apprendre aux jeunes sur la vie et le développement personnel.

La jeunesse doit être familiarisée avec l'existence de conseillers et de psychologues et ne pas hésiter à leur faire appel. Ces conseillers servent parfois de nouveau canal de transmission de l'information d'une génération à l'autre et aident les jeunes à trouver la place qui leur convient dans ce monde en mouvement.

Dire « non » avec amour

Bien des problèmes de génération, cependant, seraient évités en apprenant, dès l'enfance, à lutter de façon positive, en vue d'établir les limites acceptables du comportement de l'enfant. Car l'enfant, les parents l'ignorent trop souvent, a besoin de limites, de freins. Si on ne les lui donne pas spontanément, il pousse ses parents à le faire, en les provoquant par une attitude agressive.

Les parents trop permissifs ne réagissent pas d'une façon authentique à leur rôle ou à celui de l'enfant s'ils craignent d'imposer des limites à sa résistance. Sans ces limites, l'enfant dépassera sans cesse les bornes jusqu'à ce que ses parents comprennent son message, ou il se heurtera à un monde hostile et loin d'être permissif.

Refuser de tracer les limites nécessaires à l'enfant, le gâter est en vérité un acte hostile. Car ces enfants, tôt ou tard, rencontreront un refus. D'abord, de la part de leurs parents, puis du monde extérieur. En matière d'éducation comme en thérapie, le fameux dicton de Bruno Bettelheim ne ment pas : « L'amour ne suffit pas. »

Savoir dire « non » est un art qui se pratique le mieux dans la simplicité et la franchise. Sans fioritures ni discours justifiant ce refus par le fameux « c'est pour ton bien ».

Il est possible d'opposer des refus à ses enfants, sans culpabilité ni remords, à condition de leur expliquer clairement où ils en sont : « Voilà la situation aujourd'hui. Peut-être sera-t-elle différente plus tard. »

La dernière partie de ce message est fort importante : elle implique le droit, pour chacun, de changer d'opinion. Mais loyalement, franchement. Et cela donne à l'enfant une possibilité de se battre. Et, parfois, de gagner. Ce qui ne peut faire de mal, à l'occasion. Les parents trop indulgents (le plus souvent névrosés, culpabilisés) privent leurs enfants de toute possibilité d'éducation de l'agressivité, de l'occasion de s'opposer à eux. Le plus beau c'est qu'après avoir, dans un premier temps, fait perdre à l'enfant tout goût du risque, les parents, plus tard, se montreront déçus de sa passivité.

Encourager l'enfant à combattre loyalement

Les enfants apprendront à se battre si le père et la mère, séparément ou ensemble, les laissent engager la bataille. Les parents peuvent alors montrer aux enfants ce qu'ils acceptent et ce qu'ils refusent.

Un enfant doit être considéré comme un adversaire digne d'être affronté, ayant, comme quiconque, une agressivité naturelle à décharger, particulièrement à l'endroit de ceux dont il est tellement dépendant.

Entre intimes, l'agressivité augmente proportionnellement à la dépendance, à la proximité ou à la domination. Le rôle du combat constructif entre intimes est de rétablir l'équilibre entre les deux conjoints afin de rendre leurs querelles moins destructrices.

Parents et enfants doivent trouver le même équilibre, mais la bataille ne s'arrête jamais parce que les enfants se sentent automatiquement inférieurs et dépassés, avec raison d'ailleurs. Il n'est pas vraiment nécessaire pour l'adulte d'insister lourdement quand il a le dessus : l'enfant ne le sait que trop. Il risquerait de devenir renfermé; en outre, un enfant ne dispose d'aucun moyen pour se libérer d'un amour parental trop possessif et étouffant.

Des parents avisés sauront agir de façon à encourager l'enfant à combattre loyalement et à lui inculquer le respect des points sensibles de son adversaire. Ils lui apprendront à tolérer une certaine dose d'agression et lui donneront une chance de s'affirmer lui aussi, de façon réaliste et directe.

Il n'est pas nécessaire, pour qu'un enfant « gagne » une bataille, que l'adulte essuie une « défaite » ou cède visiblement. Il suffit que l'adulte, prenant les devants, reconnaisse ouvertement les progrès accomplis par l'enfant dans le sens de la maturité.

Imaginez qu'un enfant joue au tennis avec un adulte. Conformément aux règles, le gagnant est celui qui, le premier, remporte six sets. Mais si l'adulte est sensible aux besoins de l'enfant, il applaudira n'importe quel pointage, du moment que l'enfant a fait des progrès. (« Tu as eu quatre points cette fois; tu as battu ton record! Félicitations! »)

Cinq conseils pour éviter des disputes inutiles avec les enfants

Voici quelques lignes directrices pouvant aider efficacement à limiter les querelles destructrices :

1) Éviter de donner des ordres abusifs. On évitera ainsi une « surcharge »;

2) Éviter les demandes faites au nom du « bien de l'enfant » là où cela n'a rien à voir;

3) Ne demander que ce que l'enfant peut faire immédiatement. Fragmenter les demandes;

4) Superviser la tâche, suivre l'enfant de façon à l'aider à la mener à bien;

5) Faire savoir précisément à l'enfant ce que l'on attend de lui. S'assurer qu'il a compris quoi faire et comment le faire. Ce qui lui donne un sentiment d'anticipation du succès. Et c'est bien pour cela qu'on se bat.

Chapitre 23

Les querelles de famille

Malgré la bonne volonté essentielle à toute dispute constructive, à toute résolution de conflits, il est difficile, pour la plupart des
gens, de ressentir de l'empathie pour plus d'un de leurs proches à la
fois. D'où la complexité de la tâche consistant à enseigner aux membres d'une famille l'art de s'entendre et de respecter l'intégrité du
groupe.

La complexité des relations familiales n'est pas une simple affaire de chiffres. Mais les combats, ici, s'entourent d'alliés, de pro-
cureurs, d'avocats, de juges. Et d'un public qui prend parti. Qui
juge. Qui met en quarantaine. Les possibilités de vilaines querelles
multidimensionnelles sont infinies.

Et pourtant, nous avons réussi, au cours de sessions réservées
aux familles, à apprendre à des parents, grands-parents ou autres
membres d'une famille, à des enfants de trois ans même, l'art de
communiquer leurs sentiments agressifs ou conflictuels de manière
constructive, sans culpabilité aucune.

Chaque famille est encouragée à établir ses règles. Notre but
n'est pas d'éliminer les conflits familiaux mais de les rendre plus
productifs, moins traumatisants.

Les relations familiales ressemblent à une pièce de théâtre où
chacun joue un rôle. En plus de ses réactions personnelles à sa propre vie, ou à chacun des membres de sa famille, chacun réagit au
groupe familial dans son ensemble. Le thérapeute s'informe auprès
des « acteurs » : Savent-ils quel genre de pièce se joue entre eux ?
Ont-ils remarqué la dominance de certains thèmes ? Quel rôle

301

jouent-ils eux-mêmes ? Prennent-ils part aux décisions familiales ? Ont-ils tendance à se plier ? À se révolter ? Que font-ils en cas d'intérêts divergents, etc. ?

On tente aussi de faire définir ce que représente, pour chacun, le toit familial. Un hôtel ? Une prison ? Un endroit où l'on s'amuse ? Et on essaie d'indiquer les changements souhaités.

Les divers membres du groupe, cela saute rapidement aux yeux, voient les choses de façon très différente. Très tôt, ils commencent à s'attaquer mutuellement. Étant donné les disparités entre les membres, il faut veiller à donner à chacun — et tout particulièrement aux enfants — l'occasion d'utiliser les combats familiaux comme source de développement affectif.

Lorsque la famille désigne un bouc émissaire

Il arrive souvent que la famille désigne l'un de ses membres comme « le cas », le « malade », « la brebis galeuse ». C'est là le drame du bouc émissaire — que la victime, trop passive, accepte parfois de jouer, annihilant ainsi sa propre personnalité. Mais, la plupart du temps, ce rôle désagréable est refusé, rejeté sur un autre membre de la famille.

D'autres rôles émergent alors. On voit, à ce stade, apparaître la « bonne soeur », toute dévouement, le juge loyal, le psychiatre qui analyse le « cas », le sadique qui enfonce le clou, le clown, le spectateur, le saboteur aux méthodes souterraines.

En moins d'une heure et demie, on est généralement au coeur du drame avec ses rôles les plus caractéristiques. La pression du groupe favorise particulièrement la désignation d'un bouc émissaire, qui soulage les autres membres de leur tension. Le thérapeute a pour tâche de faire découvrir ce qui se passe vraiment, de montrer en quoi les acteurs, en se maintenant dans leurs rôles, retardent plus qu'ils ne favorisent la solution du problème. Il faut éviter de chercher des coupables. Et aider plutôt, à la façon des anthropologues, les membres du groupe à comprendre comment fonctionne la « micro-culture » qu'ils ont créée eux-mêmes, par leurs émotions, leurs frustrations.

Lorsqu'ils prennent conscience — ne serait-ce que partiellement — des avantages ou des inconvénients pour eux du jeu habituel, les membres peuvent alors aborder leurs conflits de façon plus positive et tenter de les résoudre. C'est là qu'on voit émerger de nouvelles solutions à des problèmes parfois très anciens.

Le groupe peut parfaitement prévenir l'émergence du thème du bouc émissaire. En particulier, en empêchant le « malade » tout désigné de « charger » son rôle ou de manifester des comportements attirant la censure des autres. Technique des plus payantes. Quoi de mieux, pour découvrir et maîtriser ses propres problèmes, que de guider une âme en détresse ?

Le théâtre familial

Lorsqu'un ou plusieurs des membres de la famille se lassent de jouer cette pièce — que nous intitulons « la Réforme » — on voit éclater les conflits, les assauts agressifs, les frustrations. Pourtant, dans cette sorte de spectacle, la coopération de tous les acteurs est nécessaire.

Il arrive que la pièce ne soit pas jouée de façon réaliste. Ce qui se produit lorsque le groupe cherche à détourner l'attention du thérapeute de ses vrais problèmes.

La famille est aussi le banc d'essai d'un certain nombre de valeurs : le bien, le mal; le juste et l'injuste; l'agréable et le désagréable, que chacun met en action dans la pièce que nous appelons : « Le Bien et le Mal. En Pensée et en Action. »

Dans « Possession et Séparation », les membres de la famille manoeuvrent afin de savoir qui possède qui. Jeu pouvant prendre une forme active — posséder un autre — être possédé. Sans nous limiter à l'explication d'une telle situation par des racines oedipiennes lointaines et hypothétiques, nous pensons que l'agression, dans ce cas, est utilisée par un des membres de la famille pour déterminer les limites de sa propre acceptabilité; effort s'accompagnant d'une vive anxiété de séparation. Toute la manoeuvre prend son sens dans le soulagement qu'il éprouve quand il s'aperçoit qu'on l'accepte, quelle que soit sa conduite. La phrase clé, dans cette pièce, est du style : « Je vous quitterai », « Ne me quitte pas » ou « Pourquoi ne pars-tu pas ? ».

Au cours d'une de nos thérapies familiales, centrées sur le thème des vacances, la mère déclara : « Partez donc tous sans moi. » Ce fut une belle crise qui éclata ! Le thérapeute, s'abstenant d'analyser ses origines, facilita la communication jusqu'à ce que chacun ait pu démontrer à quel point les vacances seraient gâchées pour lui, tant que les différends familiaux, illustrés par le retrait de la mère, ne seraient pas aplanis.

Ces vifs combats s'engagent également au cours des tentatives de définition des comportements jugés appropriés pour chacun.

Ce jeu du « Qui es-tu ? », qui fait intervenir les images que les membres de la famille ont d'eux-mêmes, a sur eux une profonde influence. Il nécessite donc une supervision prudente et bienveillante.

Combien de névrosés, de psychotiques, ne sont-ils pas victimes de l'attribution d'un rôle idéal qu'ils n'ont pas pu jouer ? Lorsque les autres s'en aperçoivent, c'est souvent un rejet brutal qu'il leur faut affronter.

Nous avons déjà insisté sur les dangers de l'attribution d'un rôle à autrui. Un aspect intéressant du problème apparaît clairement au cours de ces « spectacles ». C'est la pression exercée par les enfants auprès des parents afin qu'ils se comportent d'une certaine façon, qu'ils présentent une certaine image d'eux-mêmes, jugée souhaitable par l'enfant. Les adolescents sont tout particulièrement portés à ce type de pression.

Les querelles à propos de « Qui commande ici ? »

Autre thème : « Qui commande ici ? » avec, le plus souvent, la recherche d'une autorité exercée ou d'une autorité subie. Un exemple type nous en est fourni par le problème d'assurer la discipline. La tradition, dans un monde changeant, ne suffit plus à fournir des modèles, d'où les combats pour le « leadership ».

Le thérapeute peut jouer là un rôle important, en aidant les membres d'une famille à comprendre en quoi les besoins de domination ou de dépendance peuvent être utilisés à des fins négatives, en les aidant à faire la différence entre l'esprit de coopération et l'esprit d'esclavage, entre un leader constructif et un Hitler.

Dans la famille Sauche c'est Émile, le père, qui s'occupait de la discipline, qui punissait les enfants et Marthe, la mère, qui les choyait. Son rôle, pourtant, Émile ne le jouait qu'a contrecœur, sous la pression de sa femme et des grands-parents eux-mêmes, quand ils avaient l'occasion de donner leur avis.

Aux yeux des enfants, la mère représentait l'amour, le père, la haine. Plus tard, en grandissant, ils devaient voir en leur mère un être faible et lâche et en leur père un personnage accommodant. De telles expériences tendent à fixer chez les jeunes des images quant aux rôles du mari et de la femme.

Nous avons déjà fait allusion à ce drame lorsqu'il fut question du rôle le plus satisfaisant que peut jouer le père, à notre avis, au sein de la famille moderne. Dans ce cas, la mère avait violé le principe de la franchise avec les enfants. Elle poussait le père à jouer au juge d'instruction. Elle s'attira la haine non seulement des enfants mais aussi du père en se montrant incapable de veiller elle-même à la discipline. Ce qui est pire, elle se présentait comme un troisième enfant ayant besoin d'un arbitre.

Dans d'autres versions de la même pièce, les différents membres de la famille entretiennent, encouragent sans le vouloir, les caprices d'un despote.

Aussi paradoxal que cela puisse paraître, c'est souvent au membre le plus névrosé d'une famille qu'est délégué le plus grand pouvoir. Tout comme soixante-dix millions d'Allemands se plièrent aux extravagances d'un Adolf Hitler. Refusant de voir leur comportement masochiste, les victimes se persuadent qu'elles suivent quelqu'un « qui sait mieux ».

La comédie « Suivez le leader », le plus souvent, n'a rien d'innocent. Elle peut permettre la libération, dans l'anonymat du groupe, de sentiments de dépendance excessifs, donner prétexte à des révoltes sporadiques. Les sentiments de culpabilité remontant à l'enfance peuvent être si importants qu'ils poussent certains adultes, parfaitement capables, à se soumettre à n'importe qui, abdiquant toute autonomie, leur personnalité même.

Combattre pour son intimité au sein de la famille

Dans une famille, « tout est l'affaire de tout le monde », semble-t-il. Voilà qui porte atteinte à l'élaboration narcissique de l'image de soi, qui demande qu'on respecte l'intimité de l'individu. La famille ressent cependant comme naturel de s'intéresser à la façon dont s'habillent, se coiffent, s'expriment ses différents membres. Et elle tend à combattre l'influence des camarades, jugée souvent pour le moins maladroite.

La lutte que chacun mène pour préserver le maximum d'intimité se manifeste sous bien des formes. Toutes utiles, car c'est là un but qui mérite amplement d'être poursuivi (sans perdre, toutefois, un sentiment d'appartenance familiale).

La famille d'une de nos débutantes se composait de quatre garçons, d'un père et d'une mère solitaire qui n'avait même pas d'endroit où faire sa toilette intime jusqu'à ce qu'elle apprenne à faire respecter ses besoins. Un thérapeute peut tirer de ces drames l'information que peuvent en retour utiliser les membres d'une famille pour établir des liens plus intimes entre eux sans menacer la cohésion du groupe.

Le moment dangereux des vacances

C'est au moment des vacances, tout particulièrement quand la famille part ensemble, que ce type de lutte se manifeste avec la plus vive intensité. Et pour commencer, dans ce lieu encombré qu'est, le plus souvent, la voiture familiale. Car une fois le lieu de vacances choisi, on a trop souvent tendance à oublier qu'il faudra s'y rendre et que le voyage peut être pénible. Les objets de litige dans une voiture sont trop évidents pour qu'on s'y attarde ici. (Laisserons-nous les fenêtres ouvertes ou fermées ? Qui pourra fumer ? Quand nous arrêterons-nous ? Quel poste de radio écouterons-nous ?) Ces querelles risquent toutefois de s'envenimer et il ne faut pas les négliger. Voici un exemple du climat dans lequel elles se déroulent :

Elle : On s'est trompés de tournant, gros malin !

Lui : Je m'occupe déjà de la circulation et des flics ! Je croyais que tu regardais la carte !

Elle : J'essaie.

Lui : Tu parles ! Tu te laisses transporter, comme une reine.

Elle : Tu sais que cela me donne mal au coeur de lire en voiture.

Après un voyage fatigant, tendu, les chances sont grandes de voir éclater une belle bagarre familiale, lorsqu'on arrive enfin à destination, dans un cadre peu familier et parfois décevant.

Car c'est un problème véritable que d'adopter le rôle inhabituel de « vacancier ». On aura peut-être du mal à nous croire, mais nous avons rencontré le cas d'un mari qui fut condamné sans appel par sa femme pour n'avoir pas su se comporter avec l'autorité nécessaire à la réception de leur hôtel.

Si les tensions familiales sont si souvent exacerbées en vacances, c'est qu'il est plus difficile pour chacun de s'évader des autres, de poursuivre des activités indépendantes; parce que les accommodations elles-mêmes permettent moins de sauvegarder cette intimité qui est pour tous une nécessité vitale. Privés de cette intimité, les individus développent parfois des habitudes ou des caprices rarement appréciés des autres membres de la famille.

La notion même de vacances est associée à celle de liberté et de permissivité dans l'esprit de la plupart des gens. En fait, il faut beaucoup de discipline à des individus oisifs placés dans une proximité inhabituelle. Chacun doit s'accommoder de la perte de son autonomie personnelle et abandonner l'idée qu'il peut faire tout ce qui lui plaît. Car il n'est pas sûr que ce qui lui plaît fera l'affaire des autres.

Les proches qui prennent leurs vacances ensemble doivent se rendre compte qu'ils y seront davantage incités à la violence; que leur distance optimale sera considérablement réduite; et qu'ils trouveront peu d'exutoires pour échapper aux liens familiaux excessivement étroits.

Tous ces problèmes, les membres d'une famille devraient en être conscients et tenter de les atténuer, sinon les résoudre, avant même le départ en vacances, en jouant, par exemple, certaines situations, à titre de « répétition ».

Disputes avec les beaux-parents

Plus explosives encore sont les bagarres avec la belle-famille, ou à son sujet. Figure familière entre toutes : celle de la belle-mère qui s'occupe de ce qui ne la regarde pas. Un exemple :

Lui : Tu passes bien trop de temps avec ta mère.

Elle : Voyons, tu sais qu'elle n'en a plus pour tellement longtemps à vivre.

Lui : Je n'ai rien contre elle, vraiment. Seulement, tu te précipites chez elle dès que quelque chose ne va pas entre nous; comme une petite fille. Cela m'horripile !

Elle : Je cherche seulement à lui faire plaisir.

Lui : Je n'y crois pas !

Elle : Que signifie cette méchanceté, encore ?

Lui : Tu ne fais que médire sur mon compte.

Elle : Encore heureux qu'il y ait quelqu'un qui m'écoute !

Lui : Ce n'est pas loyal. Je veux que tu lui fasses clairement comprendre qu'elle doit cesser de me démolir par en dessous...

Ce couple, déjà formé au combat, avait su aborder le problème de la belle-mère en son point crucial. Il n'en est pas de même pour la plupart des couples qui, le plus souvent, dans leurs disputes, ignorent le problème réel.

C'est le cas dans l'exemple qui suit, où le problème est celui de la grand-mère :

Lui : Docteur, cela nous rend fous, ma femme et moi : ma mère passe son temps à faire l'analyse psychologique de mes enfants !

Dr Bach : En quoi cela vous ennuie-t-il ? C'est sa manière à elle de se rendre utile.

Elle : Mais elle ne comprend pas vraiment les enfants. Elle ne dit que des bêtises. Vraiment, nous ne pouvons pas écouter ça !

Dr Bach : Pourquoi donc prenez-vous des bêtises au sérieux ?

Lui : Après tout, ma mère m'a élevé. Et pas si mal, je crois ! Je me dis parfois qu'elle a peut-être raison, qui sait ?

Dr Bach : Pour commencer, pourquoi l'écoutez-vous ?

Lui : Il faut bien montrer un peu de tact !

Dr Bach : Cela, c'est votre problème et celui de votre femme. Vous préférez traiter votre mère comme quelqu'un d'incompétent, qui ne mérite même pas qu'on lui dise qu'on n'est pas d'accord avec elle.

Lui : Vous avez sûrement raison. Mais elle nous dit toujours : « Je n'ai pas de raison de vivre. » Alors, c'est probablement sa manière de trouver un intérêt à la vie.

Dr Bach : Mais vous la condamnez au pire des sorts possibles : celui de quelqu'un qui ne peut pas changer. Vous ne lui en donnez même pas la possibilité.

Nous fîmes remarquer à ce couple qu'il pouvait au moins dire à la grand-mère : « Parlons d'autre chose », quand elle se lançait dans ses analyses. Mais le véritable combat était celui de la belle-mère, pour son inclusion dans la famille. Problème qui peut être affronté si les époux se donnent le mal d'indiquer à la vieille dame ce qu'elle devrait faire pour se faire aimer, accepter. Devenir une belle-mère qu'on aime est une tâche difficile, stimulante. À laquelle les couples, malheureusement, savent rarement comment contribuer.

Ils veulent montrer du « tact ». Comme ici, où ils ne se rendent pas compte qu'en privant la belle-mère du droit d'être la psychanalyste de ses petits-enfants, ils ne font que lui retirer une illusion, qui ne mérite vraiment pas qu'on se batte pour la maintenir.

Conflits entre parents et grands-parents

Le débat plus profond est celui-ci : la place des grands-parents est de moins en moins importante, de nos jours. Ce n'est pas seulement la distance séparant parents et enfants qui s'accroît continuellement. C'est aussi celle qui sépare les parents des grands-parents. Et pourtant, les grands-parents continuent à donner leur avis, à manifester aussi une autorité, fondée sur le seul fait qu'ils sont plus âgés. Ce n'est pas, cependant, en raison de leur âge que les couples rejettent l'action des grands-parents. Ce qu'ils rejettent, ce sont les grands-parents mal informés, ennuyeux, autoritaires. (« Comment, vous permettez aux enfants de laisser de la nourriture dans leur assiette ? »)

Le problème se ramène généralement à ceci : savoir, sans se montrer cruel, comment garder les parents âgés à distance. Les inclure suffisamment pour qu'ils se rendent utiles, à eux-mêmes comme au reste de la famille; les exclure suffisamment pour éviter des conflits inutiles, peu constructifs. Une fois le problème reconnu, chacun a son idée sur la façon de le résoudre. D'où querelle.

Il nous arrive de réunir tout le clan — les deux ou trois générations — pour vider cette querelle. La mise en présence des différentes générations est essentielle si on veut pousser les acteurs à mettre cartes sur table, à prendre leurs responsabilités dans la définition du rôle des grands-parents. Sinon, chacun agit suivant la règle — fausse — selon laquelle les parents âgés sont toujours les bienvenus et que leur âge leur donne toute autorité.

Au cours de nos sessions, nous définissons le rôle réel et acceptable des grands-parents. Personne ne devrait être choqué à l'idée de devoir gagner sa place dans une famille. C'est là, au contraire, quelque chose de stimulant pour les personnes âgées qui prennent conscience de la nécessité d'avoir une vie propre, bien à elles, et non d'être des satellites, marginaux, de la constellation familiale. Voilà qui nous paraît bien moins cruel que de les entretenir dans l'illusion qu'ils sont toujours les bienvenus, eux et leurs conseils auxquels personne ne prête attention.

Quand elles ont bien compris cela, les personnes âgées se trouvent de plus nombreuses activités personnelles, ont de meilleurs contacts tant avec leurs contemporains qu'avec les plus jeunes.

La mère d'un psychiatre qui avait l'habitude d'appeler son fils sans arrêt pour se plaindre de sa solitude et s'informer de ce que la famille faisait modifia sa tactique après avoir suivi quelques sessions avec nous. Maintenant, quand elle appelle, c'est pour demander, par exemple : « J'aimerais emmener les enfants au cirque. Puis-je venir en discuter avec eux ? » Les personnes âgées peuvent donc apporter une aide conforme aux intérêts de la famille. Tout le monde en profitera. Et si les grands-parents se laissent parfois impressionner par les réalisations de leurs petits-enfants, ils partagent aussi leur fierté et leur joie. Ils sont alors en mesure d'exercer leur fonction principale la plus enrichissante : donner à leurs petits-enfants le sentiment d'une continuité qui mérite d'être préservée.

Chapitre 24

Les querelles de rupture

Dans tous les couples, il arrive de temps en temps qu'un des conjoints explose et menace de quitter l'autre, de divorcer (« Je pars ! », « Si tu veux, nous pouvons nous séparer », etc.)

Il s'agit là, généralement, de simulacres de ruptures; simples rappels qu'il est grand temps que quelque chose change. Mieux vaudrait, de toute évidence, engager une discussion active à propos de problèmes sous-jacents, surtout quand le partenaire ainsi menacé souffre déjà d'une forte anxiété de séparation. Il n'est pas inutile, cependant, d'agiter de temps en temps la sonnette d'alarme, de réveiller le partenaire et de le forcer à reconnaître : « Je ne me doutais pas que cela te tenait tellement à coeur ! »

Nous connaissons une femme qui, périodiquement, au plus chaud de la bagarre, jette quelques vêtements dans une valise et commence à chercher fébrilement, dans l'annuaire du téléphone, des adresses d'hôtels. Et chaque fois, avant même qu'elle n'ait eu le temps de téléphoner, son mari fait des ouvertures de paix. Ce qui était le but évident de la manoeuvre ! Ainsi que de faire savoir au mari : « Ne prends donc pas ma présence comme allant de soi. » Et aussi de vérifier jusqu'à quel point il tient à elle.

Le partenaire qui prend vraiment la porte pour aller s'isoler dans un hôtel trouve rarement cette expérience payante jusqu'au bout. Voici le récit d'une épouse qui avait fui le domicile conjugal :

« Au début, je me sentais en pleine forme. J'avais une belle chambre, je me suis fait monter à boire, à manger, apporter les derniers magazines. Je me suis fait les ongles. J'étais merveilleuse-

311

ment tranquille. Ma colère était déjà tombée, d'ailleurs, pendant le trajet jusqu'à l'hôtel.

« Puis j'ai mis une jolie robe et je suis descendue au bar. Il ne semblait y avoir là que des personnes seules. Cela m'a fait peur. Je suis remontée, terrifiée, à ma chambre.

« Le lendemain, ce fut la panique. J'avais, dès mon départ, eu l'intention de retourner à la maison. Mais si mon mari ne levait même pas le petit doigt pour me demander de rentrer ? Mieux valait ne pas courir de risque. Je téléphonai aux enfants pour leur dire où j'étais. Peu après, mon mari arrivait, avec des fleurs. Franchement, je ne recommencerai plus jamais ! »

Comment empêcher les départs temporaires (« Je m'en vais ! »)

Pour faire avorter la mise à exécution de ce genre de projet, il faut que les partenaires se donnent réciproquement l'occasion de vaquer à leurs propres activités dans la maison, et de respecter les pauses nécessaires à la « recharge des batteries ». Nous recommandons aussi d'avoir prête, pour chacun des époux, une « trousse de sortie d'urgence », avec argent, affaires de toilette, quelques vêtements, de même que les informations essentielles concernant la bonne marche de la maison. Enfin, l'adresse où, en cas d'urgence, on pourra retrouver le fuyard. Le but de cette trousse est de faciliter l'excursion du partenaire « à bout » vers un lieu où il reprendra son souffle. Mais les époux qui gardent une telle trousse, et qui savent que leur conjoint en fait autant, ne s'en servent pratiquement jamais.

Nombre de maris et de femmes, même ceux qui s'aiment profondément et ne sont pas prêts à changer de partenaires, peuvent, si on les provoque, aller jusqu'à envisager un divorce.

Un couple sur le point de divorcer — le mari avait déjà quitté la maison — vint nous consulter, et trouva le salut grâce à une chambre retenue dans un motel et dont chacun possédait la clé. Nous leur avions interdit, compte tenu du haut degré de tension existant entre eux, de se disputer hors de notre présence. Mais au cas où, perdant leur contrôle, ils se sentiraient sur le point d'engager une dangereuse querelle, le mari ou la femme — à tour de rôle — irait se réfugier dans cette chambre. Cette « sortie de secours » (ils ne l'utilisèrent même pas !) les aida, en moins d'un mois, à résoudre leur problèmes. Aucun des époux n'utilisa jamais cette chambre, mais tous deux sont d'accord pour dire que c'est là le meilleur moyen qu'ils aient jamais pris.

L'avocat a un grand rôle à jouer quand un des époux vient le consulter en vue d'un divorce. Il faut encourager le couple à faire au moins un effort, les inciter à rechercher l'aide d'un conseiller. Trop souvent, hélas ! les avocats ne tentent que pour la forme de réconcilier les couples et ne font que précipiter le cours des événements. Souvent, ils sont même incapables de déterminer si le partenaire qui demande le divorce est vraiment sérieux.

Nous croyons qu'un jour viendra où les divorces seront confiés non plus à un avocat, mais à des bureaux juridiques dont la fonction principale consistera à essayer de sauver les mariages. Ils pourraient être subventionnés à même les frais du mariage augmentés et comprendraient des conseillers conjugaux professionnels et des thérapeutes familiaux. Chaque couple désirant le divorce devrait être soumis à un « test final d'incompatibilité ». De telles mesures sont particulièrement souhaitables pour les couples ayant des enfants entre quatre et seize ans.

Quand deux partenaires qui envisagent le divorce participent à des sessions de combat thérapeutique, et y mettent un minimum d'espoir, on peut presque à coup sûr s'attendre à les voir rester finalement ensemble.

Pourquoi bien des mariages ratés durent

Bien des mariages, cependant, continuellement sur le point de se rompre, ne tiennent, année après année, qu'à coups de menaces de rupture. C'est là le point culminant, ultime, des « rondes sans fin » dans le manège des scènes de ménage. Comment, pourquoi, peuvent-elles durer ainsi ?

1) Parce que chaque partenaire compte sur l'autre pour assumer la responsabilité, la culpabilité de la rupture effective.

2) Parce que l'un ou l'autre d'entre eux, ou les deux, est angoissé à l'idée de rester seul. Cette anxiété de séparation, qui peut atteindre un degré pathologique, a son origine dans la peur infantile d'être abandonné comme un orphelin.

313

Il est des êtres qui, dans une séparation, ne peuvent surtout pas supporter l'idée que leur ex-partenaire nouera une relation intime avec un autre. Tel ce mari qui tua sa femme d'un coup de revolver en présence des deux avocats devant qui le divorce devait être signé.

Deux êtres qui divorcent doivent parvenir à un « sevrage » qui les détache l'un de l'autre, de préférence dans des groupes thérapeutiques qui apaisent les sentiments d'anxiété, de culpabilité. Sinon, même s'ils se félicitent de la liberté recouvrée, ils émergent du divorce comme des morts-vivants, supportant mal leur nouveau statut social, victimes toutes désignées d'une exploitation financière ou sexuelle. Certains cherchent un réconfort auprès de groupes de psychothérapie ou d'excellentes associations comme celle des « Parents seuls ». La plupart, cependant, foncent tête baissée à la recherche d'un nouveau partenaire.

Qu'on ne voie pas là — nous l'avons déjà dit — quelque recherche autopunitive. Mais la plupart des êtres ont horreur de la solitude, ce qui peut aller jusqu'au syndrome de la « solophobie ». À de rares exceptions près, chacun éprouve le besoin de partager, de donner un sens à sa vie en « appartenant » à un autre. Or le mariage est un engagement tel qu'il oblige — par la dépendance qu'il implique — à supporter ce que personne d'autre ne supporterait. Qui d'autre que le conjoint accepterait ainsi la bagarre, fournirait de meilleures occasions de libérer son agressivité ?

Les détraqués, eux aussi, ont une tendance compulsive à se remarier. À rejouer leur jeu sadique de séduction-abandon. Nous avons ainsi vu certains êtres traîner dans un « bain de sang » émotif six partenaires successifs.

Quand une union est franchement malade, condamnée, le divorce est la seule solution. Dans l'intérêt de l'équilibre des partenaires et, surtout, des enfants. Une situation bien définie est pour eux bien préférable à un environnement malsain. Et nous sommes entièrement d'accord avec la nouvelle école de pensée (psychologique et légale) visant à remettre en question, dans certains cas, le droit traditionnel de la femme à garder les enfants.

Le fait de mettre au monde un enfant ne fait pas nécessairement d'une femme une « mère naturelle ». L'éducation d'un enfant s'apprend et ne dépend pas du seul instinct. C'est souvent la mère, non le père, qui, dans une famille, met en danger l'équilibre psychologique des autres. Et on lui confie automatiquement les enfants sous le seul prétexte qu'elle les aime, à sa manière, qui est pathologique.

La société, tôt ou tard, aura à s'occuper des problèmes de ces enfants du divorce, victimes de mères inaptes à les élever, de pères trop éloignés ou incompétents — qui ont tout intérêt à être éloignés de ces influences perturbantes. Peut-être par la solution de villages, de clubs d'enfants. Qui n'ont pas besoin de ressembler à des camps militaires ou à des collectivités de type socialiste. De petits groupes, dirigés par des conseillers compétents, chaleureux, pourraient fournir à l'enfant le climat intime qui lui a fait défaut.

On pourrait encourager les parents à rendre visite à leurs enfants pour éviter que ceux-ci ne se sentent abandonnés. Ces centres n'existeront peut-être pas avant nombre d'années, mais il en existe un besoin pressant et on doit encourager les essais en ce sens. Nous devons au moins cela aux innocentes victimes des mariages qui n'ont pu être sauvés.

Pour conclure, les intimes devraient trouver des exutoires aux tensions qui, de nos jours, tendent à surcharger le mariage. La soif d'une relation humaine significative ne peut être entièrement satisfaite par le tête-à-tête des deux époux. Et l'agressivité, en particulier, a besoin d'être canalisée vers d'autres portes de sortie. On ne peut qu'encourager les combats loyaux avec la famille, les collègues, les amis, vus comme une extension du système intime, antidote efficace à ces ruptures qui n'ont rien d'inévitable.

Annexe technique
par le Dr George R. Bach

Introduction

Pour nos lecteurs ayant une formation scientifique, et en particulier mes collègues et mes étudiants en psychologie, en psychiatrie, en sociologie et autres domaines connexes, nous définirons la formation au combat loyal comme une psychothérapie spécifique destinée à « guérir » l'incapacité d'un individu à faire face à l'agressivité en lui et chez autrui en maximisant les styles d'agression susceptibles de favoriser l'intimité et en minimisant l'hostilité destructrice.

C'est à des congrès scientifiques que j'ai présenté pour la première fois ma théorie relative à la résolution des conflits entre intimes par la formation au combat loyal. Voici quelques-unes des sources théoriques, cliniques et éthiques du programme décrit dans le présent ouvrage.

J'ai commencé à étudier l'agressivité humaine il y a près de quarante ans en apportant la preuve expérimentale de la « modifiabilité » des réactions hostiles chez l'enfant en situation de conflit avec ses professeurs ou parents. À partir de là, j'ai élaboré une méthode thérapeutique destinée à aider les individus à affronter leurs conflits par le biais d'une thérapie du jeu pour les enfants et d'une psychothérapie de groupe pour les adultes.

Les deux pierres angulaires de ma théorie dérivent, en premier lieu, de la découverte de Freud touchant la coexistence paradoxale et conflictuelle des instincts de vie (amour-éros-sexe) et de destruction (haine-agressivité) chez l'homme. En deuxième lieu, de la remarquable théorie des champs de mon professeur, Kurt Lewin,

317

qui a fourni des concepts pouvant déboucher sur l'action sociale, thérapie qui porte sur la résolution de conflits du type approche-fuite non seulement au niveau intrapsychique, mais aussi au niveau des groupes et dans les relations interpersonnelles. Puis, deux de mes anciens professeurs, spécialistes de la théorie de l'apprentissage, Robert Sears et Kenneth Spence, suscitèrent chez moi un intérêt durable pour l'application du principe du renforcement à la restructuration cognitive inhérente à la modification directe du comportement.

La modification thérapeutique du comportement dépend du désir du sujet de résoudre ses conflits aigus en apprenant de nouveaux moyens de le faire au fur et à mesure dans l'ici-et-maintenant. En effet, il est plus efficace d'aider le patient à résoudre son problème à l'aide de l'imitation, d'un programme heuristique, de la stimulation du groupe et d'exercices que de remonter aux lointaines causes présumées de l'histoire du patient.

Les types les plus répandus et les plus pénibles de conflits qui affectent la majorité de mes patients ne peuvent être résolus par les méthodes traditionnelles centrées sur l'individu; ils exigent au contraire une approche axée sur la thérapie interpersonnelle, la dynamique de groupe et les « systèmes ». Je m'explique. L'individu désire créer des liens intimes avec autrui tout en restant libre et indépendant. Or, cela n'est possible que s'il connaît le fonctionnement des systèmes interdépendants et s'il sait comment établir une relation intime satisfaisante en devenant plus accessible, plus transparent, plus ouvert, en s'affirmant davantage et en ne craignant plus l'affrontement direct et le combat loyal.

En théorie, je crois que seule l'agressivité peut amener un changement de situation, c'est-à-dire un changement dans le niveau d'interdépendance entre les individus (les couples ou les groupes plus importants) : en effet, c'est uniquement en se battant pour se débarrasser d'une vieille situation (ou pour la défendre) que l'homme interdépendant peut favoriser l'apparition d'un nouvel ordre dans ses relations amoureuses. Changement et agressivité vont de pair; et comme le changement est essentiel au développement et à la survie, l'homme a une capacité d'agression très grande. Mais il possède aussi beaucoup d'ingéniosité pour inventer de nouvelles façons de la décharger directement ou indirectement. L'homme produit constamment de l'agressivité.

C'est pourquoi chaque individu possède une réserve encombrante d'agressivité dont il doit, régulièrement, libérer une partie. En conséquence, quel que soit son rôle social (et non seulement les hommes politiques), il cherche ou invente sans arrêt des ennemis cibles qu'il poursuit avec une vitalité chargée d'hostilité.

Aujourd'hui, l'homme a inventé un mécanisme à deux tranchants pour libérer son agressivité : l'armement nucléaire, qui a rapproché ses ennemis traditionnels étrangers et lointains. Il existe pourtant, à portée de sa main, de nombreux groupes cibles disponibles : les Noirs et les Blancs, les jeunes et les vieux, et l'homme et la femme : les ennemis les plus intimes qui soient !

On doit modifier les tactiques d'agression et redéfinir celle-ci afin de démontrer la nécessité de chercher à s'affirmer rationnellement au sein des échanges agressifs plutôt que de détruire son adversaire, et de faire preuve de bonne volonté afin de trouver des façons sûres et même créatrices de mobiliser son agressivité à des fins de croissance et de transformation.

Les considérations précédentes m'ont permis de prendre davantage conscience des réserves d'hostilité croissantes qui existent chez mes patients. Il y a dix ans, j'ai conçu un système heuristique pour les aider à régler les conflits reliés à leur inter-dépendance tout en leur donnant une cible sûre, loyale, régulière et pratique pour déverser leur agressivité : le combat entre intimes.

Le lecteur professionnel qui ne se limite pas aux publications redondantes de l'« école » traditionnelle admettra que nombre de psychothérapeutes modernes reconnaissent d'une façon implicite ou explicite le pouvoir thérapeutique de l'agressivité constructive. S'il subsiste le moindre doute dans son esprit quant à la possibilité d'employer l'agressivité à des fins positives, l'ouvrage du psychanalyste britannique Anthony Storr, *L'instinct de destruction*, présente de multiples preuves qui viennent étayer notre théorie. D'ailleurs celle-ci se place dans la ligne actuelle de la communication authentique, de la rencontre ouverte et de l'affrontement direct. On la retrouve également avec des exemples cliniques, dans l'oeuvre de nombreux auteurs modernes (Ackerman, Altenberg,

Berlin, Berne, Bettelheim, Bugenthal, Buhler, Corsini, DeAnda, Dederich, Ellis, Erikson, Frank, Glasser, Hodge, Hogan, Kempler, Moreno, Pearson, Perls, Rosen, Sagan, Satir, Shapiro, Shostrom, Stoller, Whitaker et Yablonsky).

En outre, on trouve de plus en plus dans les publications connexes (Ardrey, Berkowitz, Lorenz, Rapoport, Storr, et Yablonsky) des études étiologiques théoriques, expérimentales, descriptives ou comparatives des problèmes psychiatriques et sociologiques liés à l'agressivité humaine.

Mais en général, ces auteurs se bornent à recommander une meilleure compréhension des moyens de contrôle ou des substituts de l'agressivité sans offrir de programme préventif ou thérapeutique.

La formation au combat loyal, qui fait l'objet du présent ouvrage, semble être la première méthode thérapeutique conçue spécifiquement pour aider l'individu à mobiliser son agressivité à des fins constructives. Son application dans le contexte des relations interpersonnelles intimes prouve d'une manière frappante la validité de notre théorie, que corroborent en outre les écrits de Lorenz et de Storr, à savoir que l'agressivité, lorsqu'on la canalise d'une façon appropriée au lieu de la refouler, de la supprimer, de la « contrôler » ou de la déplacer, est une force vitale positive. Plus précisément, nous croyons que les combats agressifs sont indispensables au développement et à la transformation de l'individu.

L'intérêt actuel du public pour l'agressivité et la violence a créé un climat intellectuel favorable à la recherche et au travail clinique sérieux dans ce domaine. Nous devons peut-être à ce climat de voir les moyens thérapeutiques que nous employons pour mettre l'agressivité au service de l'amour, accrédités par un nombre croissant de membres de notre profession.

La théorie de l'impact de l'agressivité

Clarification conceptuelle et sémantique
par le Dr George R. Bach

Mes premières recherches sur l'agressivité (Bach, *Psychological Monographs*, 1945) portaient sur la frustration inter-personnelle plutôt que sur son influence. En ce qui a trait à l'étude spécifique des effets de la frustration, j'ai trouvé dans l'hypothèse classique de la frustration-agression (F-A) (Berkowitz, L.,*Agression)* un outil conceptuel approprié. Toutefois, à mesure que mon champ de recherches s'élargissait pour englober tant la frustration que son influence («impact»), je ne pus, avec la théorie traditionnelle de la F-A, élucider les principaux faits que j'observais en clinique, à savoir : lorsque des partenaires se battent, ils le font non seulement pour «se blesser mutuellement», comme le veut la théorie de la F-A, mais aussi pour amener un changement pour le meilleur. Or, ils se disputent pour décharger leur frustration, mais pas nécessairement dans le but de punir ou de blesser leur partenaire, qu'ils perçoivent comme la source de leur frustration. Quelle que soit la blessure, la menace de blessure ou la punition en cause, elle est l'outil qui incite le partenaire à changer.

Les manifestations de colère et d'agressivité font baisser la tension, tout comme lancer un juron lorsqu'on marche pieds nus sur une aiguille. Cependant, la théorie classique de F-A qui, je le déplore, inspire encore la plupart des recherches actuelles en psychologie sur l'agressivité, exclut explicitement tant l'influence de celle-ci que la catharsis qu'elle provoque. Cette limite la rend inutile pour l'investigation scientifique en situations réelles où l'influence, la catharsis et les facteurs rituels déterminent l'intensité et la forme que prendra l'agressivité. Les cliniciens peuvent enseigner à l'individu à élever son seuil de tolérance face aux frustrations. Mais comme le comportement agressif ne survient pas toujours lorsqu'on empêche l'individu d'atteindre son but, ce qu'on appelle la frustration peut se produire dans une atmosphère joyeuse. Les gens se disputent pour réveiller l'intérêt qu'ils se portent, pour s'amuser et se stimuler, et pour réduire l'énorme réserve d'agressivité résultant de la tendance à fuir les conflits et faisant partie de leurs données instinctives.

En ma qualité de chercheur en sciences sociales appliquées, je crois que la vieille controverse quant à savoir si l'agressivité est innée ou acquise chez l'homme, et que reprennent Ardrey, Lorenz, Montague et Storr, présente un intérêt théorique, mais ne dit rien sur les moyens de la contrôler. En fait, il me semble irresponsable de dire aux gens qu'ils sont agressifs d'instinct ou qu'ils le sont devenus à cause d'un mauvais apprentissage ou des frustrations engendrées par l'environnement social qu'ils ont subi (particulièrement au contact de leur mère). Les théories de l'instinct justifient la guerre et la violence considérées alors comme des phénomènes insupportables mais inévitables, tandis que la théorie de la F-A crée l'espoir irrationnel, et donc dangereux, qu'on peut éliminer les sources de frustration et se libérer totalement de l'agressivité.

Une des conclusions heureuses de la recherche inspirée soit des théories freudiennes, instinctuelles, soit de la F-A, laisse croire qu'on peut modifier l'agressivité soit en en réglementant les manifestations ou en en canalisant l'expression. Nous employons ces deux méthodes dans nos séminaires de formation au combat loyal : l'incitation au combat se fait par consentement mutuel et n'est pas seulement engendrée par la frustration; l'expression des sentiments agressifs est régie par des règles qui conviennent aux deux parties; et le combat a pour but non pas de blesser, mais d'amener un changement et une catharsis chez les partenaires. Naturellement, les mots blessants, les insultes sont indissociables de toute dispute, sinon les partenaires ne feraient que s'affirmer plutôt que de décharger leur agressivité.

En vertu de notre théorie de l'impact de l'agressivité, nous considérons l'agression comme essentielle pour susciter un changement au sein du système intime. L'agression verbale ou non-verbale sert d'abord à renseigner le partenaire sur les conditions qui risquent d'intensifier l'aspect destructeur de l'agression, c'est-à-dire l'hostilité, ou de l'affaiblir. L'échange de sentiments agressifs apporte une formation utile quant aux positions souhaitables (tolérables) et intolérables (aliénantes) pour chaque partenaire concernant les aspects de l'intimité, comme la distance optimale (proximité), l'autorité (hiérarchie des pouvoirs) et la loyauté (territoire). La théorie traditionnelle de la F-A affirme que «le désir de blesser est le but qui met fin à la manifestation agressive» (Berkowitz, 1962) tandis qu'en vertu de notre théorie de l'impact, la fin du processus d'influence ou d'impact marque aussi celle du combat et de son agent de renforcement.

Le dictionnaire définit le terme agression comme une «attaque non provoquée, injustifiée, généralement soudaine et brutale», comme «une attaque violente contre une personne», et l'agressivité comme «une manifestation de l'instinct d'agression, instinct lié, selon les uns, à la destruction, selon les autres, à l'affirmation de soi». Ces définitions englobent donc tant des aspects positifs que négatifs. Devant cette confusion sémantique, nous avons défini tous les termes associés à l'idée d'agression et d'agressivité.

ALIÉNATEUR: Partenaire sadique qui, ouvertement ou secrètement, d'une manière délibérée ou non, rationnelle ou irrationnelle, non seulement aime voir l'autre souffrir mais agit d'une manière hostile (subtile ou camouflée) qui blesse ou détruit l'autre. La formation au combat démasque les aliénateurs (qui s'allient souvent à des «anges» pour former une alliance symbiotique au sein de laquelle chacun se nourrit des faiblesses de l'autre) et les soumet à une thérapie appropriée.

AGRESSIVITÉ: Vaste terme passe-partout se rapportant à divers sentiments, pensées, actions et interactions qui se produisent naturellement lorsque les partenaires s'occasionnent des frustrations, se disputent, demandent un changement ou y résistent. La provocation ainsi que les manifestations d'agressivité peuvent prendre plusieurs formes, allant de la simple affirmation inoffensive (ferme mais non malsaine) à l'hostilité blessante. S'affirmer, demander, influencer l'autre, ces comportements font partie de la dimension positive de l'agressivité. L'hostilité, la violence, toute pensée ou action entraînant des blessures, de la souffrance, des dommages ou un meurtre relèvent d'une agressivité malsaine. (Nos participants apprennent à différencier l'hostilité de l'affirmation de soi.)

AGRESSIVITÉ CONSTRUCTIVE: Combat loyal entre intimes qui apporte de nouvelles informations authentiques. Utile de trois façons: 1) pour aider les partenaires à savoir honnêtement où ils en sont; 2) pour les aider à reconnaître l'objet du conflit et à apprendre comment le résoudre; 3) pour rappeler à l'autre son seuil de tolérance face à toutes les dimensions du système intime. Les échanges agressifs sont considérés comme constructifs dans la mesure où ils procurent à l'un des partenaires, ou aux deux, une catharsis sans souffrance et qu'en outre, ils les divertissent (D) et les aident à garder ouvertes les voies de la communication (Co). En clinique, on mesure le degré de constructivité d'une agression à la prédominance des styles de combat «loyaux» sur les styles «déloyaux» au tableau des éléments du combat; et à la prédominance des changements positifs sur les changements négatifs au tableau des effets du combat. L'agressivité constructive s'exprime par la formule heuristique suivante:

$$AC = \frac{(Info) + (Cath) + (D) + (Co)}{Souffrance}$$

AGRESSIVITÉ PASSIVE: Hostilité indirecte, camouflée (délibérément ou non) qui diminue l'intimité et accroît l'aliénation d'une façon plus destructrice que le combat déloyal ouvert. Pour les besoins de l'apprentissage du combat, nous incluons dans l'agressivité passive des tactiques destructrices comme la fuite des conflits, les pièges, l'observation du partenaire, le refus de partager ses sentiments, de réagir, etc.

CATHARSIS: Libération normale, saine et non instrumentale (habituellement ritualisée) de sentiments agressifs et hostiles à l'égard de cibles déplacées (personne, objet, idée). Fait de se libérer d'une tension sans essayer en même temps de changer ou d'améliorer quoi que ce soit. La catharsis peut favoriser l'intimité en divertissant les partenaires ou en leur rappelant leur seuil de tolérance mutuel.

COMBAT : Affrontement agressif verbal à propos d'un grief spécifique et bien défini visant à amener la modification (pour le meilleur) d'un aspect destructeur, frustrant ou intolérable de la relation intime.

COMBAT-PRÉAMBULE : Dispute-à-propos-d'une-dispute. Lors de la formation au combat loyal, les partenaires apprennent à négocier le lieu, le moment, les modalités ou l'objet du combat.

COLÈRE : Réaction souvent émotive, mais pas nécessairement irrationnelle; provoquée par le sentiment d'avoir été blessé, détourné de ses désirs, rejeté, rabaissé, humilié, critiqué injustement, frappé en bas de la ceinture, abusé, manipulé ou exploité. La colère peut s'exprimer de maintes façons verbales ou non verbales (cris, grimaces, gestes, etc.). Son intensité va de la légère contrariété à la rage incontrôlable.

COUP BAS : Caractérise une tactique ou un style de combat aliénant dont les points sont enregistrés au-dessous de la ligne neutre (0) sur le tableau des éléments du combat.

FACE À FACE (*leveling*) : Expression transparente, authentique et explicite de ses sentiments véritables au sein d'une relation intime, particulièrement en ce qui concerne des aspects plus conflictuels ou pénibles; un dialogue intime essentiel à la localisation des sources de conflit.

FORMATION AU COMBAT LOYAL : Programme dont le but est d'entraîner les partenaires intimes, en couples, en petits groupes de couples ou en famille, à engager des combats agressifs loyaux, de leur montrer à employer leur agressivité d'une manière constructive en minimisant les souffrances, en maximisant l'apport d'information et en libérerant leurs tensions par des rituels de combat inoffensifs.

LIGNE DE CEINTURE (points sensibles) : Limite de tolérance au-dessous de laquelle les partenaires ne peuvent encaisser des coups ou des blessures sans que n'en souffre leur relation. Lors de la formation au combat, les intimes apprennent à définir clairement et à révéler (plutôt qu'à cacher) leurs points sensibles, leur talon d'Achille ou leur ligne de ceinture et à l'ajuster si elle se trouve trop élevée ou trop basse. Les coups francs sont typiques du combat déloyal et les coups bas sont déloyaux.

LOYAL : Caractérise un style ou une tactique de combat nette, responsable, génératrice d'information nouvelle et claire.

RITUELS DE COMBAT : Ronde de manifestations d'agressivité déplacée qui se traduisent par des échanges d'insultes de plaintes et de récriminations redondantes. Ces rituels n'apportent aucune information nouvelle, aucun changement, mais ont une fonction cathartique.

SOUFFRANCES : Blessures psychologiques, physiques ou sociales (humiliation, gêne, isolement) infligées au cours de la dispute entre intimes. La peur de blesser leur partenaire ou d'être blessés eux-mêmes est une des principales raisons pour lesquelles les partenaires évitent les conflits, ce qui les incite à manifester leur agressivité d'une manière indirecte et passive. Nous avons pu constater, lors des séminaires de formation au combat, que cette phobie du conflit est irrationnellement élevée chez nos participants. Les partenaires sont moins vulnérables et ont un seuil de tolérance à la souffrance plus élevé qu'on ne le croit en général; ils peuvent même apprendre à accepter de souffrir si cela leur apporte de l'information nouvelle. L'expérience vécue de la douleur dépend beaucoup de l'autosuggestion irrationnelle et de l'attitude dépressive de l'individu; par exemple certaines personnes construisent elle-mêmes leur propre malheur en recherchant les occasions de se sentir victimes d'injustices. La formation au combat loyal élimine la haine de soi et le masochisme.

SYNERGIE : Coexistence ou confluence d'éléments supposés contraires; intégration « vivable » et pragmatique d'aspects en apparence paradoxaux de l'intimité, comme l'amour et la haine; la guerre et la paix; le chef et le subalterne; la spontanéité et l'obligation. Une synergie réussie est le but ultime de la formation au combat loyal.

VOLCAN OU ÉRUPTION VOLCANIQUE : Catharsis ritualisée et inoffensive; injures verbales dirigées contre quelqu'un ou quelque chose (y compris son partenaire); monologue et non dialogue. L'éruption volcanique n'est pas un combat; c'est un rituel qui vise à libérer une somme d'hostilité et à amuser mais non à amener un changement. Nos participants apprennent à employer le volcan à des fins thérapeutiques sans le transformer en combat.

VIRGINIA WOOLF : Volcan en duo : échanges d'insultes redondantes et anciennes que les deux partenaires acceptent d'engager à titre de rituel de défoulement. Nos participants apprennent à l'utiliser de manière thérapeutique sans le transformer en véritable combat.

Bibliographie

Ackerman, Nathan W., *Treating The Troubled Family*, Basic Books, 1966.

Altenberg, Henry E. «Changing Priorities in Child Psychiatry», Voices, vol. 4, no 1, 1968, p. 36-39.

Ardrey, Robert, *The Territorial Imperative*, New York, Delta Books, 1966.

Bach, George R. «An Experimental Study of Young Children's Fantasies», Thèse de doctorat présentée à l'Université de l'Iowa, 1944.

_____. «Young Children's Play Fantasies», *Psychological Monographs*, 59, no 2, 1945.

_____. *Intensive Group Psychotherapy*, Ronald Press, 1954.

_____. *Constructive Aspects of Aggression*, symposium présenté à la 9e conférence annuelle de la Psychotherapy Association of Southern California, 1962.

_____. «A Theory of Intimate Aggression», *Psychological Report, 1965, no 18, p. 449-450*

_____. «*The Marathon Group: Intensive Practice of Intimate Interaction*», *Psychological Report*, 1966, no 18, p. 995-1002.

_____. «Marathon Group Dynamics II-Dimensions of Helpfulness», *Psychological Report*, 1967, no 20, p. 1147-1158.

_____. «Marathon Group Dynamics III-Disjunctive Contacts, *Psychological Report*, 1967, no 20, p. 1163-1172

_____. «Group-Leader Phobias in Marathon Groups», *Voices,* 1967, no 3, p. 41-46.

_____. «Thinging — A Sub-Theory of Intimate Aggression Illustrated by Spouse-Killing», présenté à la 75e convention annuelle de l'American Psychological Association à Washington, D.C., 2 septembre 1967.

_____. « Therapeutic Uses and Abuses of Aggression », présenté au Institute for Rational Living à New York, 30 mai 1968.

_____. Discussion sur l'« Accelerated Interaction » par Frederick Stoller, *International Journal of Group Psychotherapy*, 1968, no 18, p. 244-249.

Bateson, G., Jackson, D.D., Haley, J. et Weakland, J. « Toward a Theory of Schizophrenia », *Behavioral Science*, 1950, no 1, p. 251-264.

Bateson, G. et Ruesch, J., *Communication: The Social Matrix of Psychiatry*, W.W. Norton, 1951.

Beier, Ernst G., *The Silent Language of Psychotherapy*, Aldine Publishing Co., 1966.

Bell, John E., *Family Group Therapy*, Public Health Monograph, no 64, U.S. Department of Health, Education and Welfare, 1961.

Bell, N.W. et Vogel, E.F., *A Modern Introduction to the Family*, Free Press, 1960.

Berkowitz, Leonard, *Agression: A Social Psychological Analysis*, McGraw-Hill Book Co., 1962.

Berlin, Irving N., ed., *Training in Therapeutic Work with Children*, Science & Behavior Books, 1967.

Biderman, A.D. et Zimmer, H. *The Manipulation of Human Behavior*, John Wiley & Sons, Inc., 1961.

Boguslaw, Robert, *The New Utopians: A Study of System Design And Social Change,* Prentice-Hall, 1965.

Buckley, Walter, *Sociology and Modern Systems Theory,* Prentice-Hall, 1967.

Bugenthal, James T., *The Search for Authenticity*, Holt Rinehart and Winston, Inc., 1965.

Buhler, Charlotte. *Values in Psychotherapy*, Free Press, 1962.

Caplan, Nathan, *Treatment Intervention and Reciprocal Interaction Effects,* 1902.

Cooley, C.H., *Human Nature and The Social Order*, Scribner, 1902.

Corsini, Raymond J., *Methods of Group Psychotherapy*, Blakiston Division, 1957.

Cuber, John F. et Harroff, Peggy B, *The Significant Americans*, Pelican Books, 1965.

DeAnda, Natividad et DeAnda, Barbara, « Fighting as a Therapeutic Tool », présenté à la 11e rencontre annuelle de la Golden Gate Group Psychotherapy Society.

Dederich, Charles E., *Concepteur de la* « Synanon Game », décrite dans *The Tunnel Back : Synanon*, par Lewis Yablonsky, Macmillan, 1965.

Ellis, Albert, *If This Be Sexual Heresy*, Lyle Stuart, 1963.

_____. *The Folklore of Sex*, Grove Press, 1962.

_____. *The Art and Science of Love*, Lyle Stuart, 1960.

Ellis, Albert et Conway, Roger O., *The Art of Erotic Seduction*, Lyle Stuart, 1967.

Ellis, Albert et al., *How to Prevent Your Child from Becoming a Neurotic Adult*, Crown, 1966.

English, O.S. « Values in Psychotherapy : The Affair », *Voices*, vol. 3, no 4, 1967, p. 9-14.

Escalona, S., *Understanding Hostility in Children*, Science Research Assoc., Inc. 1954.

Eysenck, H.J., *The Effects of Psychotherapy*, International Science Press, 1966.

Festinger, Leon, *A Theory of Cognitive Dissonance*, Harper & Row, Inc., 1967.

_____. « Lafomnal Social Communication », *Psychological Review*, no 57, 1950, p. 271-282.

Festinger, Leon et Kelley, Harold, *Changing Attitudes Through Social Contacts*, Ann Arbor, Michigan : Research Center For Group Dynamics, 1951.

Frank, Jerome, *Persuasion And Healing*, John Hopkins Press, 1961.

Goffman, Erving, « On Cooling the Mark Out », *Psychiatry*, vol. 15, no 4, 1952, p. 451-463.

Goldstein, A.P., Heller, K. et Sechrest, L.B., *Psychotherapy and the Psychology of Behavior Change*, John Wiley & Sons, Inc., 1966, p. 73-146.

Goodrich, D.W. et Boomer, « D.S. Experimental Assessment of Modes of Conflict Resolution », *Family Process*, no 2, 1963, p. 13-24.

Haley, Jay, « An Interactional Description of Schizophrenia », *Psychiatry*, no 22, p. 321-332.

Harlow, H.F., « Affectional Responses in Infant Monkeys », Science, no 130, 1959.

_____. « The Nature of Love », *American Psychologist*, 1958, no 12 p. 673-685.

Heider, Fritz, *The Psychology of Interpersonal Relations,* John Wiley & Sons, Inc., 1958.

Hodge, Marshall Bryant, *Your Fear of Love*, Doubleday, 1967.

Hogan, Richard A., « Theory of Threat and Defense », *Journal of Consulting Psychology*, 1952, no 16, p. 417-424.

Jackson, Don D., *Human Communication*, Science & Behavior Books, 1968.

Jennings, Helen H., *Leadership and Isolation* (2e édition), Longmans, Green & Co., Inc., 1950.

Kaplan, Abraham, *The Conduct of Inquiry*, Chandler Publishing Co., 1964.

_____. « Models of Self Identity », discussion présentée au Group Psychotherapy Association of Southern California, 1967.

Kempler, Walter, « Experimental Family Therapy », *International Journal of Group Psychotherapy*, vol. XV, no 1, 1965.

Kinsey, Alfred et al. *Sexual Behavior in the Human Female*, Philadelphia, Saunders, 1953.

_____. *Sexual Behavior in the Human Male*, Saunders, 1948.

Kubie, L.S., *Practical and Theoretical Aspects of Psychoanalysis*, International Universities Press, Inc., 1950.

Lewin, Kurt. *Education For Reality*, A DYNAMIC THEORY OF PERSONALITY, McGraw-Hill Book Co., 1935, p. 171-179.

_____. *Resolving Social Conflicts*, édité par Gertrude Lewin, Harper & Brothers, 1948.

_____. *Field Theory in Social Science*, édité par Dorwin Cartwright, Harper & Brothers, 1951.

Marmor, Judd, « Changing Patterns of Femininity: Psychoanalytic Implications », *The Marriage Relationship-Psychoanalytic Perspectives*, édité par Salo Rosenbaum et Ian Alger, Basic Books, 1968.

Mead, G.H., *Mind, Self and Society*, University of Chicago Press, 1934.

Megargee, Edwin, « Matricide and Patricide », présenté à la 75e convention annuelle de l'American Psychological Association in Washington, D.C., 2 septembre 1967.

Menninger, Karl, *Love against Hate*, Harcourt Brace, 1959.

Newcombe, T.M., « The Prediction of Interpersonal Attraction », *American Psychologist*, vol. II, 1956, p. 575-586.

Oliver, Bernard, « Social Psychological Characteristics of the Rapist », présenté à la rencontre annuelle de la California State Psychological Association, 4 décembre 1964.

Pearson, A.W. et Khoury, Nicholas J., « Alcoholism : Medical Team Approach to Treatment », *California Medicine*, nov. 1961, p. 284-287.

Pepitone, A. et Reichling, G. « Group Cohesiveness and the Expression of Hostility », *Human Relations*, 1955, no 8, p. 327-338.

_____. *Strategy and Conscience*, Harper & Row, 1964.

Rasch, Wilfried, « Homicide and Intimacy », présenté à la 75e convention annuelle de l'American Psychological Association, Washington, D.C., 2 septembre 1967.

Ruesch, Jurgen et Kees, Wheldon, *Non-Verbal Communication*, University of California Press, 1956.

Sagan, Eugene, « Creative Behavior and Artistic Development in Psychotherapy », symposium présenté au APA de l'Annual Convention Program, 1967.

Sarbin, T.R., « Role Theory », G. Lindsey (éd.), *Handbook of Social Psychology*, vol. 1, Addison-Wesley, 1954, p. 223-258.

Schacter, Stanley, « Deviation, Rejection and Communication », *Journal of Abnormal Social Psychology*, 1951, no 46, p. 190-207.

Schofield, W., *Psychotherapy: The Purchase of Friendship,* Prentice-Hall, 1964.

Shapiro, David, *Neurotic Styles*, Basic Books, 1965.

Shapiro, Stewart B., « Transactional Aspects of Ego Therapy », *The Journal of Psychology*, 1963, no 56, p. 479-498.

Shostrom, Everett, *Man, the Manipulator,* Abingdon Press, 1967.

Shumsky, Marshall E., « Teenagers in Group Therapy and Marathon Groups », Conférence, San Francisco, Calif., 22 juin 1968.

Stoller, Frederick, « Accelerated Interaction : A Time-limited Approach Based on the Brief Intensive Group », *International Journal of Group Psychotherapy*, vol. XVIII, no 2, 1968, p. 220-258.

Stoller, Frederick, « The Long Weekend », *Psychology Today*, décembre 1967, p. 28-33.

Tagiuri, R. et Petrullo, L. (éd.), *Person Perception and Interpersonal Behavior*, Stanford University Press, 1958, p. 316-36.

Whitaker, Carl A., « The Use of Aggression in Psychotherapy », présenté à la 9e conférence annuelle du Group Psychotherapy Association of Southern California, 1962.

Winnicott, D.W., *Aggression in Relation to Emotional Development*, Collected papers Tavistock, 1958.

Wolfgang, M.E. et Ferracuti, F., *The Subculture of Violence*, Tavistock, 1967.

Yablonsky, Lewis, *The Hippie Trip*, Pegasus, 1968.

———. *The Tunnel Back : Synanon*, Macmillan, 1965.

———. *The Violent Gang*, Macmillan, 1963.

Livres traduits en français

Ardry, Robert, *L'Impératif territorial*, Paris, Stock, 1966.

Bach, George. *Agressivité créatrice*, éd. du Jour, coll. Actualisation, janv. 1981.

_____. *Partenaires*, éd. du Jour, coll. Actualisation, janv. 1981.

Bendura, Albert, *L'Apprentissage social*, Mardoga Pierre, 1980.

Bateson, Gregory, *Vers une écologie de l'esprit I et II*, Seuil, 1977 et 1980.

Berne, Eric, *Des jeux et des hommes*, Stock, 1975.

Berne, Eric, *Analyse transactionnelle en psychothérapie*, Payot, 1971.

Bettelheim, Bruno, *L'amour ne suffit pas*, Fleurus, 1970.

Bettelheim, Bruno, *Évadés de la vie*, Fleurus, 1973.

Bettelheim, Bruno, *La foteress vide*, Gallimard, 1969.

Boszormenvi-Nagy, I. et Framo, James L., *Psychothérapie familiale : aspects théoriques et pratiques, P.U.F, 1980.*

Cleaver, Eldridge, Un noir à l'ombre, Paris, Seuil, 1972.

Ellis, Albet et Auge, Lucien, *Comprendre la névrose et aider les névrosés,* Centre disciplinaire de Montréal, 1980.

Erikson, Erik H, *Enfance et société*, Delachaux, 1966.

Erikson, Erik H, *Adolescence et crise*, La quête de l'identité, Flammarion.

Eysench, H.J., *La névrose et vous*, Madaga, 1980.

Freud, Sigmund, *Nouvelles conférences sur la psychanalyse*, Gallimard, 1971.

Freud, Sigmund, *Malaises dans la civilisation*, P.U.F., 1980.

Gibb, Jack, *Les clés de la confiance*, Le jour, 1981.

Ginott, H.G., *Entre parents et enfants*, Laffont, 1966.

Glasser, William, *La «Reality Therapy»*, Nouvelle approche thérapeutique par le réel, Épi, 1977.

Glasser, William, *États d'esprit*, Montréal, Le Jour, 1982.

Goffman, Erving, *Les sites d'interaction*, Minuit, 1974.

Goffman, Erving, *La mise en scène de la vie quotidienne*, Minuit, 1973.

Haley, Jay, *Nouvelles stratégies en thérapie familiale. Le «problem-solving» en psychothérapie familiale*, Delarge, 1979.

Jackson, Don D., Watzlawock, Paul et Helwick Beavong, *Une logique de la communication*, Seuil, 1979.

Laing. R.D., *Le Moi divisé*, Stock, 1970.

Laing, R.D., *Soi et les autres*, Gallimard, 1971.

Laing, R.D., *La politique de l'expérience*, Stock, 1969.

Laing, R.D. et Esterson, *L'équilibre mental, la folie et la famille*, L'Étincelle, 1973.

Lewin, Kurt, *Psychologie dynamique*, P.V.F., 1975.

Lorenz, Konrad, *L'agression*, Flammarion, 1969.

Lorenz, Konrad, *Essais sur le comportement animal et humain*, Seuil, 1970.

Masters, W. et Johnson, V.E., *Les réactions sexuelles*, Laffont, 1968.

Moreno, J.L., *Psychothérapie de groupe et psychodrame*, Retz, 1975.

Nicholson, Lurée et Laura Torbet, *Parents gagnants! Agressivité et amour dans la famille*, Montréal, Le Jour, 1983.

Perls, Frederick S. et al., *Gestalt thérapie. Technique d'épanouissement personnel*, Stanké, 1977.

Piaget, Jean, *Le langage et la pensée chez l'enfant*, Delachaux.

Rapoport, Anatol, *Combats, débats et jeux*, Dunod, 1967.

Rogers, Carl R., *Psychothérapie et relations humaines*, Institut de recherches psychologiques, 1961.

Rosen, John N., *L'Analyse directe*, PUF.

Sartre, Jean-Paul, *L'Être et le néant*, Gallimard, 1976.

Satir, Virginia, *Thérapie du couple et la famille*, Thérapie familiale, Épi, 1971.

Schutz, William, *Joie*, Épi, 1974.

Shaw, George Bernard, Aubier-Montaigne.

Storr, Anthony, *L'instinct de destruction*, Paris, Calmann-levy, 1973.

Whitaker, Carl et Napier Augustus, *Le creuset familial*, Laffont, 1980.

Winnicott, D.W., *La consultation thérapeutique et l'enfant*, Gallimard, 1979.

Table des matières

Lithographié au Canada
sur les presses de
Métropole Litho Inc.

Ouvrages parus dans la collection 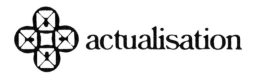 actualisation

Ouvrages parus chez

 le jour, éditeur

COLLECTION BEST-SELLERS

* **Comment aimer vivre seul,** Lynn Shahan
* **Comment faire l'amour à une femme,** Michael Morgenstern
* **Comment faire l'amour à un homme,** Alexandra Penney

* **Grand livre des horoscopes chinois, Le,** Theodora Lau
  Maîtriser la douleur, Meg Bogin
  Personne n'est parfait, Dr H. Weisinger, N.M. Lobsenz

COLLECTION ACTUALISATION

* **Agressivité créatrice, L',** Dr G.R. Bach, Dr H. Goldberg
* **Aider les jeunes à choisir,** Dr S.B. Simon, S. Wendkos Olds
  Au centre de soi, Dr Eugene T. Gendlin
  Clefs de la confiance, Les, Dr Jack Gibb
* **Enseignants efficaces,** Dr Thomas Gordon
  États d'esprit, Dr William Glasser

* **Être homme,** Dr Herb Goldberg
* **Jouer le tout pour le tout,** Carl Frederick
* **Mangez ce qui vous chante,** Dr L. Pearson, Dr L. Dangott, K. Saekel
* **Parents efficaces,** Dr Thomas Gordon
* **Partenaires,** Dr G.R. Bach, R.M. Deutsch
  Secrets de la communication, Les, R. Bandler, J. Grinder

COLLECTION VIVRE

* **Auto-hypnose, L',** Leslie M. LeCron
  Chemin infaillible du succès, Le, W. Clement Stone
* **Comment dominer et influencer les autres,** H.W. Gabriel
  Contrôle de soi par la relaxation, Le, Claude Marcotte
  Découvrez l'inconscient par la parapsychologie, Milan Ryzl
  Espaces intérieurs, Les, Dr Howard Eisenberg

  Être efficace, Marc Hanot
  Fabriquer sa chance, Bernard Gittelson
  Harmonie, une poursuite du succès, L', Raymond Vincent
* **Miracle de votre esprit, Le,** Dr Joseph Murphy
* **Négocier, entre vaincre et convaincre,** Dr Tessa Albert Warschaw

COLLECTION VIVRE SON CORPS

COLLECTION IDÉELLES

HORS-COLLECTION

Autres ouvrages parus aux Éditions du Jour

ALIMENTATION ET SANTÉ

ART CULINAIRE

DOCUMENTS ET BIOGRAPHIES

Monsieur Bricole, André Daveluy
Petite encyclopédie du bricoleur, André Daveluy
Parapsychologie, La, Dr Milan Ryzl
Poissons de nos eaux, Les, Claude Melançon
Psychologie de l'adolescent, La, Françoise Cholette-Pérusse
Psychologie du suicide chez l'adolescent, La, Brenda Rapkin
Qui êtes-vous? L'astrologie répond, Tiphaine

Régulation naturelle des naissances, La, Art Rosenblum
Sexualité expliquée aux enfants, La, Françoise Cholette-Pérusse
Techniques du macramé, Paulette Hervieux
Toujours des trucs, Jeanne Grisé-Allard
Toutes les races de chats, Dr Louise Laliberté-Robert
Vivre en amour, Isabelle Lapierre-Delisle

LITTÉRATURE

À la mort de mes vingt ans, P.O. Gagnon
Ah! mes aïeux, Jacques Hébert
Bois brûlé, Jean-Louis Roux
C't'a ton tour, Laura Cadieux, Michel Tremblay
Coeur de la baleine bleue, (poche), Jacques Poulin
Coffret Petit Jour, Abbé J. Martucci, P. Baillargeon, J. Poulin, M. Tremblay
Colin-maillard, Louis Hémon
Contes pour buveurs attardés, Michel Tremblay
Contes érotiques indiens, Herbert T. Schwartz
De Z à A, Serge Losique
Deux millième étage, Roch Carrier
Le dragon d'eau, R.F. Holland
Éternellement vôtre, Claude Péloquin
Femme qu'il aimait, La, Martin Ralph
Filles de joie et filles du roi, Gustave Lanctôt
Floralie, où es-tu?, Roch Carrier
Fou, Le, Pierre Châtillon
Il est par là le soleil, Roch Carrier

J'ai le goût de vivre, Isabelle Delisle
J'avais oublié que l'amour fût si beau, Yvette Doré-Joyal
Jean-Paul ou les hasards de la vie, Marcel Bellier
Jérémie et Barabas, F. Gertel
Johnny Bungalow, Paul Villeneuve
Jolis deuils, Roch Carrier
Lapokalipso, Raoul Duguay
Lettre à un Français qui veut émigrer au Québec, Carl Dubuc
Lettres d'amour, Maurice Champagne
Une lune de trop, Alphonse Gagnon
Ma chienne de vie, Jean-Guy Labrosse
Manifeste de l'infonie, Raoul Duguay
Marche du bonheur, La, Gilbert Normand
Meilleurs d'entre nous, Les, Henri Lamoureux
Mémoires d'un Esquimau, Maurice Métayer
Mon cheval pour un royaume, Jacques Poulin
N'Tsuk, Yves Thériault
Neige et le feu, La, (poche), Pierre Baillargeon

Obscénité et liberté, Jacques Hébert
Oslovik fait la bombe, Oslovik
Parlez-moi d'humour, Normand Hudon
Scandale est nécessaire, Le, Pierre Baillargeon

Trois jours en prison, Jacques Hébert
Voyage à Terre-Neuve, Comte de Gébineau

SPORTS

Baseball-Montréal, Bertrand B. Leblanc
Chasse au Québec, La, Serge Deyglun
Exercices physiques pour tous, Guy Bohémier
Grande forme, Brigitte Baer
Guide des sentiers de raquette, Guy Côté
Guide des rivières du Québec, F.W.C.C.
Hébertisme au Québec, L', Daniel A. Bellemare
Lecture de cartes et orientation en forêt, Serge Godin
Nutrition de l'athlète, La, Jean-Marc Brunet
Offensive rouge, L', G. Bonhomme, J. Caron, C. Pelchat

Pêche sportive au Québec, La, Serge Deyglun
Raquette, La, Gérard Lortie
Ski de randonnée — Cantons de l'Est, Guy Côté
Ski de randonnée — Lanaudière, Guy Côté
Ski de randonnée — Laurentides, Guy Côté
Ski de randonnée — Montréal, Guy Côté
Ski nordique de randonnée et ski de fond, Michael Brady
Technique canadienne de ski, Lorne Oakie O'Connor
Truite, la pêche à la mouche, Jeannot Ruel
La voile, un jeu d'enfant, Mario Brunet

Imprimé au Canada/Printed in Canada